JN062306

# 〈ツイッター〉にとって美とはなにか

SNS以後に「書く」ということ

大谷能生

フィルムアート社

# 目次

## 凡例

・引用文中の強調、傍点、下線はすべて原文のとおりである。
・引用文に付した頁数は、参考文献で示した版に基づいている。
・本文中の書名には刊行年を（　）で示し、翻訳書の場合は原著の刊行年を（　）で示した。

# はじめに

本書は、月刊誌『出版人・広告人』（出版人）二〇二〇年一〇月号から二〇二三年二月号まで全二九回にわたって連載された原稿を元にして作られている。

周知のように、連載を終えて、本として一冊にまとめる段取りも決まって、さて……とリライトに取り掛かったタイミングで「Twitter／ツイッター」社は買収され、アレアレと思っているうちに二〇二三年の七月末、アプリケーション／サービスの名称も「X」に変更された。

というわけで、ぼくたちの世界にはすでに「ツイッター」というソーシャル・ネットワーキング・サービスは存在しない。これからも存在しないだろう。日本版の開始は二〇〇八年とのことなので、最大四千五百万人ほどの人々が日々「自己表出」のパフォーマンスを繰り広げた、わずか一五年ほどだったぼくたちの「ツイッター時代」の終焉に、タイトルにその名を残すことで哀悼の意を示したい。合掌。

とはいえ、本文でも書いたのだが、ぼくはこの数年ケータイ不所持のまま生活しており、ツイッターは自分の活動の予定を（家のＰＣから）投稿・記録するだけ、フェイスブックその他に至っては利用してもいない。これはなんらかの心構えによるキリッとした選択というわけでは全然なく、単に必要ないしメンドくさいから、というきわめて消極的な振る舞いの結果であって、逆に言うと（逆に？）、この本を書こうと思った動機のひとつは、ケータイを持っていることを多くの人がすでに当然と見なしていることへの若干の違和感があったのだと思う。ケータイって失くすと大変だから、いちいち持って歩くのって不安じゃないですか？　そうでもないですか？

　それはともかく、連載していた当時興味深く読んでいたのは、タイトルにも使わせていただいた吉本隆明の『言語にとって美とはなにか』、および、時枝誠記の『国語学原論』、そして菅谷規矩雄の『詩的リズム』の三冊で、この三つの言語論が提出している分析装置――〈自己表出〉と〈指示表出〉、〈場面〉と〈主体〉と〈素材〉、〈構成力としてのリズム〉などなど――をクロスさせることによって、まずは「特殊な言語活動」としての「歌」について考えてみたのが、前著『歌というフィクション』（二〇二三）であった。

　本書はこの興味を「ＳＮＳ上の言語活動」へと展開させたものである。ネット上で日々繰り広げられている「書くこと」と「話すこと」の機能の異なり……という普段はあんまり気にしないような事柄について、いろんなイベントが中止になったり延期になったり、お店が閉まっちゃったり、人との距離感が変わったり、かと思うといきなりフツーに以前のモードに戻ったりと、時間の流れが渦を巻くようにして停滞と加速を繰り返し続けたこの時期に、「月刊誌への連載」といういまどきレアなスタイルで文章を書き続けられたのは幸運だったと思う。

本として上梓するにあたって、連載時の文章に刻まれていたこの時間のデコボコさ加減はわりあい均してしまいましたが、それでもまだやはり奇妙な引き攣れが随所に残っており、そのあたり、特殊な時代の記念としてそのままにしておきます。

おそらく、ぼくがこれまで書いてきたものの中でもとびぬけて時事性が強いテーマの一冊であって、移り変わる時代の中でこれからこの本がどのように読まれることになるのか、よろしくご感想などいただけることを楽しみにお待ちしています。では。

二〇二三年秋

大谷能生

# 第1部　言語論を再起動（リブート）する

# 第1章　ケータイを失くす／菅谷規矩雄の『詩的リズム』

二〇一九年の夏、二回続けて紛失したことをきっかけに携帯電話を解約し、外出先でも「ケータイ不携帯」で暮らすようになってすでに三年余り。やっぱり不便になるかな？　と、当初は心配していたけど、いまのところまったく問題ありませんね。

もともと携帯での通話も約束の時間に遅刻する時に使うくらいで（すいません……）、持っていた機種はパカパカ開いて操作する、いかにもまだ電話然としたいわゆる「ガラケー」だったので、みんながフツーにやってる液晶の画面をクルクル指で触ってスクロールさせる作業にはいまだに若干の抵抗感というか、うっすらとした恐怖心すら覚えてしまう。いまどきめずらしい古い種族の生き残りの一人である。

現在、知人のミュージシャンで携帯不所持なのは、ぼく以外に某N氏&U氏二人だけだ。みんなスタジオでのリハの録音など、その場でネット上にアップして共有している模様だが、ぼくの場合はこういう作業は家に帰ってから自室のデスクトップPCでおこなうことになる。

メイン・マシンはいまのところ二〇一七年末に購入のiMacで、音楽制作用のオーディオ・インターフェイスとミキサーとスピーカーと鍵盤が繋がれており、メールのやりとりやネット情報の検索ももっぱらこの一台で管理している。原稿制作もこのPCだ。作業中は常時自動的にインターネットに接続されているので、原稿を書いている時にもメール受信の通知表示が入ってくる……が、それくらいで、ネット上の情報は自分で探さないと基本見ないままで居られる状態である。

参加しているSNS系のプラットフォームはツイッターだけで、それ以外の登録はナシ。ツイッターをはじめたきっかけは、自身のライブ予定や出版情報を告知するホームページの更新の代わりに……というきわめて消極的な理由からで、なのでもっぱら「今月または今週の仕事情報」だけを発信するために使っている。日時と場所と時間、イベントのタイトルとチャージ料金などを書いてリンクを貼って投稿するという、まあ、ほとんど備忘録程度の使い方だ。ちょいと二〜三分アクセスするだけで不特定多数の人が読める場所に情報を開示出来る、という簡便さがこのサービスの利点だと思う。

DMを送る都合からこれまでにフォローした知人は「5」、フォロワーは、えーと、いま確認したところ二〇二三年の新春現在で「2775」とのこと。まあこういう数字は秒単位で変わるものなんだろうけど、自分のライブ後などにいくつかのキーワードで検索をかける、いわゆる「エゴサーチ」という行為を時々やってみることもあり、21・5インチのデカいモニター上に流れて来る書き込みをぼんやりと辿って、しかし、それ以上のことは特に何もせず、「リツイート」（「X」になってからは「リポスト」と言うそうですが……）とか「いいね！」とかの機能にはノータッチ。別に何か強い意志で持ってやらないということでは全然なくて、自分としてはきわめて自然な成りゆきでこうなったという「SNSとの距離感」なんですが、あらためてこれはかなり消極的なネット情報との関わり方ということになるだろうと思う。

なんと言ってもケータイ持ってませんからね！「携帯」と言っても現在の、iPhoneに代表されるいわゆる「スマートフォン」は、通信機能付きのオーディオ／ヴィジュアル複合デバイスであって、一台でクレジットの支払いから対戦ゲームへの参加、スポーツ観戦から株価の確認までおこなうことの出来る、掌上の総合情報処理装置である。

先日、久しぶりに電車に乗って席に座り、読みかけの本を出して読み始め、ふと目を挙げると、寝てる人以外の車内のほぼ全員がケータイを弄っていて、このギアの急速な普及に、なんだろ、憮然というのが一番近い感情だろうか、みんな人目も気にせず人前で、自分の好きなものの読み書き視聴に熱中していて、この装置を操作することの何がここまで人を夢中にさせるのだろうか？ と、あらためて考えた。横浜から神保町・美学校へと向かう電車でのことである。その時に読んでいた本が、菅谷規矩雄（すがやきくお）の『詩的リズム――音数律に関するノート』（一九七五）だった。

菅谷規矩雄という詩人・批評家のことを、ぼくは不勉強ながらこの本を読むまでまったく知らなかった。プロフィールによると「六〇年代から詩人として活動」「天沢退二郎らと詩誌『凶区』に参加」「大学紛争時に東京都立大学を懲戒免職」「一九八九年に五十三歳で逝去」とのことで、一九七二年生まれのぼくがモノを読み始めた頃には彼は亡くなっていたのだった。その後、九〇年代から現在に至るまで、ぼくの世代に限ってなのかもしれないけれど、彼が残した著作の内容について教えてくれるような文章にぶつかる機会は皆無だった。

しかし、この本は素晴らしいのである。菅谷は「序」において、これまでの自身の読書経験や詩作について振り返りながら、〈じぶんの詩に七五調が入りこむことを、ほとんど生理的に拒んできた〉と自省する。自身の詩の創作における、無言の領域から〈発語〉にまで辿り着くための起動力と、発語された言葉が詩作品へと仕立て上げられてゆく過程を振り返りながら、菅谷は、「自分の詩作を否定的に支えている日本語の定型性」について、さらにつっこんで考えることをこの本において試みている。

日本語の詩において定型とはなにか？　たとえば、万葉集から現代の口語自由詩までを一貫して支えているような「型」というものを（否定的にであれ、肯定的にであれ）見いだすことは可能だろうか？——このようなきわめて大きな問いに対して、『詩的リズム』において、菅谷はまず、「日本語を成立させるリズムの原理」について考えるところから取り組みはじめる。形式的には「音韻（言葉のもつ音）」と「音律（リズム）」に二分割して捉えることが出来るコトバの様相の、その音律的要素にフォーカスを当てて考えてみること——そして、彼が展開してゆく「日本語表現におけるリズム原論」は、ぼくたちが現在スマホ上で展開している多種多様な書き込みに対しても適用可能な広がりが備わっている論なのであった。

## 日本語のリズムがもつ三つの特性

日本語における言語活動の基盤に置かれている「リズム」について、菅谷はさまざまな先行研究を参考にしながら、大きく以下の三つの特性に依拠することで、自身の論を展開してゆく。

一つは、日本語のリズムは、語に対する強弱アクセントやストレス、または長・短音節のコンビネーションではなく、**一音に一拍を与えて表現する「等時拍音形式」をその基盤とする**、という論である。

たとえば「大谷」は英語では「Oh/Tani」の二拍・二音節のリズムで表現されるが、日本語においては「おおたに」＝「O/O/Ta/Ni」という四拍・四音節の単語であって、これは「おお」が「おー」と長音化されても、「ー」に一音が与えられることでキープされる。

日本語においては、語を構成する音は原理上すべて明確に一拍を与えられて、たとえばタクシーに乗って運転手さんに「み・な・と・く、あ・か・さ・か、の、ＴＢＳまでお願いします」みたいに行き先を伝える時のように、母音オンリーの「あいうえお」も含め一音＝一拍を前提として、コトバのやりとりは進められてゆくのである。

日本語における母音の連続は欧米諸国の言語ネイティヴたちにとって厄介な部分だと聞くことがあるが、ぼくたちは「青い海の上の大いなる愛」という発音を、その一音ずつをそれぞれ切り離して聞き取ることで、「aoiuminouenoooinaruai」を一つの文章として理解するための状態を用意するのだ。

そして、第二点として、この等時拍を前提にして作られる複数音による「語」＝「音節」は、その前後に「**無音の拍**」＝「**休止**」の時間が挟まれることによってグルーピングされ、この分節に沿って「音」は「言葉」へと変換されてゆく。たとえば、前述の「aoiuminouenoooinaruai」は、実際にはその中に「aoi / umino / ueno / ooinaru / ai」という「/」＝休止が内在しており、この「無音の拍」の存在が、聞き取った音を意味へと変換するためのポイントを聞き手に指し示すことになる。そしてもう一つ、このようにしてフレージングされた一節は、そのカタマリがまた再び「一拍」となって、「等時拍のリズム」は文章の次元にまでその原理が拡大されて、ここに「**リズム**」＝「**律**」**によるコトバの統合**という構成原理があらわれることになる。

### リズム定型としての七五調

つまりどういうことか？　たとえば、なんでもいいんだけど、えーと、日本語における定型詩の代表である俳句の、さらにその代表である松尾芭蕉の代表作（？）である〈閑さや岩にしみ入る蝉の声〉をあらためて詠んでみよう。

〽〈閑さや岩にしみ入る蝉の声〉……実際に口に出してみるとわかると思うけど、冒頭、「や」という切れ字によって「無音の拍」を内在化させた「閑さや」という五音の情景・情感が提示され、そして次の「岩にしみ入る」は七音で一節なのだが、この部分でちょっとスピードが上がるというか、最初の五音で示された時間の単位にそのスピードを寄せるようなかたちでこのフレーズは詠まれるのではないかと思う。つまり、ここで詠みのテンポは若干加速され、そしてまた無音の拍が挟まり、今度はもう一度最初のテンポに戻って、あるいはさらに減速した状態で、最後の「蟬の声」が登場する……つまり、五・七・五とグルーピングされたこの詩・句の音節は、それぞれが一対一対一、「一音節：一拍」の時間比率になるように、いわば弾性的にその速度を引きつけ合いながら詠まれてゆくのである。

「等時拍」「無音の拍によるグルーピング」「音節数の組み合わせによるテンポの変化」……菅谷の論の画期的な点は、このような日本語了解におけるリズム的原則から、あるコトバが「詩」としての表現を得るために必要とされる「構成力」としての「リズム」の存在を明らかにしたことである。たとえば、俗謡「高い山から谷底見れば・瓜や茄子の花盛り」は、「タカイ／ヤマカラ／タニソコ／ミレバ／ウリヤ／ナスビノ／ハナサカリ」という三・四・五音のグルーピングによって作られており、無音の拍によって区切られたこの三つの音価は、詩句の中でそれぞれが「一拍」になる状態へと調整されながら、つまりそれらの言葉を互いにリズムによって結び付ける作業を通して一文へとまとめ上げられる。このような減速と加速によるコトバのリズム化を「定型化」したものが、いわゆる日本の伝統的詩型である「七五・五七」の音律なのであった。

定型音律とは、言葉によって伝えようとする「意味」以前に存在している、コトバを了解するために必要とされる「言語活動におけるリズム的領域」を提示するためのきわめて有効なシステムである。そのもっとも原始的な例は、たとえば、知人に何かを伝える際にまず放たれる「あのねー」

といった、それ自体はほとんど無意味な一言だ。ぼくたちはこのような「あのねー」を共有することによって、これから音が意味へと変換されてゆくだろうリズムの中へと互いに入り込むのである。**ぼくたちは誰かと言語活動をおこなうにあたって、まず、その言語独自のリズム的原則の中に身を沈める。**日本語におけるそのもっとも深い層が「等時拍」であり、一音から一節へと拡張されてゆくこの機能に従って音を言葉へ、言葉を文へとグルーピングしながら、ぼくたちは互いの言語活動を了解してゆくのだ。

この作業は会話においては、話し手と聞き手が交互に互いの発している言葉を確認し合いながら、聞き取れなかった＝相手とのリズムにズレが生じた、または、そもそも聞き覚えのないコトバについての知識を確認・修正しながら進めてゆくことが可能である。

しかし、このような作業は実際は、長い付き合いのある人間同士の会話においても毎回手探りに成らざるを得ない部分もあって、そしてたとえ相手の話が分かったとしてもその内容に納得するかどうかはまったく別な事柄であって、つまり、リズムの共有は言語活動における最低レヴェルの前提であるわけだけれど、七五調の定型音律はまずそのラインを外付け的に引いてしまうことで、ぼくたちの「表現」としての言語活動を容易にするシステムなのであった。

## なぜ「リズム」はSNSの問題になるのか？

『詩的リズム』において菅谷は、「等時拍」という原理自体が存在しなかったかもしれないはるか古代におけるコトバの在り方からはじめ、テンポの変化による構造化が「抒情詩」を可能としはじめた記紀万葉の詩型をチェックし、そしてそこから遠く、近代ニッポンにおける唱歌・軍歌における「行軍的リズム」や、そのような軍歌的律動に対するアンチとしての、中原中也における「三拍子」の存在までを辿ってゆく。彼は〈**発生の本質が現存をつらぬく**〉と述べる。コトバが発生し、それが「詩」というフォームを生み出し、そしてぼくたちはいまでも、万葉の昔からあいもかわらず、書いたり話したりしながら生活を続けている。「個体発生は系統発生を繰り返す」という言葉もあるが、日本語における「五七・七五」調の定型律を単なる「伝統」としてではなく、現在でもぼくたちの聞く・話すことを統御している「リズム」的原則の問題として考え得たところが、『詩的リズム』のおもしろさであった。

そして、この論をもっぱら「唄う歌」に応用することから、ぼくも先日上梓した『歌というフィクション』(二〇二三)を書きはじめてみたというわけだが、さて、いま書かれているこの本において取り上げたいのは、SNS上の「日本語における言語活動」についてである。

たとえば、ツイッターのページを開いて、「いまどうしてる?」というボックスに表示されている「トレンド」の一つをクリックして、そこにあらわれる投稿をクリックしながらしばらく辿っていると、以下のような書き込みに出会うことが出来た。

■【悲報】テレビ朝日さん、大晦日にトチ狂うwwwwww

表示されている文字は、オリジナルは横書きである。引用は直接当該画像をキャプチャーして貼るのがベストだろうが、まあ、こんな感じの書き込みがありまして……ここで打たれている「w」は、ネット上では「草が生える」と呼ばれる、インターネット／SNSにおける独特の表現である。このwwwwの連打は菅谷的な論点から見るならば、どのような原理に則ったものと考えることが出来るだろうか。

## インターネットに現れる詩的リズム

もう少しいろいろと、ツイッターのタイムラインなどを辿って、インターネット上に書き込まれている言述をしばらく眺めてみる。ぼくが自身のPCで、シーズン中ほぼ唯一定期的に目を通しているサイトは『ベイスターズ速報@なんJ　（＊＞○＜＊）ベイスターズまとめブログ』（http://nanjde.blog.jp）である。いわゆる、ニッポンのプロ野球情報を共有しながらみんながあーだこーだデジタル掲示板に書き込んだものを抜粋したいわゆる「まとめサイト」だ。現在は二〇二三年のストーブ・リーグの真っ最中なので、トピックには「横浜スタジアムに新たなグループ席が登場！」とか「DeNAドラ5橋本選手、偏差値70超の公立校で…」とかいった内容が並んでいる。

前述した「wwwwww」的な書き込みもさまざまに見うけられる。ちょっと覗けば実例に事欠かないのでいちいち挙げないけど、「wwwwww」の使用率は記事のタイトルに多くて……というよりもこうしたネット独自の表現はそもそも、二〇〇〇年前後からサービスがスタートされた、匿名での書き込み&集団での閲覧を基本スタイルとする「掲示板」や「コメント欄」において発生し、その後、スマホ&SNSの普及にともない一般層にも広がっていったものが多数であるだろう。

「wwwwww」は普通の使い方(?)だと、「その記述者が笑っている」ことを示す書き込みである。おそらく、最初は「(笑い)」だったものが「(笑)」になり、その後「わらい」をローマ字入力する際の最初の打鍵である「w」だけになって、さらに一発打つだけでは満足できなくなって、爆笑の表現としてwwwwwwwwwwwwという連打――これを「大草原」と呼ぶ――になったのだろうと思われる。

なにかキトクな情報や画像を見た人が吹き出しながら「ちょお前待てwwwwwwwww」みたいに書き込む、というわけであるが、単に笑っていることを示すだけなら「(笑い)」でいいところそれがwwwwwwとなり、またその表現がすっかり定着してしまっているのは、まさに〈**発生の本質が現存をつらぬく**〉事態であるだろうとぼくは思う。ここにはおそらく、何かを表現したい主体が自身の書いたコトバに対して感じた不充足感が存在し、それをなんとかフォローするために追加した「定型」がwwwwwwなのだ。

菅谷によれば、日本語による詩作品を支えている最大の形式は「テンポの変化」である。七五調に代表される定型音律は減速と加速を引き寄せるその構造によって、誰かにコトバの意味を伝えるために必要な「等時拍」的なリズムの存在をその表現の裏地に縫い込ませる機能が備わっている。そして、おそらく、ツイッターにおける「wwwwww」は、七五調による「テンポの変化」を代用するような表現＝形式なのである。

このwには母音がない。きわめて直接的な打鍵によっておこなわれる書字のカタマリであり、ぼくたちはキーを押しっぱなしにすることで画面上に無限に草を生やし続けることが出来る。aiueoという母音をカットすることによってこのwは、「輪」や「和」や「を」や「we」といった「意味」へと辿り着かずに、つまり、その背後に「音」や「文字」や「文章」を備えていないまま、それを打った人のアクションに密着したスピード感でもってモニターの上に定着される。

ツイッターおよびネットの書き込みにおいてwwwwwwを連打している書き手は、おそらく無意識的に、この連打によって生まれる「加速化」＝「テンポの変化」をここで自身の表現に導入していると考えることは出来ないだろうか。ただ「おい待て」と書くだけでは伝えられない自身の興奮を、意味をカットした文字の連打というアクションで表現すると同時に、「テンポの設定」→「wwwwwwによるその加速」→「唐突な終止」という「リズム的形式」を与えることで、その表現に構造を備えさせること――つまりwwwwwwによって書き手は読み手に対して、自身が表現したいと思っている意味を支える「詩的リズム」の提示をおこなっているのである。

## リズムが支える言語の共通性

定型を踏まえない言葉からは抜け落ちざるを得ない「リズム」の存在を示し、その共有へと読み手を誘うこと。wwwwwwとはそのような欲望を備えた表現であって、ここには具体的な「聞き手」

が目の前に存在しないまま、ただ一人モニターに向かって「つぶやき」という言語活動をおこなっている人が感じる不安と興奮が綯交ぜられているように思う。

ぼくはここで菅谷が分析の対象とした詩作品とツイッター上への書き込みを同等な表現として扱っているが、菅谷の提示した「等時拍」「無音の拍によるグルーピング」「音節数の組み合わせによるテンポの変化」という日本語における表現の原則は、もっぱら「散文」によって書かれるツイッター上の短文においても十分に適用されるものだろうと思う。言葉を書き、または喋ることによって何かを伝えようという欲望から生まれるすべての「言語活動」は、やはり、〈発生の本質が現存をつらぬ〉いて立ちあらわれる。現在のSNS上の表現は、もしかすると、のちに七五的な定型を産むに至るまでの長い長い過程の中にある――はるか古代の、万葉の詩篇として書き留められないまま失われた、さまざまな詩的実践の現在系なのかもしれないのである。

菅谷は、自身が生理的に拒んでいた定型＝〈七五調〉＝「リズムの提示」について、中原中也における「口語性」と「七五音律」との関係について分析しながら、以下のようにも述べていた。

七五調は、近世の日本において、いわばゆいいつの〈共通語〉あるいは〈標準語〉のごときものであった。武士階級はともかく、しかしそれでも当の武士社会をものみつくすごとくにして、七五調は全社会・全階層に言語の共通性として遍在していた。[…]
たぶん、七五調の口語的な素性の、つかのまの新しさに応じた度合いだけ、中原は七五調の風土的呪縛から自由でありえた。すくなくとも大衆性というかぎりでは、中原のことばのこの種の自由さは存外長命でありうるかもしれない――藤村の七五調を愛唱する高校生など、今どきひとりもありそうもないが、「汚れつちまつた悲しみに……」は、かんたんには若い人びとの心からも消えそうにない。

（『近代詩十章』、一四四頁）

ある言葉の意味を支える共通性としてのリズムの存在――その剝き出しのあらわれがwwwwwwであるだろう。そしてそれはおそらく、昭和にあっても詩を書くために必要とされた、菅谷が自身の詩作から徹底して遠ざけようとした、近世的七五調と同じような〈風土的呪縛〉のひとつなのかもしれない。

ところで、菅谷が展開している論の基盤には、「リズム」の存在を〈言語活動を成り立たせるもっとも源本的な場面〉と設定した、時枝誠記（ときえだもとき）による「言語過程説」が存在している。時枝はその著書『国語学原論』（一九四一）において、言語活動を支える条件として〈**主体**〉と〈**場面**〉と〈**素材**〉の三つを提示した。菅谷の「詩的リズム」論もこの時枝の三条件を引き継いだものであり、特に時枝の「場面」に関する解説は、ＳＮＳ上で現在ガンガン燃え盛っているもろもろのトラブルにそのまま適応出来るようなものであるように思う。

菅谷の論から引き継いで、次は時枝誠記の「言語過程説」を取り上げてみることにしたい。

# 第2章　時枝誠記の『国語学原論』／「相田みつを」の〈場面〉について

たまたまなんだけど、知人に中高の国語教員が二人ほどおり、「時枝誠記の説って学校ではどう扱われてるの？」みたいなことを聞いてみたところ、教職の学科で一応その存在は習うけど、現場の授業ではほとんど取り上げられないという話であった。時枝の主著『国語学原論』の発表は一九四一年というビミョーな時期であり、もしかして戦後の教育改革によってワリを食っちゃったところもあるのかもしれないけど、彼の唱える「言語過程説」はもしかすると、SNSにおける「言語活動」が隆盛を極めている現在の方がむしろその意図するところを了解しやすいものであるかもしれない。

国語学者・時枝誠記はその著書『国語学原論』において、言語活動を「人間の主体的活動」そのものとして捉える「言語過程説」を唱え、その成立のための条件として〈主体〉と〈場面〉と〈素材〉の三つを設定した。この三つは〈**相互に堅き連繫を保って、この中に言語表現を成立せしめている。この様な支柱なくしては言語は成立し得ないと同時に、この三者の相互関係が言語自体を種々に変形させる処の力を持っている**〉と、彼は述べる。

〈主体〉とは、ひらたく言えば言葉の話し手のことで、言語的表現の行為者だ。〈素材〉とは、事物、概念、表象、印象、意思その他もろもろ、〈主体〉が語ることで伝達しようとしている事象のすべてである。これは一般的に言われる「意味」よりもさらに広い範囲を示しており、語られる言葉はこの〈素材〉を基底にして現在に立ちあらわれる。

〈場面〉はちょっとややこしい。それは空間的・情景的な「場所」を示すと同時に、〈これら事物情景に志向する主体の態度、気分、感情も含む〉ものであるとされる。つまり、発言する〈主体〉の、その「発言する」という行為を含めたその状況全体が〈場面〉である。そして、〈我々の言語表現行為は、常に何らかの場面に於いて行為される〉が、その〈最も具体的な場面〉は〈聴手〉であるだろう、と時枝は述べる。

つまり〈場面〉とは、話し手と聞き手によって作られる具体的な状況であって、ところで、この状況は「聞き手」を中心にして見た場合、〈言語を聴いてある事物を理解する時、そこに言語の存在を経験することが出来る〉のだから、そこで「聞き手」は〈もはや聴手は聴手として存在しているのでなく、言語経験の主体と変ずるのであり、話手は、聴手の受容の対象として、却って場面的意味を持った話手と変ずるのである〉——このように、会話の現場においては、発話者だけでなく、それを聞いて理解する「聞き手」もコトバを支える〈主体〉として、積極的に言語活動に携わることになるのだ、というのが時枝の説である。

言語の存在条件としての〈場面〉とは、このように、あらかじめ複数の〈主体〉をその中に備えて成立しているものであり、そして、主客が入れ子になったこの〈場面〉の転回に従って、〈主体〉と〈素材〉もそのあらわれかたを刻々と変化させ、それにともなって現実にやりとりされる言葉もそのかたちを変えてゆくのだ。

ぼくたちが言葉をやりとりさせることに従って変化してゆく〈主体〉と〈場面〉と〈素材〉の絡み合いそのものが「言語活動」の実態である——。言語とは、人間を離れて存在するようなものではなく、それは人間がその社会を営むために必要とされる有用性に基盤をおいたプロセスのあらわれなのだ。時枝は、たとえば「敬語」の存在に関して、以下のように述べている。

> ある語を敬語とし、他を敬語ではないとする根拠は何処にあるのであろうか。言語を音声と概念との結合であるとする言語構成観に従うならば、「行く」と「参る」とを敬語の概念によって区別することは出来ない訳である。この二の語は、その構成において全く同一だからである。これを敬語非敬語に区別し得るのは、これらの語の主体の、素材である処の事実に対する把握の仕方に相違があるからである。即ち同一素材に対する主体的機能の上に区別が存するからである。敬語の敬は、従って主体的意識と、その表現に関していわれるのであって、主体に対する主体的立場と主体的機能を無視して敬語は成立し得ないのである。（五六頁）

言語における〈主体〉——「話し手」と「聞き手」の相互活動——の機能に重きをおいた時枝の

「言語過程説」は、「音楽は行為である」としたクリストファー・スモールの「ミュージッキング」にも似た、きわめて現代的な説であるように思う。

さて、彼のこの「言語過程説」を、現在「インターネット上で読み書きされている言葉のやりとり」としての「言語活動」に当てはめて考えてみると、そこにはどのような特徴が浮かび上がってくることになるだろうか。

## インターネットの言語過程説

ネット上での言葉のやりとりは（ZOOMなどでおこなわれる対話については一旦おいて、「書き言葉」に限定して考えるならば）、現在、①なんらかのモニターを介して、②デバイスから文字を入力し、③それをインターネット上のアプリケーションを通してインターネット上に投稿することで開始される。

このような「言語活動」に対してまず第一に指摘できることは、ここには時枝が例に挙げているような「話し手」と「聞き手」が直接的にその主体性を交換し合うための〈具体的な場面〉が欠けている、ということである。

モニター上にあらわれるコトバは、それがその前後にどれだけ多くのレスポンスが付いていたとしても、それがおこなわれる状態においては一人の〈主体〉が他の〈主体〉から切り離された〈場面〉において一人でおこなう「つぶやき」なのだ。

この〈場面〉の切断は、実は、書く／読むという「文字を介した言語活動の現場」においては常に引き起こされている事態である。しかし、ネット上での書き込みにおいては①書き込まれた文字がそのまま直接モニター上にあらわれ、アップロードするとそれは即座に不特定多数が閲覧できるものになる、という簡便性・即応性と、しかし、②にもかかわらずそれはやはり「文字」であって、ここでの〈場面〉は「書かれたものが読まれる」という待ち時間を経由しなくては成立しない――という「速さ」と「遅さ」の混在によって、文字によって作られる〈場面〉の特殊な時間的構造を、これまでよりはるかに多くの人に経験させるきっかけとなっているように思う。

前章の最後でも触れたが、時枝誠記は〈言語におけるもっとも源本的な場面〉として「リズム」を設定した。時枝によると、ぼくたちは言語活動に入るにあたって、ある種の時間的経験＝「リズム的場面」の共有を必要とする。彼は以下のように述べている。

　私はリズムの本質を言語における場面であると考えた。しかも私はリズムを言語における最も源本的な場面であると考えたのである。源本的とは、言語はこのリズム的場面においての実現を外にして実現すべき場所を見出すことが出来ないということである。あたかもそれは音楽における音階、絵画における構図の如きものである。かく考えて来る時、音声の表出があって、そこにリズムが成立するのでなく、リズム的場面があって、音声が表出されるということになる。音声の連鎖は、必然的にリズムによって制約されて成立するのである。更に進んでいうならば、単音の結合が音節を構成し、その上にリズム形式が現れるのではなく、逆にリズム形式

が音節を構成し、音節における単音の結合の機能的関係から、単音の類別が規定されるといわなければならない。（一五六頁）

ぼくたちの言語活動はまず「リズム」の共有からはじまり、ある種の周期性を持ったその型に声や認識で入り込むことを通して、音声は音節になり、音節は単語として理解され、そのようにしてリズムに支えられるかたちで意味を備えた文が出現してゆく……目の前にいる人がこちらに何かを伝えようとしている、その「何か」が「何」であるかを理解する前に、ぼくたちはまず「意味が伝達されうる」という可能性の中に一挙に身を置くことで、「言語活動」を始めるための準備を整えるのである。この可能性を支えているのが「リズム的場面」なのであった。

菅谷による「詩的リズム」論もこのような「リズム的場面」を生み出すシステムとしての「音数律」についてを掘り下げたものであったわけだが、「ちょwwwwwwww」という書き込みについてここであらためて考えてみると、これは「笑いたい〈素材〉」に面して「笑っている〈主体〉」が、その笑いを共有してくれるはずのもう一つの〈主体〉＝「聞き手」（たち）を不在にしたまま試みている言語活動である。これが会話だったら存在しているはずの「リズム的場面」がきわめてアイマイなままこの表現はおこなわれており、そして書き手はその欠如に十分に自覚的であって、この表現にwを連打することで「加速」→「終止」という「伝統的なリズムによる構造」を追加して、自身の言語活動の安定化を図ろうとしているのであった。

## 読み書きにおける〈場面〉

ある言葉を発したいと思ってから、それが〈場面〉を得るまでの時差の在り方について、たとえば、急に目の前に飛んできたボールに対して「あぶない！」と叫んだ場合、その声としての言葉は、もしそれがたった一人でなされたものであったとしても、その声は十分に〈主体〉と〈素材〉と〈場面〉に支えられた（自分自身を語り手と聞き手として、自身の状況を素材としておこなわれる、自分の行動を促すためのものとしての）言語活動であると言えるだろう。同じく、台所でコンロに掛けっぱなしにしていた油に火がついて、鍋から炎が立ち上がっているところを発見した人が「火事だ！」と叫んだ時のことを考えてみる。ここで発話者は、火の手が上がっている鍋と台所（という異常事態）と、それを発見した自分、および、周囲にいる（または、いた。または、いるはずの。または、自分自身という）聞き手を〈場面〉として、そして、この場の状況および、それをどのようにかしなければならないという意志を〈素材〉として、「火事だ！」という言語活動をおこなった、と、時枝的には考えることが出来るだろう。そしてこの「火事だ！」は、その場で次におこなわれるべき行動（消火器を探す、タオルを水に浸して投げつける、消防署に電話する、ただ単に逃げる……）を導き出すことで、社会における「有用性」に基づいたプロセスへとなめらかに接続されてゆくことだろう。

このように、発話を中心とした言語活動は〈場面〉とともに生まれ、成立し、または成立しないまま、目の前の出来事が消えると同時に速やかに立ち消え、次の言語活動のための条件はまたそこでリセットされて、そのようにして「人間の主体的活動」である「言語活動」は続いてゆく。
ところで、この「火事だ！」が文字として書かれ、読まれることについてはどうだろうか。もし目の前で「火事」が起こっていた場合でも、そこから一歩身を引いてネット上に「火事だ！」と書き込むことは十分に可能である。

「火事だ！」というこの書き込みは、きわめて「発話」に近いかたちでおこなわれるものであって、しかし、それを他のモニター上で読む人間にとってその「火事だ！」という言葉は、それが指示する具体的な「火事」に結び付けることが困難な、つまり、〈主体〉としての聞き手に回ることが困難な、著しく〈場面〉を欠いた言語活動として受け止められることになるだろう。

会話とは異なり、読み書きという言語活動は、目の前に自身の発話を聞いてくれる人がいない状態でおこなわれる。ぼくたちは二人や三人で一緒に文字を書くことは出来ないし、複数人で同じ文を同時に読むことも出来ない（この「同時に読む」ことを聞くための装置としての「無声映画」の可能性については、あらためて第2部で取り上げる）。文字は声に出して読むことを通して現実の時間＝運動の中に差し戻すことが可能であり、そして「声を揃える」ことで文章を集団行動へと結びつけることは可能であるが、しかし、文字の読み書きという行為自体は、他人と切り離された場所において一人でおこなうしかない出来事なのである。

文字としての「火事だ！」という言語活動は（いまここで書き継がれているように）実際の火事から離れ、その〈場面〉は読み書きの現場、つまり「文章」として表現される言葉の上へと移される。そこには話し手の声を聞くことによって言語活動の〈場面〉を転回させてくれる複数の〈主体〉は存在せず、「話し手」＝「書き手」は「聞き手」＝「読み手」を具体的に欠いたまま、というよりも正確には、自分自身を「聞き手」として、ひたすら自身のコトバの上にコトバを折り重ねることによって言語活動のために必要な〈場面〉を生み出す作業を続けてゆかなければならないのである。

これが「文字を書く」ということによってはじまる言語活動の特徴であり、ぼくたちはSNSによって現在、これまでにないほどの広がりでもって日々このような、「書き手」＝「読み手」という〈場面〉しか存在しない「言語活動」を繰り広げているのである。もちろん、これは、「書く」という作業において不可避の条件であり、SNS上でだけ直面させられる事態ではない。しかし、これまでの文化においては、ぼくたちは「書字」にあたっていくつかの、「自分で自分の上に言葉を折り重ねて、言葉が成立するための場面を押し広げてゆく」ための形式を持っていた。菅谷によってその原理が分析された七五調の音律ももちろんその一つであり、自分のコトバを定型に沿って発する＝書くことによって、ぼくたちはすでに用意され共有されている「リズム的場面」の中に入り込み、意味内容の伝達はともかく、まずは最低レヴェルの〈場面〉を確保することが可能となるのである。

また、たとえば、あまり親しくはない人に向けて手紙を書くことになってしまった場合、ぼくたちはまず「前略」や「拝啓」といった決まり文句を使って、不在の相手に向かってそこに参加してもらうための「リズム的場面」をまずセットする。その後なるべく慣習に則った＝共有しやすい文言を積み重ねて要件を述べ、そして「草々」や「末筆ながら」といった決まり文句をふたたび使ってリズムを減速させ、「メッセージを伝える相手」＝「聞き手」＝「もう一つの主体」が不在であるまま、しかし明確にその〈主体〉に向かって言語活動をおこなわなければならない手紙的場面をなんとか成立させようと試みるわけである。

また、たとえば、〈土地の所有権は、法令の制限内において、その土地の上下に及ぶ〉などのような「民法」の記述は、その言語活動から具体的な〈主体〉や〈場面〉を切り捨て、その内容をただ〈素材〉だけに特化して記すことによって、逆に、「この文章をきちんと成立させるためには、ここに実際的な〈主体〉と〈場面〉を装塡する必要がありますよ」と主張しているのである。わざわざそのような欠落を作っておくことで、未来に起こるであろうさまざまに異なった事例に対してその意味を開いておくという、特殊に高度な言語活動が、ここには存在している。

## 文字を通した書き手と読み手の交流

時枝誠記は「読み手」＝「聞き手」という〈場面〉について、以下のようにも書いていた。

我々は聴手に対して、常に何らかの主体的感情、例えば気安い感じ、煙たい感じ、軽蔑したい感じ等を以って相対し、それらの場面に於いて言語を行為するのである。[…] 主体を離れて言語の場面を考えることが出来ないと同時に、場面が言語にとって、不可欠のものであることは、言語が常に我々の何らかの意識状態の下に表現せられるものであることによっても明らかである。場面の存在ということは、いはば我々が生きているということに外ならないのである。
（四四頁）

話の聞き手を含めた〈場面〉および〈主体〉と〈素材〉の絡み合いが「言語活動」であって、これらの条件が相互に作用することによってぼくたちの言葉は運営されてゆく。それはきわめて具体的・実践的な活動であって、その様子は〈我々が生きているということにほかならない〉！　時枝の言語論の特徴はこのような、「生きている人間の活動のあらわれそれ自体」としてコトバを捉えようとするところにある。話したり書いたりするときに大切なのは、それを受け止めてくれるはずの相手に対してぼくたちがあらかじめ持っている〈気安い感じ、煙たい感じ、軽蔑したい感じ〉……といった感情そのものなのである。その逆もまた然りで、聞き手＝読み手も敏感に、いまおこなわれている言語活動はいったいどのような〈場面〉を〈生きている〉のかについての前提を受信しようとするだろう。このような書き手と読み手の交流自体を書字行為に織り込んだ作品として、いささか唐突だが、ぼくはここで相田みつをの書作品を挙げておきたい。

「にんげんだもの」「しあわせはいつもじぶんのこころがきめる」「一生感動一生青春」「体験してはじめて身につくんだなあ」などなどの「みつを」の作品は、文字として書かれた言語活動からは失われざるを得ない「発声」や「リズム」や「雰囲気」といった、時枝の述べる〈気安い感じ、煙たい感じ、軽蔑したい感じ〉に関わる要素を、自身の筆跡やトリミングや落款（らっかん）でもって紙の上に刻み込み、それを読む人たちを独自の〈場面〉へと誘い出す。彼の「日めくりカレンダー」は、それを見る人に、「読み手であるあなたも、書き手のワタシとおなじ、言語活動をおこなう主体の一人ですよ♡」と語りかけているのである。みつを愛好者が感じ取っているのはそのような、読者に対して〈生きているということに外ならない〉行為である言語への〈主体的感情〉を呼び覚まそうとする姿勢なのだ。

## 現代の「言語活動」を過去から捉え直す

しかし、やはり、書くことと読むことは一人でしかおこなうことの出来ない行為なのだ。PCあるいはスマホ上に言葉を書いてゆくぼくたちは、それが他人のディスプレイの上でどのように表示されるかについてまったく不明な状態にある。また、ある一言を書くだけだとしても、現状のコトバの入力システムでは、特に日本語ではかなり迂遠な手続きを踏むことをまだまだ余儀なくされている。

ディスプレイに表示された情報から刺激を受けて、それに対して何か書きたい言葉が生まれたとする。その場合、まずその思いついたコトバをかな一文字ずつに分解し、ローマ字入力の場合さらにそれをローマ字の子音と母音に分割し、それをＪＩＳキーボードで打ち込んで組み合わせ、表示されたかなを単語にまで延長して適宜漢字に変換し、さらにそれが誤変換ではないかを確かめて、また、言葉の切れ目がずれて助詞が名詞になっていないかなどもチェックして、ようやっと一文を一文としてマルにまで辿り着かせることが出来る……と、書いていてもウンザリするような手続きがSNS上での「言語活動」には必要とされるわけで、LINEなどでのやりとりがスタンプ／グラフィックを中心としたものになるのも当然だろう。

まあ、スマホでの入力はすでにローマ字変換ではなく「五十音図からの選択」＋「AIによる予測変換」がメインとなっているだろうし、これから先どのようなインターフェースがあらわれるのか予断を許さないが、しかし、ローマ字変換にせよ五十音図からの選択であるにせよ、漢字仮名交じり（しかも時にはアルファベットそのままが入り込んだりもする）「日本語」をディスプレイ上に表示する作業の煩雑さは、まだしばらくはこのままなのではないかと思う。

このような長いプロセスの中で、たとえば人が階段から落ちそうになった映像を見て反射的に「あぶない！」と思ったとしても、それをもし実際に書くならば、書く工程でぼくたちはその映像と自分とのあいだにあった当初の〈素材〉と〈場面〉を見失い、また、この過程を共有してくれる〈聞き手〉もそこには存在しないので、打ち込んだ文字を眺めるのは「書き手」＝自分という〈主体〉ただ一人である。

発話の現場にあっては当然のものである「あぶない！」という言語活動は、このように、それが書かれることによってまったく「当然のもの」ではなくなってしまう。ネット上への書き込みの簡便さは、これまでは混じり合うことの少なかった二つの言語活動――「発話」と「書くこと」とのあいだに広がっている本質的なズレを多くの人々に経験させるという事態を作り出した。**現在ツイ**

**ッターなどのSNSで見られる混乱の多くは、おそらく、「書くこと」と「話すこと」を峻別しないままおこなわれている「言語活動」に由来するものなのではないか、**とぼくは思う。

ところで、時枝誠記は、自身の論の中ではこのような「書くこと」と「話すこと」とのあいだに生まれる差異については取り上げていない。彼にとって会話と読み書きとのあいだにあるのは機能的な異なりだけで、時枝にとって「国語」を勉強するとは、「話す」「挨拶をする」「手紙を読み書きする」「法律を読み解く」などなどの、無数に存在している「社会的に有用な言語活動のための技法」を身に付けるために成されるものであって、「字」も「言」も「生活に役に立つ」という意味では一緒なのである。

時枝にとっては必ずしも区別されていない「書くこと」と「話すこと」とのあいだに鋭い対立を見出し、もっぱら「書くこと」によって生み出される状態のあれこれを考察することによって、独自の言語論を展開させた思想家の著作を次章では取り上げることにしたい。

吉本隆明の『言語にとって美とはなにか』（一九六五）である。「書くこと」によってぼくたちは、「話すこと」とはまったく異なった言語の世界へと突入することになるのだ。

# 第３章　『言語にとって美とはなにか』／書くことによる「疎外」について

吉本隆明は、戦後日本におけるもっとも個性的な思想家・詩人の一人である。五〇年代からはじまる彼の著述の対象は文学・政治・思想その他多岐にわたっており、『言語にとって美とはなにか』（以下『言美』と略）は、『共同幻想論』（一九六八）および『心的現象論序説』（一九七一）と並ぶ吉本隆明の理論的方面における代表作である。

『言美』は吉本が主宰する同人雑誌『試行』創刊号（一九六一）から連載され、六五年にまず分巻二冊組で上梓された。その後、七二年に著作集版、八二年に角川文庫版が作られ、いまぼくの手元にあるのは九一年に角川選書としてまとめられた「定本」版である。以下、しばらくこの本を引きながら、吉本が語っている言語論の祖述を試みることにしたい。

『言美』を書きはじめたころ、吉本隆明は三〇代の後半に入ったところだった。時代は六〇年安保闘争敗北後の、日本のメジャー史観的には「高度成長期」であり、しかしいわゆる左翼的政治活動サイドから見れば、この時期ははっきりと反動・退潮期である。オリンピックと新幹線と所得倍増のこのタイミングで、吉本は理論的な領域に深く潜り込み「言語の原理」と「近代日本文学の表現史」を描くことに意欲を燃やしたのであった。

現代思想的に言えばまだまだサルトル全盛の、「構造主義」も「ポスト構造主義」も日本に辿り着くずっと前……「言葉の芸術」の全体像を描くために独自のやり方で既存の言語学を嚙み砕いてゆく『言美』の筆致には、校訂を繰り返しても消えることのない吉本の「高揚した気分」がみなぎっている。

余談になるが、ぼくが二〇代を過ごした一九九〇年代、吉本隆明の本はすでに、ナマイキな若者たちのあいだでは一般的には「いまはもう乗り越えられてしまった思想」を代表するものとして受け止められていたように覚えている（すでに書いたが、菅谷の本についてはもうその名前も出ない状態であった）。ベルリンの壁もソ連邦ももう消えて、彼が語る内容はともかく、その周囲を取り巻いていたオールド・ファッションドな「知識人文化圏」の雰囲気が、その頃はことさらダサく感じられたのだと思う（実は吉本は、そういった「知識人」たちとはむしろ対立的な立場だったのであるが）。

実際、ぼくがマトモに「吉本隆明」を読んだのは二〇一〇年代も後半に入ってからで、しかもきっかけは『平岡正明論』（二〇一八）を書くための準備としてである。若き平岡正明が「犯罪者同盟」などを結成して暗躍するその舞台としての「六〇年代文化」を総体的に捉えるために『擬制の終焉』（一九六二）その他もろもろの、それまで読んでいなかった初期吉本作品を古書店で探してみたというわけであって、この迂回は結果として良かったと思う。いま吉本隆明の本をマジメに読んでいる人は、ぼくの世代ではおそらくほとんどいないだろう（いたらスイマセン。友達になりましょう！）。吉本を巡る風が凪いだままで読む彼の本は、しかし、現代の古典として十分な風格があった。最初の刊行から半世紀以上を隔ててあらたに読む『言美』には格別な味わいがある。いい気分である。

## 〈表出〉とはなにか？

さて、この本の中には、ほとんど手作りで構築されてゆく吉本独自の言語理論の用語がたくさん登場してくる。その代表選手の一つが〈表出〉である。

この〈表出〉という言葉は、吉本がS・K・ランガーの『シンボルの哲学』（一九四二）を解説する部分で、なんの前置きもなくいきなりこんな風に登場する。

> ランガーがえがいているこういう一連の経路は、原始的な音声がじぶんを抽出されて言語の形になったという一方のかんがえを代表している。原始的な音声は、いわば個々の感情的な体験を生理的感覚の機能にしずめこむとともに、共通の感情的な体験を、個々の祭式や集団行動の場面から抽出して象徴と表示にかえてゆく。こういう見地から言語発生の機構をみることは、人間の意識の自発的な表出の過程として言語の成立をみることを意味していて、意識の実用化の過程として言語をみることとまったく位相がちがうことに注目しなければならない。
>
> （二三～二四頁）

「吉本節」とも言える独特な言い回しに面食らっちゃう人もいると思いますが、言ってることはそれほどムツカシイことではなくて、要するに、言語の起源には二種類の考え方があって、まず先に行為の一部としての音声があり、それが〈共通な感情の体験〉を引き受けること出来るようになったことで「言葉」が成立した、という説と、まず何らかの意識が人間に芽生え、それを外に押し出す手段のひとつとして音声が選ばれ、やがてそれが「言葉」といえるようなものにまで成長した、という、ニワトリと卵どっちが先？　みたいな論争の話である。

そして吉本は、しかしそれはおそらく「同時」に生まれるのだろう、という立場を取る。たとえば、〈**狩猟人が獲物をみつけたとき発する有節音声が、音声体験としてつみかさねられ、ついに獲物を眼のまえにみていないときでも、特定の有節音声が自発的に表出され、それにともなって獲物の概念がおもいうかべられる段階**〉に至るまでのプロセスを、吉本は考える。

獲物があり、音声がある。音声は、おそらくこの時点では「走る足」や「捕らえる手」と同じ運動の一部であり、獲物を狙う一連の運動が終わると同時に消え去る活動であるだろう。しかし、手と足の運動と同じように、この「音声」も、次の獲物を待つ時間の中で「狩り」という経験を用意するために何度か繰り返され、それは〈ついに獲物を眼のまえにみていないときでも〉発することが出来るような独立した行為へと育て上げられる……具体的な対象から切り離された、自分が自分に向けて、または、それを聞く他人および「狩り」という行為に向けて調整された音声。このような音声に、吉本は〈表出〉段階に至った人間の源初的な言語活動を設定するのであった。

〈表出〉＝反復される〈特定の有節音声〉には、「獲物としての動物」のイメージが刻まれている。そしてそれと同時に、それを狩りに行くワタシの姿、または、このあいだ狩りに失敗したワタシたちの姿、それから、獲物を捕らえた時の感触や感情、そしてそれを解体して食べるまでの過程などの、無数の行為や場面や感情が含まれているだろう。このような広がりが原始的な発話の中にはすでにあり、そして吉本はこの〈表出〉のひろがりを、それが他人に何かを指示し伝えるという「他のためにあるという面」と、自分が自分のために確認をおこなう「自分に対してあるという面」とが絡み合って成立するものと考える。

これが吉本隆明の言語論の基盤となる、**〈指示表出〉**と**〈自己表出〉**という言語の二傾向区分である。

## 〈指示表出〉と〈自己表出〉

この〈指示表出〉と〈自己表出〉は、言語が言語として〈表出〉されるに当たってつねに重なりあった状態であらわれる。たとえば「牛！」という〈表出〉は、どのような状況にあっても、それは〈じぶんにたいしてある〉と同時に〈他のためにある〉ものであり、コトバとはつねにその二重のひろがりのなかで生まれ、使われ、理解される。このことを吉本は、

危い目にあった人間がとっさに〈畜生！〉と叫んでも、〈助けて！〉とわめいても〈畜生〉や〈助けて〉というコトバに意味があるのではなく、ただその状態で発せられた叫びとして意味が

あるように、これを自己表出の励起にともなう指示表出の変形とかんがえ、いわば、言語が、自己表出を極度につらぬこうとするために、指示表出を擬事実に転化させたものとしてみるのがいいのだ。

（六七頁）

と解説している。〈指示表出〉性と〈自己表出〉性という機能から考えるならば、たとえば「詞」や「辞」といった文法的区分においては「同じ言葉」と見なされるものであっても、それは使われるたびにまったく異なった〈表出〉としてあらわれる可能性があるのだ。言語活動における「主体性」に重きを置いた、きわめて動的な言語の把握方法であって、ここにも先行研究としての時枝の「言語過程説」は響いている……響いているんだけど、こうした〈表出〉論について吉本は、たとえば以下のような書き方をするんですね。

音声は、現実の世界を視覚が反映したときの反射的な音声であった。そのときにはあきらかに知覚的な次元にあり、指示表出は現実世界を直かに指示していた。しかし、音声が意識の自己表出として発せられるようになると、指示は現実の世界にたいするたんなる反射ではなく、対象とするものにたいする指示にかわった。いわば自己表出の意識は起重機のように有節音声を吊りあげた。こうして言語は、知覚的な次元から離れた。

（一〇一頁）

〈起重機のように有節音声を吊りあげた〉！　理論的な話の途中で、彼はフッーの学者だったら絶対やらないこんな表現を挟み込んでくる。こうした箇所にひっかかる人も多かったんじゃないかーとぼくは思う。有名なものとしては、〈たとえば狩猟人が、ある日はじめて海岸に迷いでて、ひろびろとした青い海をみたとする。人間の意識が現実的反射の段階にあったとしたら、海が視覚に反映したときある叫びを〈う〉なら〈う〉と発するはずだ。〉とか……しかし、〈ある日はじめて海岸に迷い出て〉〈青い海を見たとする〉って、フッーでもなかなか書けない文章ですよね。

海を見た叫びとしての「う」とか、もっと凄いのになると、作品としての表出行為を「かささぎの渡せる橋」と呼ぶとか……吉本のこうした「喩」は当時のアカデミシャンを鼻白ませるシロモノだったに違いない。ポストモダンの磁場にあって、吉本のこうした喩えはいかにも古風な、素朴なものと受け止められていたように思う。

しかしぼくたちは、菅谷が〈発生の本質が現存をつらぬく〉という言葉で示したとおり、初めて何かを認識して声を発するとき、やはりいつもそこでは一人の「初めて海岸に迷い出た狩猟人」になっているのである。

### 重なり合う〈表出〉

ともあれ、表現されたものとしてのコトバを扱うために、吉本隆明はこれまでの言語学・国語学その他における文法的な規範を一旦カッコに入れ、言語活動を「それが指す対象の二傾向」――〈自己表出〉性と〈指示表出〉性の合力によって成り立っているものと設定した。

たとえば「東京」という言葉は、地理上の具体的な場所を他者に指し示すと同時に、きわめて個人的な記憶や感情や意志を伴う表現としても使うことが出来る。「**と同時に**」というのがポイントで、「東京」という言葉にはすでにそれだけで、それを選んで発話した個人の意思と、その言葉が流通してゆく他者の存在が含まれているのである。個人の経験としての「時間」と、それが広がってゆく「空間」が織(お)り交ぜられたかたちですでにここにはある、と言い換えることも出来るかもしれない。

言語の本質はこの二重性にある、と吉本は考える。そして、ところで、言語のこの二重性は、吉本によると、「**話すこと**」**ではなく**「**文字を使って言葉を書く**」ことによってはじめてその特質をぼくたちにはっきりと示すことになるのである。

羽田空港に着陸する飛行機の中である人が、窓の外を眺めながら「東京」とつぶやいた場合、この「東京」には、目の前の都市を指し示すための〈指示表出〉的傾向と、これまでの／これからのその発話者の生活が反映された表現としての〈自己表出〉的傾向が含まれている。しかし、それはどれだけ、どのような配分でもって、どちらの方向にこの「東京」と言う発話を傾けさせているのか——これはおそらく当人にもはっきりとは分からない事柄に違いない。人は発話においては、まず、そのような区分を考えることなくコトバを発するのであって、ここでの「東京」に含まれている〈自己表出〉性と〈指示表出〉性の配分は、たとえば、それを聞き取った人間が「ん？ 東京？」とその意味を尋ね返すことによってはじめて浮上してくるようなものであるだろう。

時枝的に言うならば、ここから二つの〈主体〉が〈場面〉と〈素材〉を転回させながらおこなう「会話」的言語活動がスタートするわけであるが、特に言葉の中に含まれている〈自己表出〉的表現は、それが他者＝もう一つの言語的主体とのやりとりに巻き込まれることによってはじめて、それを発した人にも自覚され得るような側面を強く持っている。

ワタシの思う「東京」はあなたの思う「東京」とは違う――。一つの言葉に重ねられた複数のイメージ／意味／機能／傾きを意識することこそが、「会話」において〈場面〉を成立させるための最大のポイントであるだろう。そして、前章においてすでに触れたが、**読み書きという言語活動は、目の前に自身の発話を聞いてくれる人がいない状態でおこなわれる。**ぼくたちは自分の声を文字にして書くに当たって、会話とは異なり、自分自身を聞き手として、つまり、自分が使っているこのコトバが一体どのような〈指示表出〉と〈自己表出〉の織り成しによって出来ているのかを、一文書くたびにいちいち自分に確認を取りながら、言語活動のための〈場面〉を作り上げてゆく必要があるのである。

会話の場合このような〈場面〉の確認は、複数の〈主体〉がそれぞれに異なったかたちで持っている、一つの言葉に対する〈指示表出〉性と〈自己表出〉性のアンサンブルの異なりを突き合わせる作業を通しておこなわれる。このような「言語過程」を繰り返すことによってぼくたちは、自身の〈指示表出〉と〈自己表出〉の絡み合いを一旦ほどき、また編み直しながら、社会的に有用である言語活動の中に入ってゆくことになるのである。

このような会話における「言語活動」／「言語過程」では、言葉の二傾向は往々にして、そこに参加している〈主体〉たちの有用性に奉仕されるかたちでまとめられる。つまり、そこに含まれている〈指示表出〉の共有によって終わる。

「書く」と言う作業は、しかし、これを一人でおこなう――〈場面〉と〈素材〉と〈主体〉の三条件のすべてを個人が担うことによって、自分が言葉に含ませたいと思っている〈自己表出〉性、および、それが社会の中でどのように受け止められるかという〈指示表出〉性の働きに強く圧力を掛け、それをまったく個人的な、社会的な有用性に回収することの出来ない〈表出〉にまで推し進めてゆくことが可能になるのである。

吉本隆明はこのような状態に達した〈表出〉のことを〈表現〉と名指し、以下のように述べている。

> 文字の成立によってほんとうの意味で、表出は意識の表出と表現とに分離する。あるいは表出過程が、表出と表現との二重の過程をもつようになったといってもよい。言語は意識の表出であるが、言語表現が意識に還元できない要素は、**文字**によってはじめてほんとうの意味でうまれたのだ。**文字**にかかれることことで言語の表出は、対象になった自己像が、じぶんの内ばかりでなく外にじぶんと対話をはじめる二重のことができるようになる。
>
> （九七頁）

書くこと――文字を使って言葉を表出することにより、ぼくたちはそれを「書く／表現する自分」

と、それを「読む／流通させる自分」とのふたつに分裂する。つまり、書くことによってぼくたちは、個人のままで社会を内包した存在になるのである。

## カール・マルクスの〈疎外〉

自身が使う言葉の〈自己表出〉性と〈指示表出〉性の傾きを、「書く」ことによって自覚すること――吉本によると、このような言語の二重性の経験こそが、これまで人間が生み出してきたさまざまな制度を支えている最大の原動力である。彼は『言美』において、個人のものであると同時に社会のものでもある、古代から現在に至るニッポンにおける〈表出〉のアンサンブルを、おもに文学作品を例に取ることによって辿ってゆく。

ところで吉本が使うこの〈表出〉というタームは、他の本においては以下のように解説されるようなものであった。

ここで、断わっておかなければならないが、わたしは、本稿の当初からしばしば、〈表象〉という言葉をつかっている。ところで、芸術論（たとえば『言語にとって美とはなにか』）では、同じことを〈表出〉という言葉でのべている。

芸術と疎外について誤謬だらけの見解をのべている人物と同類の男たちが誤解するから断わっておくが、わたしの〈表象〉あるいは〈表出〉という言葉は、〈疎外〉すなわち〈疎外〉の止揚の欲求を意味している。ただし、現実的カテゴリーでの〈疎外〉（疎外された労働）という誤謬の〈疎外〉をまったく意味していない。

まず、人間と自然との相互規約としての〈疎外〉が、マルクスの自然哲学の根源としてあり、それが現実の市民社会に〈表象〉されるとき、〈疎外された労働〉から派生する現実的〈疎外〉の種々相があらわれる。（五三頁）

『カール・マルクス』（一九九五）収録の「カール・マルクス——マルクス紀行」の中の一節である。つまり『言美』に出てくる〈表出〉という言葉は、マルクスの自然哲学における〈疎外〉の概念に支えられて使われている、というわけなのだった。そして、このことは当の『言美』には直接的には一言も出てこない！　六〇年代の言論界においてはもしかして「マルクス理論は常識」ってことでオッケーだったのかもしれないが、独自の意味を含ませて使っている用語に関してはやはりその場でいちいち断りを入れて欲しいと思う。というのも、『言美』の言語論はマルクスの「疎外」の概念と突き合わせて考えてみることで初めて、その論旨の全貌が見渡せるようになるものなのだ。

マルクスの「疎外」とは、きわめてざっくり言うと、自分が作り出したものが自分から離れ、自分の外部にあって自分と対立することになる事態を指している。ざっくり言い過ぎですかね？　マルクス経済学においてこれは、「労働者が自分の労働の生産物に対して疎遠な対象になる」という、資本主義経済体制下の「労働」の性質を分析する文脈で扱われる——が、しかし、この「疎外」という概念はさらに広く、「人間が作り出す全てのもの」に対して適用出来る自然哲学的な概念であって、吉本はそれを「言語」に対して当てはめることで自身の言語論を構築していったのであった。

　コトバというものを、人間が産み出し、そして、その産み出した人間と対立するような関係に入り込みながら発展してゆく生産物として捉え、そのような運動／展開によって生み出された歴史の進展の結果としての「文学作品」のいろいろを読みなおしてみること――コトバを発したり、書いたりするという作業は、自分から生まれ、しかし、自分自身と対立することになる存在と対峙する営みなのである。

　資本主義下における「労働」と同じ概念でもって「書くこと」による「言語活動」を把握すること。たとえば、ＳＮＳにおいて反射的に書かれる「ちょ待てお前wwwwwwww」という〈表出〉は、「笑っている主体」と「笑いたい素材」と「それを伝えようとしている場面」が未分化のまま、つまりきわめて「会話」的な言語活動としておこなわれた〈表現〉であるだろう。また、ここにある〈指示表出〉はそのまま〈自己表出〉であるような、その傾きの差が本人にも自覚できないような傾きを与えられたものではないかと思う――そのような混乱状態こそ「(笑)」的な感情に相応しいということで、つまりここでの「w」は「海」に面して「う」と発声する狩猟人とほぼほぼ同じ、つまり「発話」にきわめて近しいかたちで成される表出行為なのである。

　しかし、やはり、書くこととは、それがどんなに小さなツイッターへの書き込みであったとしても、吉本によればそれは、言葉の〈自己表出〉性と〈指示表出〉性とのあいだで自身を引き裂かれる、マルクスにおける「疎外された労働」的な経験なのだ。

吉本はこのことを若き日のカール・マルクスの論述から引き出し、そしてマルクスはこの「疎外」という概念を、弁証法的論述を駆使して壮麗な歴史哲学を組み上げた大哲学者・ヘーゲルの思想から学んだのであった。

ずいぶんとむかし、がんばって読もうと図書館から借りてきて、しばらくページをめくった挙句「こりゃカナワン……」と放り投げたヘーゲルの『精神現象学』（一八〇七）を、マルクスから辿るようにして先日ふたたび紐解いてみたところ、なんと！　この大著のところどころには、現在「書くこと」と「話すこと」との狭間で煮えているSNS上のさまざまな騒動を予言しているかのようなテクストが含まれているのであった。さすが古典……次章では、かなり好き勝手なやり方になりますが、吉本からマルクスへ、そしてさらにヘーゲルにさかのぼるかたちで、彼らの思想と「ツイッター における言語活動」と関わりがありそうな箇所を読んでみることにしたい。

## 第４章　ヘーゲルの『精神現象学』／いまは夜である？

ヘーゲルことG・W・F・ヘーゲルは、大小諸侯の寄り集りによって運営されていた神聖ローマ帝国末期一七七〇年の生まれ。周知のようにこの体制はナポレオン戦争のあれこれによって崩壊することになるわけだが、この人なんとジャジャジャジャーン！　ベートーヴェンと同年の生まれである。青年期に勃発した隣国フランスの革a°命に大興奮し、そしてその反動化に落胆した世代の代表的なアーティストということで、彼のはじめての本格的著作である『精神現象学』は、

> ところで、わたしたちの時代が誕生の時代であり、新しい時節への移行の時代であることを知るのは、むずかしいことではない。精神はこれまでの日常世界と観念世界に別れを告げ、それを過去の淵に沈め、変革の作業にとりかかっている。（七頁）

と、「まえがき」で高らかに宣言するところからはじめられる、革命の時代に相応しい血湧き肉躍る〈粗暴なまでの荒々しさを一杯にふくんだ〉作品なのである。

上の評は一九九八年にこの本を訳した長谷川宏の「訳者あとがき」によるもの（ちなみに後ほど引用するマルクスの『経済学・哲学草稿』（光文社古典新訳文庫）も長谷川氏の訳。ありがとうございます）。氏によるとヘーゲルは同時代のいわゆるロマン主義の思想と文学に強い反発を覚えていたとのことだが、『精神現象学』はある一つの素朴な魂＝意識が、幾多の遍歴を経て成長してゆく姿を描いた「成長物語（ビルドゥングス・ロマン）」としても読める作品なのである。

そう、この本の主人公は人間の「**意識**」そのものなのだ。彼は――「意識」は、まず「感覚的確信」を真理と考え、「目の前のもの」をそのままに受け止めようとするきわめて素朴な存在としてぼくたちの前にあらわれる。

> まっさきにわたしたちの目に飛びこんでくる知は、直接の知、直接目の前にあるものを知ること以外にはありえない。この知を前にして、わたしたちは、目の前の事態をそのままに受けとる以外にはなく、示された対象になんの変更も加えず、そこに概念をもちこんだりしてはならない。
>
> 感覚的確信の具体的内容を見ると、感覚的確信こそ掛値なしにもっとも豊かな認識、いや、無限のゆたかさをもつ認識に思える。（六六頁）

思える……が、この「感覚的な知」には〈よく目をこらすと、この純粋な存在にはいろいろとまとわりつくものがある〉と、ヘーゲルは続ける。

そのような「まとわりつく」ものの代表が、ヘーゲルによると、それを見ている人の「自我」と、見られるものとしての「対象」という二つの存在である。ぼくたちの「このものがある」という「直接な知」は、すでにその中に「対象」およびその対象に媒介されることではじめて存在する「知」という二つの異なったものが含まれているのだ。

そこで、ヘーゲルは〈感覚的確信にむかって、「このものとはなにか」と問わなければならない。このものがある、ということを「いま」あると「ここに」あるとの二つにわけて考えると、このもののもとにある弁証法は、このもの自体と同じようにわかりやすい形をとる。〉と述べる。

彼は、たとえば、「いまとはなにか」という問いに対して、素朴な知が「いまは夜である」と答えた状態について考えてみよう、と提案する。そしてヘーゲルによると、この感覚的確信の真偽を吟味するには〈ちょっとした工夫をこらすだけで十分〉である。その工夫とは、〈**この真理を紙に書きつける**〉ことである！


［…］書きつけたからといって真理が失われるわけではないし、その紙を保存したからといって真理が失われるわけでもない。そして、いまが昼になったとき、書きつけられた真理を見なおすと、それは気のぬけた真理だといわざるをえない。

夜であるいまは保存され、いまと称される存在としてあつかわれるが、しかし、そのいまはもう存在しないものとなっている。「いま」そのものは持続しているが、持続しているいまは、もう夜ではない。いまが昼になったとき、夜であるいまは昼ではないものとして、否定をふくむものとして持続している。そのように持続している「いま」は、したがって、直接の存在ではなく、媒介を経た存在である。変わらずに持続する「いま」は昼や夜ではないものとして定義されるのだから。そういう「いま」は以前の「いま」と同じように単純な「いま」だが、その単純さが、そこに付随するものから離れたものとなっている。「いま」は夜でも昼でもないが、また、昼にも夜にもなれるのであって、自分以外の存在である昼や夜にかかずらわないのである。否定によって生じるこうした単一の存在――これでもあれでもないような不特定なもので、しかもこれにもあれにもなれるような単一な存在――を、わたしたちは一般的な存在と名づける。つまり、一般的な存在こそが、実は、感覚的確信の真理なのだ。（六八～六九頁）

うおー、なんか屁理屈で言いくるめられているような気もしますが、つまり要するに何かというと、感覚的確信はそれが「紙に書きつけられる」ことで初めて、そこに内包されている真理に対してさらなる正確な表現が得られるような状態になる、ということである。

夜書いたものを次の昼に読むこと。このような単純な行為の中に生まれる「書く／読む」ことの隙間に、ヘーゲル的意識の弁証法は宿る。彼はシンプルに〈**ことばと感覚的確信を並べたとき、真理はことばのほうにあるのであって、ことばに身を寄せれば、自分の思いこみはきっぱり否定する**

**しかない**〉とも述べている。

このような「紙に書きつけた言葉」自体が持っている力を信頼し、徹底的にそこに身を寄せ、たとえば「A＝B」「いまはいまである」「ワタシはワタシである」という命題の中にも「気のぬけた真理」を見出すようなやり方で持って、ヘーゲルは自身の主人公である「意識」に長いながーい旅をさせる。この続きをもうちょっと引くと、

> 「いま」はまさに「このいま」として示される。が、示された「いま」はもう「いま」ではない。いまある「いま」は示された「いま」とは別の「いま」であり、こうして、「いま」とは、いまあるがゆえにもういまではないようなものだとわかる。〔…〕
>
> こう見ると、「いま」と「いま」を示すこととは、いずれをとっても、ただそこに単一のものではなく、さまざまな要素をふくむ運動だということになる。「このもの」が提示されると、提示されたものは「他のもの」になり、「このもの」は捨てさられる。が、「このもの」を捨てさったところにあらわれる「他のもの」が、ふたたび捨てさられて、運動は最初の地点へと還っていく。しかし、自分に還ってきた最初の「いま」は、はじめにただそこにあった「いま」とそっくり同じというわけにはいかない。自分に還ってきたという以上、自分の外に出ていきながら自分を失うことのない単一の「いま」である。つまり、絶対多数の「いま」となるような「いま」である。そこにこそ真の「いま」があるといえるので、一日という「いま」は多くのいまを時間と

してふくみ、一時間という「いま」は多くの分を、一分間としての「いま」は多くの秒をふくむのである。したがって、「いま」を示すということは、真の「いま」がなんであるのかを表現する運動であり、多くの「いま」をまとめあげた結果が真の「いま」なのだ。（七三頁）

これもスゴイ文章ですねえ……ここで〈**「このもの」が提示されると、提示されたものは「他のもの」になり、「このもの」は捨てさられる**〉といった風に描かれているのが、「人間が作り出しながら、しかし自分と対立するような関係へと入り込む」という、先にも触れたマルクスの「疎外」の経験なのだ。

「いま」は自分から出て自分に還り、そしてそれは〈はじめにただそこにあった「いま」とそっくり同じというわけにはいかない〉……このような、「いま何時？　そうねだいたいね〜」（by 桑田佳祐）的な言葉を微細に論理にかけてゆくことであらわれる「いま」や「ここ」という存在、および、さらにこれを推し進めた状態で出現する「物」や「教養」や「宗教」などを相手取ることによって、『精神現象学』の主人公である「意識」は「知覚それ自体の本質」から「超感覚的な世界」へと踏み込み、そこでおのれの存在を〈意識〉から〈自己意識〉にクラス・チェンジさせて、たとえば「自由」という概念について考えることが出来る存在となり……ヘーゲルによるとこの「自由」の姿が「明確な理念として精神史上に現れたもの」が「ストア主義」とのことであって、この「意識」のコトバによる発展は、ギリシアからはじまるこれまでのさまざまな西洋思想のステージを馳せめぐる巡礼の旅でもあるのだ。

## ヘーゲルにとっての「書くこと」

この旅、およびそこでさまざまにおこなわれる意識どうしの「疎外」の決闘に立ち会うことが、『精神現象学』の読書となる。

あらすじだけにしちゃうと、「自己意識」はここから〈理性〉へと高まり、そして〈精神〉の段階を経て、〈宗教〉までも克服して、最後にはなんと〈絶対知〉というオソロシイ名を持った知性にまで辿り着くことになるのである。ヘーゲルはこのような成長を一貫して、精神＝主体が「それ自体に備えている運動」の軌跡として叙述してゆく。

生きた実体こそ、真に主体的な、いいかえれば、真に現実的な存在だが、そういえるのは、実体が自分自身を確立するべく運動するからであり、自分の外に出ていきつつ自分のもとにとどまるからである。実体が主体であるということは、そこに純粋で単純な否定の力が働き、まさしくそれゆえに、単一のものが分裂するということである。が、対立の動きはもういちど起こって、分裂したそれぞれが相手と関係なくただむかいあって立つ、という状態が否定される。こうして再建される統一、いいかえれば、外に出ていきながら自分をふりかえるという動きこそが——最初にあった直接の統一とはちがう、この第二の統一こそが——真理なのだ。真理はみずから生成するものであり、自分の終点を前もって目的に設定し、はじまりの地点ですでに目の前にもち、中間の展開過程を経て終点に達するとき、はじめて現実的なものとなる円環なのである。
（一一頁）

というわけで、ヘーゲルの「生きた実体」としての「真理」は、彼にとっては「現実的なもの」として、彼の暮らす一九世紀初頭の欧州文化を支える基盤として実在している――ギリシアからローマ帝国とキリスト教世界を通って「現在」に至る、のちに『法の哲学』（一八二一）によって詳述される「近代的国家体制」として実現されているこの世界の「真理」についてを、『精神現象学』におけるヘーゲルは解説しているのであった。

そして、ここで話をぼくたちのこれまでの論と接続させるならば、このような「真理」の存在をヘーゲルは、〈日常の衣食住の生活をぬけだして［…］具体的で内容ゆたかな対象を明晰にとらえ、きちんとことばに〉することによって生み出すことが出来ると捉えている。つまり、ヘーゲルは「真理を紙に書きつける」という行為を――極端に言えばその行為のみを徹底的に推し進めることで、ぼくたちの精神における弁証法に表現を与えようとしているのであった。

「いまは夜である」という言葉は、それがフッーに使われる場合、つまりそれが「日常の衣食住の生活」の中で発話された場合、それは「**いまは**（もう）**夜である**（……だから、これから外出するのは止めよう）」とか「（電話の向こうのそっちと違って）**いまは**（朝じゃなくて）**夜である**（でも、大丈夫！）」みたいに、カッコ内の言葉を無言でフォローしながら、話す主体と聞く主体がその時枝的〈場面〉を交換し合いながら、互いに互いのコトバを成立させる条件を補い合う作業を通して進められる言語活動であるだろう。

そして、「書くこと」とはこのような複数の〈主体〉で作られる〈場面〉から切り離れ、文字でもって文字の上に自らの〈場面〉を押し広げてゆこうと試みる言語活動である――**ヘーゲルの「真理」とは、「紙に書きつける」ことによっておこなわれる、このような単一主体による〈場面〉の積み重ねを通して初めて出現するものなのである。**

言葉を書くことによってのみ姿をあらわす「自然」というものが世界の中にはあり、そのようなカタチで出現した「体系的に記述された自然」こそが人間の歴史である。ヘーゲルにとって真理も歴史もそれは「言葉を書くこと」を徹底することで生成される、まさしく「叙述」されるべきものであるのだ。

というわけで、ヘーゲルにとって精神とは、自分が自分の姿を「書く」ことによって突き詰めてゆく過程にこそ宿る。しかし、逆に言うならば、「書く」という言語活動に参加しない人はこの歴史には登場してこない――ヘーゲルによれば、人間は文字を書くという特殊な言語活動を通してのみ、歴史の主体となることが出来る存在なのである。

そして、ところで、現在ぼくたちは、ツイッター上に毎日のように「**いまは夜である**」「**ラーメンなう**」「**お布団.in**」「**おはよー☆**」といった文言を書き記し、そしてその「書きつけられた真理」をあとから読み直すという行為を通して、自身の行為から「疎外」される経験を積み重ねている――。ぼくたちは、このような経験を通して、ヘーゲル的な「歴史の主体」へと生成するための精神の大冒険のとば口に立っているのである……と、冗談ぽく聞こえるかもしれないけど、おそらく、これはマジな事態なのだ。

## ヘーゲルにとっての「イメージ」

書くことによる〈疎外〉の経験。これは、もちろん、自分で自分を「書いた自分」と「読む自分」とに引き裂くという、自己の同一性に大きな負荷を掛ける行為である。しかし、ヘーゲル的にもマルクス的にも吉本的にも、このような経験無くしては〈精神〉は成長しないし、〈歴史〉は進展しない。自身の〈感覚的確信〉に止まっているならば、ぼくたちの〈精神〉はいつまでたっても〈絶対知〉的なものにまで発展することは出来ないのである。

ヘーゲルは、『精神現象学』の「V．理性の確信と真理」の終わりにおいて、以下のように述べていた。

> 理性の本質は概念の運動にあるが、それはすぐさま自分自身と自分の対立物に分裂し、しかも、この対立がすぐさま克服される。が、自己自身と自己との対立物へと分裂していくさまが、それぞれにばらばらなものとして固定化されると、理性のとらえかたが非理性的になる。そし

て、対立する要素が純化されればされるほど、二つの内容のあらわれかたがどきつくなり、一方は意識に対して存在するだけの物となり、他方は意識によって無邪気に言明されるだけの自己となる。精神が深みに至ろうとしてイメージにまでしか至りえず、そこに踏みとどまっている状態と、イメージに埋没した意識が自分のいっていることを理解できない状態との共存は、まさしく、高いものと低いものとの結合といってよく、自然の生物において、最高度に完成した生殖の器官と放尿の器官とが素朴に結びつくのと好対照をなす事柄といえる。無限の力をもつ無限判断が、生命の自己把握の完成に対応するとすれば、イメージに埋没する意識は、放尿の働きに対応する意識である。

（二三四～二三五頁）

ヘーゲルはやっぱり面白いなあ……。彼によると、〈概念の運動〉は推し進められてゆくに従って二極的に固定化される段階があらわれ、それは高いものと低いもの、たとえば、生殖と同時に排泄をおこなう器官がチンコとして結びついていることと同じであって、イメージに埋没する意識は、**放尿の働きに対応する意識の状態である！**

ヘーゲルは『論理の学・II　本質論』（一八一二～一六）では、〈イメージ〉＝〈影像〉について、〈影像は、存在の領域の残存物としてなお残っているもののすべてである。〉、また、〈影像の本質をなすのは、非存在の直接性である。〉といったように述べている。ここでの議論はまさしく弁証法的にきわめてダイナミックなものなのでちゃんと理解出来ているか心許ないのだけれど、ヘーゲルにとって〈イメージ〉とは、精神の働きである「ことば」をきちんと得ないまま固定化された自己意識のあらわれとして把握されているように思う。

ところで、短文投稿をメインとするツールである（あった）ツイッターは、まだ比較的コトバによる〈表出〉が多く見られる場所であるだろう。だが、しかし、現在、SNSへの投稿のそのほとんどは「映像」＝「イメージ」をメインのコンテンツとしておこなわれる状態へと完全に舵を切っている。「言葉」はそこではもっぱら「イメージ」へのコメント／解説として〈表出〉され、つまりSNSにおける〈指示表出〉と〈自己表出〉は、ヘーゲル的に言うならば、イメージに埋没する〈放尿の働きに対応する意識〉の段階にクラッチされたかたちでおこなわれているものばかりになっているのが現状なのだ。

ヘーゲルは写真というメディアが普及する以前の、また、マルクスは映画誕生以前の思想家である。彼らが語る「イメージ」を現在のそれと同じように考えることは出来ないだろう。が、しかし、SNSにおける「言葉」と「イメージ」の配合には、その投稿者たちにヘーゲル／マルクス的な、そして吉本が語るような言葉による〈疎外〉の経験を**なるべく感じさせない**ための回路が設定されているのではないか、とぼくは思う。

SNS上に溢れる「イメージ」のほとんどは、「写真」というメディアの延長線上にあるものだ。一九世紀に誕生し、二〇世紀に完成し、二一世紀においてデジタル化され、そしてまたあらたなメディアにパラサイトするようなかたちで花開いたSNSにおける「イメージ」の爆発的成長は、ぼくたちに現在、どのような経験を植え付けはじめているのか――そのような「イメージ」は、ヘーゲルの言う〈知〉や〈歴史〉の発展とどのように関わるものなのか。それともやはりそれは、〈精神〉にとってもっぱら〈放尿〉的な存在にすぎないものであるのか……。

このようなことを考えるために、ここでもう一人の思想家に登場いただきたい。ロラン・バルトである。

# 第5章 ロラン・バルトの『明るい部屋』／〈それはかつてあった〉

一九一五年生まれのロラン・バルトは、肺病によってサナトリウムを出入りしながら、第一次大戦終焉から第二次大戦勃発までの時期に成長し、戦後に入って学問的営為と執筆を開始。以後、六八年の「パリ五月革命」期を越えて、一九八〇年に事故で死去するまでフランス思想界の第一線で活動を続けた学者／批評家／作家である。

彼の業績を手短にまとめるのはむつかしい。バルト自身は『記号学の冒険』（一九八五）において、「記号学」に携わる人間としての自分についてその「冒険」を三つの時期に分けて語っている。

第一期は、ソシュールの業績を踏まえて〈プチブルジョワジーの神話の告発〉の展開を試みた〈驚嘆の時代〉（一九五三〜五六年）。次に来るのが、のちに『モードの体系』（一九六七）などにその成果がまとめられる〈科学の時代〉（五七〜六三年）。そして第三期が、七〇年に出版された『S／Z』まで続く〈「テクスト」の時代〉――バルトはレヴィ＝ストロース、ジュリア・クリステヴァ、ジャック・デリダ、ミシェル・フーコー、ジャック・ラカンらの名前を挙げながら、この時期に彼らとともに取り組んだ〈新しい概念の提出〉について語っている。

この三つの区分は一九七四年の講演で述べられた見解であって、彼はこのあとさらに『彼自身によるロラン・バルト』（一九七五）、『恋愛のディスクール・断章』（一九七七）、『明るい部屋』（一九八〇）といった、きわめて独自の「テクスト」を書き残してこの世を去ることになる。

ここで取り上げたいのはこの最後の、特に、自身がこれまで進めてきた記号論的表象分析の廃棄を迫られるようなポジションへの言及が登場する——彼曰く、「狂気」の選択の可能性を進言するに至る遺著『明るい部屋』である。

が、しかし、その前にやはり、彼がどのような対象について、どのように語ることを目的として自身の「書く」仕事を組み立ててきたのかについてをざっと確認しておかなくてはならないだろう——「書く人」としてのロラン・バルトを支えてきたのは、どのような欲望であったのか。そして、もし、彼の手の中にSNSに接続された端末があったとしたならば、彼はそこに表示されるテクストをどのように読み、また、書くだろうか。

## 形式としての「エクリチュール」

バルト最初の著作である『零度のエクリチュール』（一九五三）は、一九六五年の邦訳では『零度の文学』という書名を与えられていた。「エクリチュール」というコトバはこの時点のニッポンでは（いまでも？）耳慣れないものであったのだろう、訳者は一貫してこれを「文章」と訳出しており、だったらタイトルも『零度の文章』でいいんじゃないかと思うのだけど（実際「解説」でそのあたりも少し触れられているが）、バルトの「エクリチュール」という概念にはこのようなズレや捩れが生まれてしまうような独自の拡がりが備わっており、しかもここで彼ははっきりと、戦後フランス知識人の主流モードである「マルクス主義」的歴史観に則って自身の論を打ち出しているのである。

　このあたり、いわゆる「プロレタリア文学論」の否定的乗り越えを意図するところからはじめられた吉本の『言語にとって美とはなにか』とつながってくるところもあって興味深い。どちらも反スターリニズム的姿勢を（この時期からすでに）はっきり打ち出しているところも似ているだろう。

　それはさておき、バルトはまず、人間の言語活動を包み込んでいる規則や慣習の総体としての〈言語（ラング）〉と、ある作家がその個人的な記憶や経験から引き出して定着させる〈文体（スティル）〉という二つの概念を提出する。この二つはどちらも、書く人間にとって自分では選択することの出来ない〈自然〉的存在であり、〈言語活動のいかなる問題提起にも先だつ所与〉である。要するに、社会および個人に備わった前言語的環境を前提に言葉は運営されざるを得ないということだが、その相互に対立する二つの〈自然〉に関わりを持たせるために選ばれる〈形式〉というものが言語活動の中には存在し、バルトによる〈エクリチュール〉とはそのような〈形式〉を捉えるための概念なのである。

　たとえば、ブルジョワ社会が生み出した「小説」というジャンルに特徴的な〈エクリチュール〉は、文法的には〈単純過去〉という時制の選択という〈形式〉によって縁取られている、とバルトは述べる。〈単純過去〉は、それによって書かれた事柄が〈明示された虚偽〉であるということを読者に伝えるために導入される〈形式〉の一つであって、バルトによると「小説」とは、その内容の如何よりもまず先に、このようにして提示された「虚偽の秩序」の反復・共有を通して、ブルジョア社会における言葉と物事との関わり方を再生産するための〈エクリチュール〉なのである。〈エクリチュール〉には、書く人間が「歴史」の中から選び取った態度が刻み込まれている。『零度のエクリチュール』はその態度を、大革命期から一八四八年前後の〈自由主義幻想の決定的な崩壊〉時代、そして、世紀末から二つの大戦を経て現在に至るまでの「文学」に顕在化している幾つかの〈エクリチュール〉の〈凝固過程〉を指摘することで、ぼくたちの「言語活動」そのもののなかに「歴史」の裂け目や縫い目が織り込まれているということを明らかにしてゆく。そして、「文学」というジャンルにあらわれるコトバこそ、そのような裂け目をもっとも強く反映した〈エクリチュール〉なのである。

彼は同世代の「作家」たちについて以下のように書いていた。

それゆえに、現代のいかなるエクリチュールにも二重の願いがある。すなわち、断絶の動きと、出現の動きである。このうえなく革命的な状況という構図そのものがあって、その根本的に曖昧な点は、「革命」は自分が破壊したいもののなかから自分の所有したいもののイメージ自体を引きださねばならないということである。現代芸術全体がそうであるように、文学的エクリチュールもまた「歴史」の放棄と「歴史」の夢との両方を担っている。「必然」としては、階級分裂と切り離せない言語分裂を証明しているし、「自由」としてはその分裂の意識であり、分裂を乗りこえようとする努力そのものである。自分自身の孤独をたえず後ろめたく感じながらも、それでもなお文学的エクリチュールは言葉の幸福を渇望する想像力であり、夢の言語のほうへとせき立てられてゆく。

（一〇七頁）

マルクスの言葉はここにも響いている。**書くということは、〈言語〉と〈文体〉という〈自然〉に介入し、そこで生まれる分裂＝疎外を引き受けながら、未来に向かってその乗り越えを試み続ける社会的＝個人的**（マルクス的に言うならば「類」であると同時に「個」でもあるような）**行為なのだ。**〈エクリチュール〉とは、歴史の中に個人が直接的に参加することの可能な領域を示した概念なのである。

## 記号からさまざまな表象へ

バルトはこの後、ソシュールが切り開いた「記号論」を知ることによって、ここで提出した彼自身の〈エクリチュール〉の概念を、いわゆる「文学」にとどまらない幅広い対象に適応させて分析する仕事を開始する。「意味するもの」と「意味されるもの」を巡るソシュールの「記号論」は、バルトにとってすべての人間的行為の記述化を可能とする「科学的」なツールとして見い出されたのであった（彼が述べた〈驚嘆の時代〉とは、そのような分析可能性を発見した時の驚きを指しているのだろう）。

彼は『記号学の冒険』に収められた「意味の調理場」という論考において、以下のように書いている。

衣服、自動車、出来合いの料理、身ぶり、映画、音楽、広告の映像、家具、新聞の見出し、これらは見たところきわめて雑多な対象である。そこには何か共通するものがあるだろうか？ だが少なくとも、つぎの点は共通である。すなわち、いずれも記号であるということ。街なかを――世間を――動きまわっていて、これらの対象に出会うと、私はそのどれに対しても、なんなら自分でも気がつかないうちに、ある一つの同じ活動をおこなう。それはある種の読みという活動である。現代の人間、都市の人間は、読むことで時間を過ごしているのだ。彼はまず、とりわけ、映像を、身ぶりを、行動を読む。［…］それが書かれたテクストであっても、われわれは、第一のメッセージの行間から、たえず第二のメッセージを読み取ることになる。パウロ六世は危惧する、という大見出しが出ていたら、それはまたこういう意味でもある。この記事を読めば、その理由がわかりますよ。

（四六～四七頁）

記号を扱う学問はその成立とともに、言語による表現を手はじめとして、そして、言語的に考え得ることの出来るすべての社会的な事象を次々と「意味論」的な体系にまとめて記述・再構成する作業を展開していった。

バルト自身も、ファッション（『モードの体系』）、物語（『物語の構造分析』）、広告写真、映画、プロ・レスリング……などなどの、多種多様なジャンルにおける「意味作用」についての論考を記述しており、おそらく「記号学／記号論」は彼のもっとも知られた研究の分野ではないかと思われる。モノ自体の機能よりもそれが指し示す意味、つまり、社会の中でそれがやりとりされる時の働きについてを明らかにしようとするこの思想は、細かな差異を作り出すことで「商品」への欲望をドライヴさせてゆこうとする資本主義社会にとってはうってつけの学問でもあった。そしてマーケティングなどへの応用も含めてうすーく広まった結果、現在ではもう誰もわざわざ「記号論はじめました」みたいな看板を上げることはなくなっているが、一時期はメジャーなメディアも巻き込んで「記号」というタームはホント大流行だったのである。「SNSに投稿される情報」の価値の乱高下に多くの人が巻き込まれている現在、「記号」を扱う学問はあらためて再確認しておくべき分野なんじゃないかとも思うけど、そんな時代がはじまるよりも少し前の一九七〇年、ロラン・バルトは、一九六六～六七年に訪れた日本の印象を中心にした小さな本を書いた。『表徴の帝国』である（二〇〇四年刊行の石川美子訳では『記号の国』。原題は*L'EMPIRE DES SIGNES*）。

## 未知の言語のなかで

バルトによればこの本は、「日本についての本」ではなく「エクリチュールについての本」である。どういうことか。たとえば彼は、「お辞儀」に代表される日本人の儀礼的習慣がフランスのそれと随分と異なっていることについてを考察しながら、そこでおこなわれている〈動作の端整な書体（グラフィスム）〉が〈みずからを書くことだけのことであって、ひれふすのではない二つの肉体の屈曲〉によって出来ていると把握する。

　この動作には確かに意味があり、その意味を伝達するために磨かれた書体があり、そこには記号論的に分析出来る「言語活動」的な〈表徴〉が存在する。バルトの目の前で展開されているのは、彼が属している文化とはまた異なった〈言語〉と〈文体〉の中で育てられ、バルトには理解することが出来ないが、しかしやはり、なんらかの意味を表明するために選択され、実行され、現実に刻み込まれてゆく〈エクリチュール〉なのである。

　バルトは日本において、このような〈エクリチュール〉が彼の周囲に溢れていることを実感しながら、それを生み出した〈言語〉と〈文体〉から隔絶されていることを通して、目の前で（あるいは、彼と相手との間で）立ち上がってはすぐに消滅する、そのたびごとに唯一の「歴史」を刻む、ということは、自身がまったくその「歴史」に対して責任を負う必要のない「言語活動」の中でまどろむことになったのであった。

　〈母国語〉を操っている時には自覚せざるを得ない、「言語活動」によって生み出される「疎外」の働き――その働きこそが、つまり、「歴史」に参入するということに他ならないのだが――と断絶されたまま、しかし、確かに〈表徴作用〉が働いているそのただなかに存在し続けていること。バルトは〈未知の言語の騒音の広がり〉の中に居ることについて、〈未知な言語ではあっても、その呼吸、感情をこめた息の出しいれ、つまりその純粋な表徴作用は把握できる〉と述べ、そこで顕在化する〈肉体のすべて（眼、微笑、頭髪、身ぶり、衣服）〉を味わうことの喜びを語っている。

この本の中に豊富に導入されている図版は、バルトの視線がそこに「肉体」から得られる独自の文章を認めた〈エクリチュール〉であるのだろう。時枝的に言うならば、バルトはこれらの画像を見るたびに、彼らと自分とのあいだに設定され得るだろう〈主体〉と〈素材〉と〈場面〉の仮組状態の中に漂い、宙に吊られ、言語活動が成立するその最初の瞬間の歓びだけを純粋なかたちで、いわば非歴史的な経験として味わっているのだろうとぼくは思う。

最初と最後に、ほんの少しだけ表情を変えて掲載されている男性の顔写真が（この〈表徴〉の変化！）、戦後日本最初の男性アイドルである舟木一夫のものであるということ、そして、〈あるカレンダーに掲載された若い歌手の写真〉として、メジャー・デビュー直後のザ・タイガースの写真（ジュリー！とおそらくタロー、またはサリー?）が小さく紹介されていることについて、（あるいは、また、「新宿三丁目」の手書き地図が掲載されていることについて）ぼくたちはもっと驚かなくてはならないと思う。この本には、おそらく何の情報もないまま、しかしバルトが強く魅かれたであろう「ニッポン戦後最大の男性アイドル」のうちの二人の〈表徴〉が登場しているのである。

### エクリチュールの危機

バルトが日本においてこのような〈純粋な表徴作用〉による愉悦を仮初めにでも経験することが

出来たのは、もちろん彼が移民や難民、労働者としてではなく「知識人」としてこの国を訪れ、待遇されたという事情が影響しているはずだ。当然バルトもそのことには自覚的である。だがしかし彼は、やはりここでもう一度あらためて〈エクリチュール〉の夢について語っておきたかったのだろうとぼくは思う。

〈記号学の冒険〉の時代を経て、バルトは〈エクリチュール〉という概念を「書く」だけではなく「読む」という作業を成り立たせている領域へと積極的に拡大し、「読む／書く」という場所において実現される言語の機能全般についての理論、および実践としての「テクスト」の制作に取り組んでゆく。

『彼自身によるロラン・バルト』（一九七五）においてバルトは、『零度のエクリチュール』において提出した〈文体〉と〈エクリチュール〉の関係についての定義のし直しを計り、〈エクリチュール〉とは、〈文体をあふれ出させ、言語活動と主体との、いままでとは別の領域へ、文体を運び去るもの、《分類ずみの》文学的コード（有罪の宣告を受けた階級の無効となったコード）から遠く離れたところへ導くものである〉と述べている。初期の理論的言説の中では分割されていた二つの〈自然〉――〈文体〉と〈言語〉――は、〈エクリチュール〉という行為によって切り開かれる空間から逆照射されるような領域に包括される。主体は〈エクリチュール〉によって「歴史」に参入するのではなく、〈エクリチュール〉が生み出す効果こそが「主体」および「歴史」と呼ばれる存在を成立させるのだ。〈エクリチュールとは、まさしく、文法上の種々の人称と言説の種々の起源とが、混じりあい、入り組み、見失われ、ついには標定しがたいものとなる空間にほかなりません。エクリチュールとは、人間（作者）の真実ではなく、言語活動の真実を示すものです。〉……このような〈空間〉に自分自身、そして自身の感情生活を彩ってきた〈エクリチュール〉たちの断片を呼び込む試みが、『彼自身によるロラン・バルト』と『恋愛のディスクール・断章』となるわけだが、このような試みの先に、もしかしてこの先に「書く」対象としてあったかもしれない、ロラン・バルトという〈人間（作者）の真実〉を構成する大きな要素であっただろう彼の最愛の母が、一九七七年一〇月に逝去する。

一一月五日

悲しい午後。ちょっとした買い物。菓子屋に行って（意味のないことだが）、フィナンシエを買う。小柄な女店員が、ひとりの女客の相手をしながら、ほらね、と言う。それは、わたしがママンの看病をしていたころ、彼女になにかを持っていくときに口にしていた言葉だ。最期が近づいたあるとき、彼女はなかば無意識に、ほらねとわたしの言葉をくりかえした（わたしたちは生涯ずっと、わたしはここにいるよ、と互いに言いあっていた）。

——女店員の言葉を聞いて、目に涙がうかんでくる。（声が外にもれないアパルトマンに帰って）長いあいだ泣く。[…]

（三九頁）

これは、二〇〇九年、バルトの死後約三〇年経ってから刊行された、母を失った時期に彼がカードに記していた「日記」をまとめた『喪の日記』の一記述である。

書き留めてある言葉の多くは、走り書きのように一言、二言（引いた一文はもっとも長い箇所である）。母を喪失するという経験が彼に強いたこれらのつぶやき、あるいは叫び、または沈黙は、「喪の作業」において彼が直面した〈エクリチュール〉の危機そのものの記録であるだろう。

一一月三〇日

「喪」と言わないこと。あまりにも精神分析的だから。わたしは喪に服しているのではない。悲しんでいるのだ。

（七五頁）

四月三日

「わたしはママの死に苦しんでいる。」

（文字にいたるための歩み）　（一一三頁）

一九七八年五月三一日

わたしが書いたもののすべてのなかに、マムはどういう点で存在しているのだろうか。あらゆるところに「至高善」の考えがある、という点にである。

（JLとエリック・Mが『ユニヴェルサリス百科事典』でわたしについて書いた項目を参照のこと）（一一三頁）

……断片的で混乱したこの「喪」の作業の中から、少しずつではあるがバルトは、自身の仕事への自覚とともに（立ち直るということではなく）あらたな段階へと移行する状態を作り上げてゆく。そのひとつのきっかけとなったのが、一九七八年三月に「カイエ・デュ・シネマ社」から依頼された「写真をめぐる本」を書くことの約束であった。彼は遺品として残された生前の母の写真を眺めながら、彼女の存在とその喪失を「写真」というメディアの分析を通して「書く」ことを考える。

一九七八年三月二三日

――「写真」についての本にとりかかる自由な時間を（遅れをなくして）早く見つけたいと思う（数週間前から気持ちをたえず確かめている）。つまり、この悲しみをエクリチュールに組み込むことだ。

> 書くことがわたしのなかで愛情の「鬱滞」を変え、「危機」を弁証法化してゆく、という信念と、おそらくは確証がある。［…］（一〇七頁）

バルトは、母の写真とともにあらたな〈エクリチュール〉の空間の中に入ってゆくことを構想する。それはおそらく、現在社会的に位置付けられている（彼が巻き込まれている）「喪」という「意味作用」をまったくはみ出すような、おそらく、プルーストが書いた「悲しみ」に近接したものとなるだろう、と彼は予測する。

記された日付によると、バルトは「一九七九年四月十五日－六月三日」にわたって著述を続け、翌年、写真論の体裁を取った小さな本を上梓した。『明るい部屋』である。

### 写真と「かつてあった」もの

第一部が二四章、第二部が同じく二四章、という（『S／Z』（一九七〇）の「／」によるシンメトリーを思わせるような）きわめて整った構成からも明らかなように、バルトはここできわめて慎重に（ご丁寧にもページの分量もほぼ一緒！）、つまり、自身がこれから述べる言述の内容が**迂闊（うかつ）に問題にならないように**、まずは〈資料体〉や〈指向対象〉といった既存の概念を使って、また、古典的とも言える現象学的手続きを踏みながら、一般的な「写真」の「存在論」を探ってゆく。

ここで提出される〈ストゥディウム〉と〈プンクトゥム〉という概念についてはすでに多くの解説が書かれているので略するが、バルトは前編・二四章を使って展開した論を「前言取り消し」と棚に上げて、後編においてあらためて自身の「母の写真」の存在を『明るい部屋』の中に招き入れる。しかも、その母の写真とは、バルトにとって極めて特殊な、彼にとってまったくの〈正しい映像、正当でかつ正確な映像〉である〈母の実体を構成するありとあらゆる属性が盛り込まれている〉、たった一枚だけ残された、彼女の〈自己同一性の本質〉を表現している写真なのである。

「温室の写真」とバルトが呼ぶその母、アンリエットの少女時代の写真は、『明るい部屋』には掲載されていないので、ぼくたちは見ることは出来ない。また、たとえ見ることが出来たとしても、バルトの意見は容易には頷き得ないものであるだろう。

バルトによると、写真とは、絵画とは異なり、**〈それはかつてあった〉**という現実を告げるものである。写真による映像の本質は突き詰めるとそれだけであり、しかしバルトによると、このような「写真」の明白さは〈過度〉であり、それは〈狂気の姉妹となりうるもの〉である。

それは確かに「かつてあった」。ぼくたちの文化は長らく、このような「かつてあり」そして「いまはない」ものを、**それについて語ることで**その存在を現実に引き戻してきた。過去は語られることで現在に接続され、また、まだ現在である出来事も、言述化されることを通してあらためて歴史の中へと編入させられてゆく。「かつてあった」ものは「言語活動」の領域を通過することではじめて、人間の社会を構成する一要素としての存在を得ていたのである。

しかし「写真」はその明証性によって、その映像を巡る「言語活動」を抜きにして、いきなりそれが「かつてあった」ものであるということをぼくたちに理解させる。逆に言うならば、**写真は自分自身の存在を証明するために、ぼくたちとわざわざ「言語活動」をおこなう必要はない**のである。「写真」はその内部に、自分だけで成立する〈場面〉と〈主体〉と〈素材〉を予め備えている、ということも出来るかもしれない。「写真」の〈場面〉はそれだけで完結しており、遅れて来たぼくたちがその〈場面〉にもう一つの〈主体〉として参加する回路は、そこではあらかじめ閉ざされているのである。

バルトを悩ませたのは、このような「写真」における「言語活動」の不在である。彼はもちろん、「写真」をその「意味作用」によってコーディングし、社会的表徴作用の網の目の一部としてそれを取り扱う術について知悉(ちしつ)している。しかしそれは**「写真」を使って誰かと「言語活動」に入ることであって、「写真」そのものと「言語活動」をおこなうことではない**のである。

写真的映像によって、ぼくたちはコトバで示されるものの外側にも「歴史」があるということを、まさしく見せつけられる。この「外」こそが、近代の終わりにおけるぼくたちの思考のあらたなるはずみとなる時間と空間であるわけだが、目の前に確かにあり、そしてまったくこちらと言語的関係を結んではくれない「写真」を見ながら、バルトは苦悩する。彼は「温室の写真」について、以下のように述べる。

私はただ一人、写真と向かい合い、写真を眺めている。輪は閉ざされ、出口はない。私はただじっと身動きもせずに苦しむ。不毛な、残酷な、不能の状態。私は自分の悲しみを変換することができず、自分の視線をそらすことができない。いかなる文化教養も、私が映像の自己完結性からじかにあますところなく経験するこの苦しみについて語る助けにはならない（だからこそ、写真にはコードがあるにもかかわらず、私は写真を読むことができないのである）。「写真」には――私の言う「写真」には――文化教養は通用しないのだ。「写真」が悲痛なものであるとき、そこでは何ものも悲しみを喪に変えることができないのである。そしてもし弁証法とは、滅びゆくものを統御し、死の否定を労働の原動力に変える思考であるとするなら、「写真」とは非弁証法的なものである。（一一一頁）

コトバを書くことも発することもおこなわない「写真」とは、〈文化教養〉が通用しない〈非弁証法的〉なものであり、つまり、ヘーゲル的な世界からは打ち捨てられ、流し去られ、忘れられて当然の存在なのである。バルトの「母」は、おそらく、これまでまったく〈エクリチュール〉というかたちでその生を営むことはなかっただろう。彼女は決して「書く」ことで歴史に参加しようとはしなかった（だろう）。彼女は世界における〈言語活動の真実〉とは無関係にバルトを産み、愛し、育て、死んだ。その彼女の「真実」を〈エクリチュール〉の中に差し入れるためには、どのような手続きが必要となるのか？　この問いへの回答こそが『明るい部屋』であるわけだが、バルトはその手続きの終わりにあたって、ともに「言語活動」を立ち上げることの出来ない「写真」を〈狂気〉として措定する。

それは知覚のレベルでは虚偽であるが、時間のレベルでは真実である。「写真」はいわば、穏やかな、つつましい、分裂した幻覚である（一方においては、《それはそこにはない》が、しかし他方においては、《それは確かにそこにあった》）。「写真」は現実を擦り写しにした狂気の映像なのである。［…］「写真」のレアリスムが、美的ないし経験的な習慣（たとえば、美容院や歯医者のところで雑誌のページをめくること）によって弱められ、相対的なレアリスムにとどまるとき、「写真」は分別のあるものとなる。そのレアリスムが、絶対的な、もしこう言ってよければ、始原的なレアリスムとなって、愛と恐れに満ちた意識に「時間」の原義そのものをよみがえらせるならば、「写真」は狂気となる。つまりそこには、事物の流れを逆にする本来的な反転運動が生じるのであって、私は本書を終えるにあたり、これを写真のエクスタシーと呼ぶことにしたい。（一四〇頁）

彼は写真の狂気とともに生きることを選択する。いや実際には彼は、このような「写真」に〈分別を与える〉方法の幾つかを提示し、「写真」が炸裂させる〈狂気〉＝エクスタシー（これはおそらく宗教的用語だ）とそれを比較しながら、相対的／絶対的レアリスムのどちらを選ぶのかについて〈それを選ぶのは自分である〉と、「自分」＝「読者」にこの問いを投げ出すかたちで『明るい部屋』を終えている。

バルトの死後、当然のように社会は写真に〈分別を与える〉方向へと進んでいった。日本において、写真週刊誌『FOCUS』が創刊されるのが一九八一年である。自分だけでは〈場面〉を拡大させることが出来ない、つまり、他者と「言語活動」状態に入り、自己を疎外させながらその「使用価値」を増殖させてゆくことのできない「写真」に対して、マス・メディアは八〇年代からすでに、その周囲に大量のテクストを用意し、テクストとテクストのあいだに「写真」を押し込むように配置することで、映像を〈分別のあるもの〉へとトリートメントする方法を展開させてきた。現在のSNS上に溢れている〈文化教養〉的イメージたちは、その正統的嫡子であるだろう。

バルトは写真とのあいだで〈エクリチュール〉を成立させるために、彼の母の「真実」がそこに映されていることを発見する必要があった。同時代において、つまり、写真的なイメージが映し出す〈非弁証法的〉な存在が〈文化教養〉の表舞台にはっきりと登場しはじめた七〇年代の終わりから八〇年代のニッポンにおいて、ほとんど唯一、自身の〈エクリチュール〉でもってそれらのイメージと真正面から切り結ぼうとした思想家がいる。『マス・イメージ論』(一九八四)および『ハイ・イメージ論』(一九八九、九〇、九四)によって、自身の「言語活動」と「イメージ」とを結び付けることを試みた吉本隆明その人である。

彼はこの時代にあって、映像の「狂気」に感応し得た数少ない「書く人(エクリヴァン)」なのであった。次の章ではこれまで取り上げてきた『言美』の論を踏まえながら彼の(きわめて評判の悪い!)イメージ論を読んでみたい。

# 第6章　吉本隆明のイメージ論／『記号の森の伝説歌』

吉本隆明は一九七九年におこなわれた「表現者にとっての現代」（『大衆としての現在』（一九八四）所収）というインタビューの中で、ある写真家が持ってきたウジェーヌ・アジェの作品集を見ながら、それについて「わからんぜ」と思う、と述べ、以下のように逆に質問している。

もうひとつわからないことはね、ここに映されている人（写真中央部の人、こちらを見ている）ね、この人はカメラの方を向いているわけですね。そうするとこっちにカメラがあって、カメラの更にこっちに撮っている人がいるわけですね。すると撮られている人はこっち側を見て、こいつ、どういう積りで撮ってやがるのかなって、思っているわけだ（笑）。だから写真を視て、色とか形とか、明暗の感じが良いとか、形象が良いっていうふうに評価してゆくのが、この写真を評価することなのか、そうではなくてこっち側で、写真を撮ってる人のことをね、こいつはどういう積りで、どういうことをかんがえて撮ったとか、どういう感じだったんだろうなあって、そういうふうに視ることが、写真を鑑賞することなんですか？

（一九〇頁）

吉本は続けて、言葉による表現は最終的には「作者の表現意識」へとその価値を収斂させることが出来るものだが、写真や映画はどうなのか？　写真はそんな風に「作品」として考えられるものなのか？　と疑問を提出している。聞かれたインタビュアーはしどろもどろである。

周知のように、二〇世紀初頭のパリの街頭と風俗を捉えたアジェの写真は、写されたものの明晰さと、その明晰さを何らかの「意味」へと回収することを拒否する高い「物質性」——と、ここではとりあえず呼んでおく——によって、まさしくバルトが述べた〈それはかつてあった〉を体現する存在として、こちらの視線をたじろがせる力を持っている。

写真は物質が反射した光線を物質に焼き付けるという手法によって、絵画よりもはるかに直接的に世界を「イメージ」として定着させる。絵を「描く」という「作者の表現意識」から切り離されたイメージがアジェの写真にはあり、それはたとえば「言葉」によって生まれる指示と自己との引き裂かれとはまた異なった矛盾によって構成されている表出であるだろう。

吉本はそのような「写真」を前にして、そこに書かれたものとしての「表出」が、つまり、「言語による表現」の水準を認めることが出来ないことに戸惑う。

アジェの写真に、そしてまた、リュミエールの無声映画に映されている人々は、機関車は、階段は、ショウ・ウィンドウは、それは細部まで完璧に見渡せるイメージであると同時に、「そこにカメラを向けたらそれが写ってしまった」という、歴史に一度しか表れない一回切りの出来事の痕跡である。

吉本の戸惑いはおそらく、バルトと同じように、このような「痕跡」とどのような関係を結べばよいのか判断出来ないところから生まれている。それは確かにかつてあった。しかしそれは詩や小説と異なり、また、絵画や彫刻とも異なり、**誰かが「表現」することによって生み出されたものではない**のである。

こんな当たり前なことが、吉本隆明を不安にさせる。「写真」を「写真家」による「表現」だと考えることが出来るならば話は簡単なのだが、世界に溢れる無数の、無名の、無記名の写真たちにこそ、おそらく、写真的映像の本質は刻まれている。それは〈自己表出〉も〈指示表出〉もせず、ただ一方的に見られるだけの存在であって、こちらが何を語りかけようとも返信してくれない。そこには〈主体〉も〈場面〉も〈素材〉も用意されておらず、ぼくたちはそのイメージと「言語活動」に入ることは出来ない――バルトも語っているように、「写真」とはコトバで出来た世界から切り離された、ヘーゲル的な精神の運動を発動させることの出来ない、まったくの非弁証法的存在なのだ。

このような存在によって自身が取り巻かれていることに気が付き、そして、それがすでに自分たちの「言語活動」による「表現」にも大きな影響を及ぼしていることを理解して、吉本隆明は自身の論の中に「イメージ」を位置付けるための探求に踏み込む。その第一の成果が一九八四年に刊行された『マス・イメージ論』である。

### 像が生み出す「喩」

コトバで作り出すことの出来る「イメージ」＝「像」の存在について吉本は、『言美』では以下のように述べていた。

> わたしがいま、机の上の緑色の灰皿を眼で見ながら〈ハイザラ〉という言葉を発したとする。このとき灰皿の像をひきおこすことはない。じかに灰皿を眼にうつしているのだから。しかしいま眼を閉じて〈ハイザラ〉といったとすれば、灰皿の像を喚びおこすことができる。ただ眼のまえで灰皿を眼でみた直後に眼を閉じて〈ハイザラ〉という言葉を発したときには、その灰皿の視覚像に像は制約されるのを感じる。これはまったく眼をとじて、まったく突然に〈ハイザラ〉という言葉を発したときにうかんでくる灰皿の像の自由さとはちがっている。それは視覚像と言葉のあいだに喚びおこされる像と言葉と意識のあいだに喚びおこされる像とのちがいだといっていい。［…］像とはなにかが、本質的にわからないとしても、それが対象となった概念とも対象となった知覚ともちがっているという理解さえあれば、言語の指示表出と自己表出の交錯した縫目にうみだされることは、了解できるはずだ。意識の指示表出というレンズと自己表出というレンズが、ちょうどよくかさなったところに像がうまれるというように。（一〇二頁）

言語の上に置き換えられたイメージのことをここで吉本は「像」と呼んでいる。像とは概念であると同時にある個人の経験を表明したものであり、つまり、〈言語の指示表出と自己表出の交錯した縫目にうみだされる〉ものである。ということは、そのような言葉で出来た像はぼくたちの言語活動のただなかで刻一刻とその意味と価値を揺らがせ、他者と自分とのあいだ、そして昨日の自分と現在の自分とのあいだでも（「いまは夜である」！）交換され更新され、そのような変化の中にこそ、その表現の本質を実現してゆくものであると言えるだろう。

このように揺らめく「言葉」との混合物へと変換された「像」＝イメージは、言語の構成の中で互いに結び付き（この構成のための基盤となる「リズム」について考察したのが菅谷の「詩的リズム」論であるわけだが）、それはときには社会的に有用である「指示」の表出を大きく超える接続を見せることがある。この領域に入っていったコトバたちのことを吉本はまとめて「**喩**」と呼んでいる。こうした喩としての言葉は、それを使う人間が言葉に求めて与えた「自己表出」性の高さから生まれてくる。喩は往々にして社会が認める「指示表出」の網の目ではたどれないほどの捻れとともにあらわれ、そしてぼくたちはこの捻れの力によって（おそらくはじめて）個人であると同時に社会的存在でもある「自分」というものに直面することになるのである。吉本はここに文学の価値を認める。

おそらく、喩は言語の表現にとって現在のところいちばん高度な選択で、言語がその自己表出のはんいをどこまでもおしあげようとするところにあらわれる。〈価値〉として言語のゆくてを見きわめたい欲求が、予見にまでたかめられるものとすれば、わたしたちは自己表出としての言語がこの方向にどこまでもすすむにちがいないといえるだけだ。そして、絶えず〈社会〉とたたかいながら死んだり、変化したり、しなければならない指示表出と交錯するところに価値があらわれ、ここに喩と価値のふしぎななめにおかれた位相と関係があらわれている。

（一四四～一四五頁）

『言美』は言語によって作ることの出来る「像」とその像が生み出す「喩」、および、それがもっとも自覚的に構成され展開される「書き言葉」による作品の歴史を古代から現在までの長きにわたって確認しようと試みた大著であるとも言えるだろう。

この「現在」とはニッポンの六〇年代の半ばであり、同世代の詩人の喩的表現から吉本は大きなインスピレーションを受けてこの本を書いているが、そして、しかし、『マス・イメージ論』に取り掛かった八〇年代の吉本隆明は、自らのこの言語論を前提にしながら、「**写真的映像**」＝「**言語によって作られたものではない像**」と「言葉」が切り結ぶ場所を探すことによって、『言美』における自らの言語論をアップデートすることを試みたのであった。

**写真にどのように向き合えるのか**

繰り返しになるが、写真的な映像は言語的な表現ではない。もちろん、ロラン・バルトが『映像の修辞学』(一九六四)などで試みたように、それを表現体=社会的な意味伝達をおこなう記号の固まりとみなして「読む」ことは可能である。バルトが述べた「写真に分別を与える」という選択も、結局のところそのような映像のコード化=言語活動の水準に「写真」を引き込む作業であるわけだが、ぼくたちがどのように写真を語ったとしても、写真自体は無言であって、ぼくと写真とのあいだに〈場面〉が立ち上がることはない。

だからこそ逆にぼくたちは写真に対して「見ること」「所有すること」「語りかけること」の欲望を存分に、一方的にぶつけることが出来るわけでもあるが、写真は本質的には言語によって自分を表現しない、〈自己表出〉とも〈指示表出〉とも無縁の、つまり、疎外による発展をおこなわない表出なのである。

言葉は社会的に有用であることをその一方の本質として持つ。そして、しかし、現在の社会は、写真によって代表されるこのような非言語的な領域にその本質を備えた「イメージ」の様式によって覆われ、稼働されはじめているように見える。現在のコトバの有用性は、こうした「イメージ」を指示し、社会化し、交換可能な記号として取り扱う方向へと傾けられているだろう。現在における「指示表出」性に傾けられた言語表現とは、そのような、**言語活動自体が立ち上がらないイメージを相手にしてなされる**ものなのである。吉本隆明はこのことに気が付き、そしてそうした場所では言語の「自己表出」性の構造もこれまでとは変わらざるを得ないことを予感して、彼は以下のように「喩」についての再定義を『マス・イメージ論』において試みる。

わたしたちはここで、全体的な喩の定義を、言葉が現在を超えるとき必然的にはいり込んでゆく領域、とひとまずきめておくことにしよう。喩は現在からみられた未知の領域、その来るべき予感にたいして、言葉がとる必然的な態度のことだ。臆病に身を鎧っているときも、苦しげに渋滞しているときも、空虚に格好をつけているときも、喩は全体として言葉が現在を超えるとき必然的にとる陰影なのだ。そこでは無意識でさえ言葉は色合いや匂いや形を変成してしまう。未知の領域に入ったぞという信号みたいに、言葉は喩という形をとってゆくのだ。言葉はそのときに、意味するものと価値するものの二重に分裂した像に出あっている。

（一六七〜一六八頁）

ここで言われている〈現在〉とは、おそらく、太陽が地上を照らしはじめてから現在にまで至る、フィルムに焼き付けられなかったものも含めて、すべてのモノが映像として自身を現存させている、「それはかつてあった」という〈始原的なレアリスム〉に充たされた、まだはっきりとは認識されていない「未知の領域」のことである。おそらく、それほどの幅でもって、吉本は自分の想像力に負荷をかけている。そして、近代の終わりにあっては、写真的映像によって導入されたこの厚みの中へと〈現在を超えるとき〉に、言葉は「喩」としての姿をあらわすのだ。

吉本隆明はこのような〈現在〉を探るために、まずはフランツ・カフカの『変身』（一九一五）、筒井康隆の『脱走と追跡のサンバ』（一九七一）、村上春樹と糸井重里の『夢で会いましょう』（一九八六）、高橋源一郎の『さようならギャングたち』（一九八二）を取り上げ、そこに書かれてある「変成のイメージ」について確認してゆく。ここに認められる〈言葉の軽さ〉は〈スイッチとチャネル（ママ）によって一瞬に中心に到達できる映像の世界、また一瞬のうちにべつの系列の映像に転換し、また恣意的にスイッチを切って消滅させることができる映像の世界、〈出現〉〈転換〉〈消滅〉がす早くおこなわれるというイメージ様式〉に対応している、と吉本は判断する。

このような〈イメージ様式〉と「言葉」との関係を探りながら、彼は80sニッポンにおける「コマーシャル映像」および「マンガ作品」にまでその対象を広げたところで一旦その筆を止め、つくば万博で見た「コンピューター・グラフィックス」からモチーフを得た〈高次の映像〉という概念の構築へと進んでゆく。

ここから先が一九八九年刊行の『ハイ・イメージ論』となるわけだが、彼はおそらく、バルト的な〈それはかつてあった〉ことしか示さない映像の広がりと対峙するために、「人間の想像力によってのみ生み出し得る映像」の存在をここであらためて設定してみようと考えたのだと思うのだ。

吉本によると、〈想像力でうみだされた対象物の像（イメージ）〉の極限の姿のひとつは、臨死体験者たちが回復後に語る病床の自分のイメージである。生と死の境において経験されるこのイメージは〈対象およびそれを見ているもの〉と〈その二つを同時に包み込む視座〉から作られている、と分析し、彼は以下のように書いている。

> 人間という映像機械は、すべてのほかの機械とちがってほんとは否定的な機械なのだが、ここではまだただの機械とみなしてよい。想像的な像（イメージ）の分解を、理論的な仮説としてではなく、人間という映像機械のスクリーンのうえにじっさいに映すとすれば、ただひとつのばあいがかんがえられる。それはある度合にまで衰えた意識の状態が、人間機械の内部で実現されたときだ。［…］たぶん体験の記述者たちは、この瀕死や仮死の状態では存在論的なじぶんをもっていない。機械としての人間にちかい状態におかれている。いわば外部から包括的に視ている世界視線と自己視覚像に分割された感覚器官の状態を体験しているのだ。
>
> もうすこし類似の環をたどることにする。わたしたちの視覚体験のうちで、この瀕死や仮死の状態の自己客体化、いわばゆるめられた想像的な像（イメージ）にいちばんちかい体験がえられるのは、コンピューター・グラフィックスの映像だといえる。（一〇〜一一頁）

というわけで、吉本は「写真」的な映像に対して、弁証法的な否定能力を失った「映像機械」としての、瀕死の人間をスクリーンとしてあらわれる像（イメージ）をぶつけるのである。「死」や「未生」の横にあるこのようなイメージが、現在の最大のテクノロジー的達成（当時吉本にはそのように思われていた）であるCGや衛星からの映像と近似していることに吉本は注目し、ここに現在の社会が突入している〈高度情報化社会〉の像の価値を探る糸口があると彼は考える。

また、このようなイメージと〈わたしたちが直立したときの目の高さ〉から得られる視線（彼はこれを〈普遍視線〉と呼ぶ）の「像」とクロスさせることによって、彼は〈言語と映像との交換概念に通路をつけ〉ようとする。ここからはじまる彼の「ハイ・イメージ」論は90sの半ばまで断続的に続けられ、結果としては未完ということになるのだろうか、三巻まで刊行された。

彼によると、ここで試みられているのは、柳田國男の民俗学を大いに参考にしてまとめられた自身の『共同幻想論』をふたたび、**「古代」と「現在」を同等に扱うことを通して**アップデートすることである。この話についてはのちにもう一度触れることになると思うが、しかし、さまざまな方角に手を伸ばすようにして書かれた彼の「イメージ」論は、おそらく、同時代的にはその意図も、その方法論も理解されないまま、敬して遠ざけられるばかりであった。

九五年に吉本隆明は『わが「転向」』という、八〇年代以降の自身の仕事について語った本を出版している。ぼくたちの周りにはそのあいだも続々とカメラとモニターが設置され、写真はいつの間にか紙に焼き付けられることを止め、デジタルな粒子に変換され指先で次々とスクロールされる、もはや誰もその「イメージの様式」に驚くことがない、ぼくたちを取り巻く環境そのものへと育ってゆくことになる。

バルトが直面した〈狂気〉＝エクスタシーの可能性はここでは最大限に抑えられ、また、吉本が直観した「死」の側からの眼差しへの思考ももはや必要とされないような状況が、ぼくたちの現在であるだろう。言葉による運動の存在しない写真的映像によって充たされた世界において、このような弁証法的な運動を止めた世界に「価値」を与えるために、現在、人々は躍起になってそこに「言葉」を重ねようとしているのではないかとぼくは思う。

## 書くことによる矛盾

吉本のイメージ論は、一般的には「高度情報化・資本主義社会」の現在を捉えようとしたものだと思われているだろう。それはもちろんその通りなのだが、彼のモチーフの第一は、このような動きを止めた映像に取り巻かれている世界において、自分を自分たらしめる言語による「自己表出」は果たして可能なのか、可能であるとするならば、それは具体的にはどのようなものであるべきか、ということを明らかにするところにあっただろう。

ただ黙ったまま内在する「かつてあった」ものたちに取り巻かれ、そしてさらに、その「あった」ものたちをそのまま無視することが可能なように配置された言葉たちに取り囲まれながら、ぼくたちは現在自身の言語活動をおこなっている——このような時代のはじまりにあって、吉本隆明は、一九七五年から八四年までのあいだに書き継いできた詩を一九八六年にまとめなおし、『記号の森の伝説歌』という「長編詩」として上梓した。

ロラン・バルトが『明るい部屋』でおこなった母への供花を、吉本は自身の詩作でもって、自分たちの家族や町、戦前と戦後の風俗や倫理や感覚、これまで彼が得てきた言葉というものの経験自体を相手にして、この「戦後詩」においてでおこなったのであった。

　海から帰ったとき
おおきな夕陽を忘れてきた
水際に響くあの空間を離れる鷗

［…］

　墓にゆく道を範とせよ
この奥に眠る「青雲」の線香
　袖に吹かえす
　　明日の風
十七歳のときに感じた疲労を
　脱ぎ捨てるための
巨いなる旅であった
　辻電車にとび乗ると
深川東陽町を曲がっていった
　　少年よ

あなたは
周囲(しゅうい)が「広大な沈黙」でしょう?

(二一八〜二二〇頁)

言葉は自分に属するものであると同時に他人に属するものである。そしてまた、言葉にはその外側があり、言語活動に属さないそのようなものたちによって(も)世界は支えられている。ぼくたちは「書くこと」によってこのような矛盾に直面し、また、現在は、そのような「言葉を書くこと」の上や横にひっきりなしに「映像」が重ねられることによって、書くことの矛盾から生み出される運動の力は大きく削減されることが常態となっている……SNSへの投稿が「映像」中心になり、多くの人が「RT」あるいは「見たよ!」的なチェックだけで視線を次の映像へと移してゆく現在、言葉を書くことによる「疎外」はすでに希少的価値を持った経験となってきているのかもしれない。またはは逆に、頻発しているコトバによるSNS上でのリンチおよび殴り合いは、そのような「書くことによる矛盾」がぼくたちの手の中に全面的に解放された結果の出来事であるのかもしれない。
しかし、論を先に進める前に、ここで一旦大きく迂回して、まだ写真による映像の時代がはじまる前の、また、それがはじまり、そこに「映画」というまたあらたな映像の形式が付け加えられた時代の言語活動について、そこにあらわれた「指示表出」と「自己表出」のアレンジメントについて、次のパートではいろいろと確認してみることにしたい。一旦休憩して再開します。

# 第2部　一九世紀のオペレーション・システム

# 第7章　ルイス・キャロルとコナン・ドイル／ヴィクトリア朝の「指示表出」

さて、写真的映像文化が花ひらく前、「映像」といったら基本絵画しかなかった一九世紀半ばあたり、もう少し細かく言うならば、ロラン・バルトがブルジョワ社会における〈自由主義幻想の決定的な崩壊〉のメルクマールとした一八四八年革命前後のヨーロッパの文物について、そこにあらわれている「指示表出」と「自己表出」のあり方について、きわめて一般的な程度になるとは思うけど、その代表的な作品をいくつか確認してみたいと思う。

「一般的」「代表的」と言っても、参照させていただくのは以下の本なので、やっぱりちょいとヘンな領域に入り込んじゃうかもしれない——一九世紀の英文学を高山宏の『アリス狩り』(一九八一)、同じく一九世紀のフランス絵画を阿部良雄の『絵画が偉大であった時代』(一九八〇)を参考にしながら辿ってみたいと思う。

いま奥付で確認したのだが、この二冊はほぼ同時期に刊行された本なんですね。ぼくが読んだのは大学時代に図書館で、他に手に取る人がいなかったのか大体いつも同じ棚に同じ風に収まっていて、何冊か借り出すうちの一冊にいつもこのどちらかを混ぜていた一時期があった。

内容も文体も異なる二冊であるが（というかおそらく対照的！）、まったくの門外漢でも読むたびに「これこそ学問……」と瞠目させられる知的興奮に充ちた本であって、三〇年越しに自分の本に引くことが出来るのは嬉しい限りである。

## ルイス・キャロルの言葉遊び

『アリス狩り』の「I」の主人公はチャールズ・ラトウィッジ・ドジスン、つまり、『不思議の国のアリス』（一八六五）を書いたルイス・キャロルである。彼の生年は一八三二年。ヘーゲル死去の一年後であり、その生涯はほぼ英国のヴィクトリア朝時代（一八三七〜一九〇一）と重なっている。

高山氏によると、一八三二年は〈英国社会史上の一大革命と称すべき選挙改正案が議会を通過した年であり、旧来の土地貴族を核にした農本主義的な社会体制から、中産商工業階級が絶大な発言力をもつブルジョワ民主主義社会への転換が、誰の目にも疑いえないものとなった記念碑的な年なのである〉とのことであって、変わりゆく時代の流れが渦を巻きながら、一方は「進歩（プログレス）」へ、もう一方は「衰退（デカダンス）」へと落ち込んでゆくそんな只中に、オックスフォード大学の数学教師として職を得たキャロルは、自身の主人公であるアリスを川下りのボートに乗せる。

『不思議の国のアリス』の序詞にあらわれるこのシーンは、一八六二年七月にキャロルと彼の友人の娘であったアリス・リドゥルとの実際のボート遊びをモデルとして書かれたと言われている。「流れゆく水面に浮かべられた小舟」という、揺れ動きながらも密かに閉ざされている時間と空間の中で、キャロルとアリスはノンセンスに充たされた「言語活動」を楽しんだのであった。

高山氏は、『不思議の国』における、にせ海亀（モック・タートル）が科目の名を列挙するシーンを取り上げて、キャロルの〈極端に遊戯する言葉たち〉について次のように書いている。

> 最初の日は十時間のレッスン lesson が、翌日には九時間、その翌日には八時間――といった具合に減るのだが、このアイデアはレッスンと減る lessen という言葉が音としては全く同じであることを巧みに利用しているのである。ねずみのお話が、ねずみの尻尾の形になってしまうのは、話 tale が尻尾 tail とやはり同音異義語（ホモニム）であることに基づいている。ずぶ濡れの連中が体を乾かす（dry）間にされた話に聞き手の一人が「最低につまんねえ話だ」（This is the driest thing I know.）と言う。相手が「……じゃあない」（not）と言うのを、ものの「結び目」（knot）と聞きちがえた方は、そこから何かをほどくという話にズレていく。にせ海亀が説教臭いのはなぜかというと、これまた、音の上での遊びである。つまり亀（Tortois）は「我らに教えを垂れる」（taught us）動物なのだ。軸 axis は斧 axes と取り違えられるし、お嬢さん Miss という呼びかけは、嫌な勉強を「免れる」miss という意味にズラされる。『鏡の国』で、アリスが女王二人からテストされる場面など、こうした言語遊戯の極端な例である。
> （三五頁）

言語遊戯は、音と文字と意味との結び目をほどき、それをまた結び直すという作業の中に生まれる。ここで考えてみたいのは、このような結び直しはおそらく、ボートに乗ったキャロルが目の前のアリスに向かって語りかけ、それに対してアリスが「それからどうなるの?」「それって変じゃない?」みたいに反応するという〈場面〉から生まれ落ちたものなのではないか、ということである。

## 「書くこと」と「話すこと」のあわい

キャロルとアリスによる会話は、自分たちの声によって音を切り離したり、混ぜ合わせたり、互いが互いにコトバの「リズム」を変化させ、その音韻をズラすことによって、ある言葉を社会的な「指示」の文脈から滑落させ、小さなボートの中でだけ通じる密かな意味へと差し向けようとする遊戯である。二人だけで営まれる前言語的な「リズム的場面」がここにはあり、彼らが楽しんでいるのは話す/聞くという「言語活動」における〈場面〉を、その最低限ギリギリの縁にまで還元しながらやりとりしようとするゲームなのだ。

聖職者の長男坊であったキャロル=ドジスンは、幼年時代の教育をもっぱら家庭内だけで授かったという。彼の生育環境について高山氏は以下のように述べている。

> 母親のフランシスは子供には優しい家庭的な女性だったが、なかなかの多産系で、結局キャロルを含め、男四人、女七人、十一人の子供を産んだのだった。ピューリタンの父親の厳格な家父長ぶりと、家庭的な母親の温和、それに十人の兄弟たち。この睦じい大家族はキャロルに

とっては、自足した必要十分なコミュニティ（共同体・社会）として意識されたとおぼしい。その外側に何か足らないものを求めてさまよい出る必要のない、閉ざされた親密な生活領域を意味した。

（一八〜一九頁）

「母語」に充たされたアンチームな空間で幼児期を過ごしたキャロルは、しかし、一二歳になっていきなり「学校」という名の社会に放り込まれる。この衝撃はいかばかりのものだっただろうか。キャロルには強い吃音（きつおん）があったとのことだが、そしてそれは彼以外の姉弟にも見られたとのことなので「社会との接触の遅延」にその原因を求めるべきではないのだろうが、パブリック・スクール（名門ラグビー校。もちろん男子校である）で飛び交う「言語活動」に彼が馴染めなかったのは確かだろう。ラグビー・ボールさながら乱雑、無軌道、そしてときには慇懃（いんぎん）にやりとりされただろう小紳士たちのコトバからキャロルは、数学および論理学に立て籠もることで距離を取る。

これも高山氏の『近代文化史入門』（二〇〇七）の著述から学んだことだが、一六六七年に出版された『王立協会史』において、英国ではすでにその学問の基本を〈「今後あらゆる言語と記号はシンプリティーを旨とすべし」〉と定礎しているのだそうだ。近代はこのあたりからすでにスタートしている、というのが高山氏の見立てだが、1＝1、1＋1＝2、2＋2＝4……と無限に続いてゆく数学、およびその数学を範とする論理学は、指示する対象を現実的に持たないまま、記号と記号の関係をその内側に折りたたんでゆくことで組み上げられてゆく「言語活動」の代表である。社会人としてのキャロルは、吉本的な、あるいは相田みつを的な「表現」としての言語から離れ――「指示表出」と「自己表出」に引き裂かれたきわめて歴史的な表出としてのコトバ／エクリチュールを埒外に、激しく移り変わってゆくヴィクトリア朝の英国にあって、現実に「指示」する対象を持たない、紙の上だけで繰り広げられる閉ざされたシステムにその身を捧げることで一生を過ごしたのであった。

言葉の上に言葉を折り重ねてゆくことを徹底させることで生まれるそのような「論理の言葉」と、小さなボートの上で、親しい二つの口のあいだで交換されながら、それが「指示するもの」が次々と横滑りさせられてゆく、前言語的なリズム的場面の中で震えている発話の響きたち……そのような「書かれる言葉」と「口語的な言葉」が接する面に生まれた物語が、つまり、『不思議の国のアリス』なのである。

彼ら私に言うにゃ、きみが彼女の所に行って
そして彼に私のことを言ったと、
彼女は私のことを良く言ってくれ、
しかし言いもした、私が泳げないことを。

彼は私が行ってないと彼らに言った、

（それはたしかと我らも知るが）
もしも彼女、その手を強めたら、
きみは一体どうなってしまうか。

私は彼女にひとつやり、彼らは彼にふたつ、
きみは我らにみっつか、いや、もっと。
彼らみな、彼からきみに戻る、
が、元はといえばみな私のもの。

（一九〇〜一九一頁）

「書くこと」と「話すこと」のあわいにあって波打ち、泡立つ言葉たち……。少女との、あるいは家族との「母語」での会話を、文字の上にだけ生息する「論理学」の言葉を経由させながら永遠の存在（ヘーゲル！）としようとしたキャロルの執着が、二つのアリスの物語を生み出したのであった。

## シャーロック・ホームズの満たされた言語世界

自分と一緒に言語活動の主体を引き受けてくれたアリスが「目を覚まして」消えたあと、キャロルは『スナーク狩り』（一八七六）『シルヴィとブルーノ』（一八八九〜九三）という二つの力業を残し、一八九八年にこの世を去る。彼の退場と交差するように世紀末のロンドンに姿をあらわしたのが、シ

ャーロック・ホームズである。

ホームズと彼の作者であるコナン・ドイルについての研究は膨大である。なのでどこから話を切り出すのが適当なのか若干戸惑うが、そもそもシャーロック・ホームズについての記述をおこなった最初の人物は、彼のルームメイトであるジョン・H・ワトスン――かのワトスン博士その人なのであった。

彼らの最初の物語『緋色の研究』（一八八七）の第一部は「ジョン・H・ワトスン博士の回想録」と名付けられており、つまりホームズは、ワトスン君が「書く」ことではじめてぼくたちの前に「表出」された存在なのであった。このことについてはもちろん高山氏も指摘しており、末期に入ったヴィクトリア朝都市文化における生と死の織り成し、小部屋に万物を集めようとする標本癖、ビザールな細部への嗜好……などなどの反映をドイル作品に読み込みながら、高山氏は〈ホームズ作品は徹底的に言語的な世界である〉と述べる。

被害者が出てきて、何があったのかをホームズに語り、しかもそれを後から来たワトソン（ママ）のためにもう一度語るという仕掛けがまずあり、加えてこれが「推理小説」であるために、読者に代ってそれまでに起こってきたことを時々復習しておく方法が必要になる。『四人の署名』のちょうど真ん中あたりでワトソンは「馬車にゆられながら、この異常な出来事の連鎖を順を追って復習」してみる。［…］「探偵はあらゆる知識を備えていなければならない」というホームズの口癖は、世紀末室内文化の中でおなじみの強迫観念であった。事物を、それもできるだけ珍奇（ビザール）な事物を収集して自己完結した世紀末の室内のその驚異博物館ぶりを、ひたすら言語でなぞればこういう百科事典的（encyclopedic）なエクリチュールになる道理である。［…］コナン・ドイルの健啖な言語世界は、世紀末の世界不安とそれ故の囲いこむ身振りの体系の中で考えるべきなのだ（H.G.ウェルズ後年の百科事典主義（エンサイクロペディズム）やG.フロベールのそれを考えあわせられよ）。

（二〇〇〜二〇一頁）

自身の推理方法について、短編「ボヘミアの醜聞」（一八九一）でホームズがひとくさりレクチャーをする場面がある。曰く、犯罪を解決するために最良の方法は、部屋の中に三ヶ月閉じこもって、新聞や雑誌などの出版物や、それまでの犯罪を収めた百科事典を丁寧に読み込むことだ……ホームズにとって、つまり、コナン・ドイルらイギリス一九世紀末の人々にとって、世界とはそのように「読み解くべき本」として見つめられていたのであった。

「ワトスン、すまないが索引帳で調べてくれないか」

ホームズは目を閉じたまま静かに言った。長年にわたってさまざまな人物や事件に関する要点を記録し、整理してきているので、どんな事物や人名をもちだされても、彼はすぐに情報を引き出せる。このときもわたしは、あるユダヤ教の博士の名前と、深海魚についての論文を書いた海軍参謀中佐の略歴のあいだに、アドラーの名前を見つけることができた。「見せてくれ」とホームズ。「ふむ、一八五八年、ニュー・ジャージー州に牛まれる。コントラルト歌手――ふむ！　スカラ座出演――ふむ！　ワルシャワ帝室オペラのプリマドンナ――ほう！　のち歌劇団を引退して、現在ロンドンに在住――なるほど！　つまり陛下は、この若い女性とお知り合いになられ、あとでお立場をあやうくさせるような手紙を出されてしまったので、いまそれを取り戻したいとお望みなのですね」「まさにそのとおりだ。だが、なぜそれを――」

（二四～二五頁）

世界は「索引帳」や「大英国百科事典」その他のデータベースに記録された情報の固まりとして存在する。ドイルたちが信じ、作り上げようとした世界とはそのような、言述と事象がなめらかに、過不足なく、十全なかたちで対応している世界であった。

## 「謎」は異なる言語体系からやってくる

このような世界は、『言美』的に言うならば、「指示表出」の網目が緻密に正確に組み上げられた、個人のどのような記憶も行為も感情もそれに相応しい「表出」がすでに用意されている、個としての表現がそのまま類的なものとして機能するような社会であるだろう。

膨大な数の「指示表出」によって覆われた世界が彼らの目の前にはあり、その「指示」のネットワークによって形成された社会がある。言語における個人的な「自己表出」性の高まりは、このような有用性を原則とする場所にあってはそのまま「非社会的」な、つまり「異常性の発露」と見なされることになるはずだ。「犯罪」とは、高度に仕上げられたデータベース＝指示の体系の網目からこぼれ落ちる、こぼれ落ちざるを得ない過剰な表現への欲望＝高められた「自己表出」のあらわれそのものなのである。ホームズの観察と推理は、そのような「表現」の痕跡を探し出し、それがどのような欲望でもって既存の「指示表出」の体系から逸脱しようとしたのかを読み解く作業であるのだ。

ホームズは犯人が残した痕跡を「読む」ことによって、「謎」と思われる「表出」の中に過剰なる「自己表出」の存在を探し出し、認め、その破調も取り込んだあらたな「指示表出」の水準を自身の言述によって構築することで、世界を再びなめらかな「言語活動」の体系へ縫合しようと試みる。

そんなホームズが恐れるのは、田舎である。『シャーロック・ホームズの冒険』(一八九二)所収の短編「ぶな屋敷」において、彼は以下のように語っている。

「こういう農家を見るとつい、一種の恐怖感を覚えるんだよ。ワトスン、経験上確信をもって言うけどね、ロンドンのどんなにいかがわしい薄汚れた裏町よりも、むしろ、のどかで美しく見える田園のほうが、はるかに恐ろしい犯罪を生み出しているんだ」

「おどかさないでくれよ！」

「いや、はっきりした理由はある。都会では世間の目というものがあって、法律の手の届かないところを補ってくれる。犯罪の巣のような裏町でも、いじめられて泣く子どもの声や、酔っぱらいが人を殴る音が聞こえたりすれば、近所の人たちの同情や憤慨というものが必ず起きるだろう。それに、正義を守る警察組織の手も、町の隅々まで行き渡っているから、ひとこと訴えさえすればたちまち活動開始、犯罪はあっという間に法廷まで引きずり出される。

ところが、あのぽつんぽつんと孤立した農家はどうだい。それぞれがみな、自分の畑に取り囲まれているし、住んでいる者にしても、法律のことなんてろくに知らないような人たちだ。ぞっとするような悪事が密かに積み重ねられていたって不思議はないくらいだ。しかも、そのまま発覚せずに住んでしまうのさ。［…］

（五〇二～五〇四頁）

ホームズにとって、田舎の農家のように――そしてドジスンとアリスの乗った小舟のように――「世界」のネットワークから孤立した、それぞれが独立したルールで自分たちの「言語活動」をおこなっているスタンド・アローンな空間ほど厄介なものはない。そこで使用されているコトバの「指示表出」と「自己表出」の傾きのあり方は、「大英国百科事典」的なそれとはまったく異なっているかもしれないからである。

同じ記号体系に属しながら、その使用方法の水準がまったく、あるいは、一部だけがガラリと異なっている〈場面〉……実際、ホームズ作品における事件とは、その発端を「植民地」に置くものが少なくない。ワトスン博士はアフガニスタン戦役の従軍者であり、短編集『シャーロック・ホームズの冒険』は、収録一二編のうちその半数以上が植民地、新大陸、衛星国、あるいはヨーロッパの辺境における因果が首都ロンドンへと持ち込まれたものなのである。

ホームズが活躍した世紀末とは、すべての土地が「内地」と「植民地」に分割されながら、世界がその隅々まで経済的にも政治的にも緊密に結び付けられていった時代であった。このような世界にあって必要とされる「言語活動」とは、自国語による世界の記述をまず確定させることであり（百科事典主義！）中央と辺境という同心円的なイメージでもって植民地の文物にコトバを与え、異国のものを可能なかぎりなめらかに自国の文化に統合する記号の体系を組み上げることである。「植民地」とは、宗主国側から、つまり歴史の主体側から見るならば、政治的には統合されているが、しかし、自分たちの「指示表出」によってはまだ完全に覆われ終わっていない場所のことである。そして、そのような場所でこそ、「自己表出」の無軌道な噴出＝「犯罪」は発生する。

ホームズの「推理」とは、多種多様に散らばったこれら「植民地」や「内地」や「異国」から届けられた記号たちを読み解き、彼が把握している巨大なデータベースの中にそれらをあらためて位置付け、「謎」だと思われていた情報からまたあらたな一つの世界を再構築してゆくという作業なのである。

ルイス・キャロルが試みたのは、「母語」と「文字」（＝父の言葉？）を突き合わせることによって「指示表出」の体系を転倒させる遊戯であった（彼の「写真狂い」に関しては、それがもっぱらスタジオという無時間的な人工空間を前提にしてなされている、ということだけを書き留め、ここではとりあえず見送っておく）。

ドイルと彼の主人公であるホームズ、およびワトスンの物語は、世界の端々から届けられる（時にはキャロル的な遊戯にも浸された）「表出」の意味の破れ目をチェックし、既存の体系の中に位置付け、謎であったものを論理の中に回収し、自分たちが暮らす「言語として完成された世界」の完璧さを固辞しようとするためのテクストなのである。

このようなテクスト＝世界は、しかし、おそらく、第一次世界大戦にはじまるあれこれによってもはや取り戻せないまでに揺り動かされてしまった。一九〇二年、ホームズ物語においては「三人ガリデブ」事件が解決されたロンドンにおいて、ロシア帝国から逃亡中のウラジミール・レーニンとレフ・トロツキーが合流している。ホームズの犯人に共産主義者は登場しないし（唯一『シャーロック・ホームズの帰還』（一九〇五）所収の「金縁の鼻眼鏡」事件に「ロシア人活動家」が登場するが、その犯罪は……略します）、ドイルは一九一七年のロシア革命を同じ「帝国臣民」として口を極めて罵っている。『最後の挨拶』の刊行はちょうどこの一九一七年……以後、ドイルの「指示表出」は、もはや現実にその「指示」する対象を持たない心霊現象へと向かうだろう。

ところで、ヴィクトリア朝大英帝国の首都の下宿の一室に居を構え、化学実験を弄びながら『グローヴ』、『スター』、『ペルメル』、『セント・ジェイムズ』、『イヴニング・ニューズ』、『スタンダード』、『エコー』……などの新聞を読み込み、じっと彼方からの通信を聞き取って照合し、そこにある「表出」の水準を測ってゆくホームズの姿に、唐突だが、ぼくはある江戸文人の姿と、彼が書いた本を読むことに一〇年をかけた批評家の姿を思い出している。取り外し可能なハンコによって三畳半の「個室」を作り出し、「家」から切り離されたその空間に閉じこもって『古事記』の読解に熱中した本居宣長と、晩年彼の残した原稿を一〇年にわたって読み続けた小林秀雄である。

この話にはあとでもう一度戻って来よう。とりあえず、まずはここで一旦足を止めて、この章の冒頭に掲げたもう一冊、阿部良雄の『絵画が偉大であった時代』を読みながら、一九世紀末の絵画にあらわれた——西欧ブルジョア文化を代表する芸術である「絵画」における「指示」と「自己」の変貌についてを確認してみたい。

# 第8章　写実主義（レアリスム）という「表出」／ボードレールの「現代性（モデルニテ）」

絵画を見るのは好きな方だと思う。油でも水彩でもスケッチでもいいけど、出来ればきちんと額縁に収められて、壁に架けられたタブローを空いている美術館でゆっくりと、一枚一枚ぼんやり眺められれば最高である。

このような「見る」作業は、現状SNS上で繰り広げられているイメージのやりとりとは相当に遠いところにあるように思われる……が、本当にそうかな？　たとえばそこには「書くこと」と「話すこと」の差異にも似た、おんなじジャンルの活動でありながら、その社会的機能の異なりに沿って次に接続されるアクションの質が変わってくるような、そんな微妙かつ根本的な異なりが存在しているのかもしれない。

結構前だが演奏でパリに行ったことがあって（ウソみたいだけど、パリ日本文化センターになんとJazz Dommunisters＋similabのOMSBというメンツで呼ばれたのだった）これ幸いとばかりに数日間を美術館巡りで過ごした。ポンピドゥなんてうっかり二日連続で行ってしまって、その時の特別展はダリだったんだけど、とにかく常設含めて作品多すぎ！　何枚見ても次から次に名作の目白押しで、美味いもの食べすぎて段々味覚が反応しなくなる……みたいな贅沢な体験であった。

実物を見ると分かることも多くて、ピカソの魅力は「その本質が写真に映る」コトだと感じたとか、すでに『絵画が偉大であった時代』で知ってはいたけれど、ルーブル(あれ？　オルセーだっけ？)で見た『オルナンの埋葬』は縦三メートル・横六・五メートル超！　の、どひゃーっと半口あけて見上げんばかりの巨大さであって、こんなの飾れる壁がまず家にはない。やはり絵画は公共の場所で、みんなで見ることを目的にして制作されるものなのだ……ということを実感したのであった。

## 「偉大さ」と巨大であること

ギュスターヴ・クールベのこの「歴史画」について、阿部良雄は『絵画が偉大であった時代』において、〈〈レアリスムの闘い〉は、文学の領域に波及するに先立って、まず絵画の分野で展開された〉と前置きしながら、当時の批評家たちが異口同音にこの絵画を「醜い」ものだと断罪したことを引き、クールベ作品が先導した「写実主義(レアリスム)」が西欧絵画の伝統的美学に与えた衝撃についてまとめている。

時は一八五〇〜五一年、英国は先述したとおりヴィクトリア朝全盛期、そしてフランスは、ルイ＝ナポレオンがクーデターによって第二帝政を布く直前の、きわめて短期間に終わった第二共和制の時代である。すでに触れたように、一八四八年前後の欧州は半世紀前に勃発した「フランス革命」に続く第二の市民革命期であり、ちなみにマルクス＆エンゲルスによるかの『共産党宣言』は前年の一一月に書かれたものである。このあたりで欧州ははじめて「ブルジョワジー」と「プロレタリアート」という二大カテゴリーの権力争いを顕在化させていたというわけだが、ところで、クールベの『オルナンの埋葬』に描かれているのは田舎のブルジョワたちである。

この絵画が物議をかもしたのは、阿部氏によると〈危険な共和主義思想・社会主義思想がなまで盛られていたからではなかった〉。では、何が問題だったのか？　彼は以下のように解説している。

そうではなくて、彼ら自身も「醜く」衣服も「醜い」田舎のブルジョワたちが堂々と「歴史画」の主人公たり得るという前代未聞の美学的平等性の主張だからであった。「出来事」の階層性から言っても、無名の田舎ブルジョワの葬式というそれ自体とるに足らぬ出来事が、神話とか歴史とか文学とかの形成する教養＝価値体系への関係づけ（レフェランス）を欠くのはむろんのこと、十八世紀ならグールズ、同時代ならミレーの絵に見られるような道徳的あるいは感情的な何らかの観念の伝達意図によって正当化されることもなしにただ再現されているということ、そこには、人間の営みの徹底的平等性が示唆されていたと言ってよい。そしてスキャンダルの鍵は絵の「大きさ」にあった――批評家たちは、これら田舎のブルジョワが「等身大」に描かれていることを異口同音に非難し、かつてのフランドルの画家たちは百姓を描いても小さな寸法の絵にしかしないだけの趣味の持ち合わせはあった、などとクールベの非常識をなじったのである。

（八九～九〇頁）

田舎のブルジョワたちの葬式をたとえば、ルイ一四世のそれと同じサイズ、同じ様式でもって描くこと――政治的権力を巡る階級闘争が錯綜を極めていたフランスにあって、**このような絵画の「大きさ」＝「偉大さ」の試みそれ自体が、守るべき文化・伝統への異議申し立てだと受け止められた**のであった。いつの時代でも、内容よりもそれを伝える形式／インフラの破壊の方が、伝統的価値観にとっては危険視される。クールベは、「現在」の事象を「歴史」として描くことを通して、「歴史画」およびそれを頂点とした西欧絵画の価値システム自体に大きな揺さぶりをかけたのである。

西欧における「歴史画」は「歴史上、誰が、どのようにして、どのような出来事をおこなったのか」を確定させるステージである。ヴィーンに行ったとき、塔の底部から最上段までぎっしりとイメージが詰め込まれた美術館内の内装を眺めながら、「これがコンポジションだとするならそんなことはやりたくない」と恐怖を覚えたりもしたのだが、ぼくたちがある共同体の一員であることを支えている人物や事件や景観を、その歴史的偉大さ（あるいは卑小さ）に相応しい大きさと格調でもって定着させ、それを共同体の成員みんなで眺められる場所に飾って記念すること――権力によって認められた「画家」の仕事とは、「キリストの生誕」や「ルイ一四世の戴冠」や「ナポレオンの山越え」や「延安の毛沢東」といった、全国民が知っておくべき教養に然るべきイメージを与えることであり、この歴史化作業の実務を担っていたところにこれまでの芸術家たちの権威があったのである。スターリン時代、粛清された人間はすみやかに公式の写真からその姿を削除されたわけで、これは現在ＳＮＳ上の画像においてさらにカジュアルにおこなわれている作業であるかもしれないが、このように「イメージ」とはかつては、歴史的にその価値を認められた者だけが持つことの出来る特権だったのである。この基本路線を継承しながら、しかし、権力にとっては必ずしも「偉大」ではない「現在の田舎町での出来事」を勝手に、特に依頼もないまま、まるで「歴史的に価値の定まった事件」のように描いたのがクールベだったのだ。

　現在目の前にあるものを、目の前にあるものとして、それがそのまま「歴史上の出来事」であると認識して、それに相応しいスタイルでもって描こうとすること。道に落ちているゴミもそのままカンヴァスに描いちゃう写実主義（レアリスム）には、それまで厳然と区切られていたイメージの階層性に対する挑戦が含まれていたのであった。

### 印象派以前としての写実主義

　これが阿部氏が「写実主義（レアリスム）の闘い」と呼ぶ芸術運動である。ところで、ぼくたちに馴染みがある「絵画」とは、そもそも現在、それが遠過去のものであれ近過去のものであれ、偉大なものであれ卑小なものであれ、「歴史上の出来事」をイメージとして確定させるという役割を社会的に担当するような芸術（アート）ではすでにない。

　クールベらが氷を割った「現在を見ること」への欲望は、その後、絵画においては「現在をどのように見て、定着させるか」という方向に展開され、画家たちは伝統的な主題を放棄して、自分たちの目の前にひろがる光や自然やカフェや女の子たちといった対象にカタチを与えることを自分たちの使命とする活動を始め、それなりの社会的安定を得た第三共和制期のフランス・ブルジョワ社会に「印象派」という新しい絵画の旋風を巻き起こしたのであった。

この名称はジャーナリストによる揶揄から生まれたとのことだが、光を光として、山を山として、女性を女性として――過去の「大きな物語」の一部ではない「自分たちの現在」として彼らが「指示表出」したカンヴァスに、これまでもっぱらそこに「偉大なる過去」の再現、および「図象が表現するアレゴリー」を求める絵画の見方に慣れた人たちは、「この画面からなにを読みとればいいのか?」と困惑したに違いない。

しかし、不思議なことに、絵画という芸術は一九世紀の後半、あっという間にこの「印象派」が先導する価値観の方向へと進み、現在ではカンヴァスに描かれたものを眺めて、それが表現する「主題」を云々すること事態がナンセンスな状況が当然となっている。

だからこそ、「印象派以前」の絵画の魅力を具体的に伝えてくれる阿部氏のこの著作は実にタメになるものであるのだが、たとえば、彼は一九七五年に見た「ダヴィッドからドラクロワへ――一七七四年から一八三〇年までのフランス絵画」というパリでの展覧会で、ダヴィッドの良さを再確認したことを述べながら、しかし、「この展覧会はよくない、なぜなら……」と判断する現地の人から、曰く、〈近代絵画の発展とは印象派に至る風景の進化を軸にして行われたものであるのに、その筋を無視したこの展覧会は教育的見地からして誤っている〉という説教をたまわったそうである。阿部氏は述べる。

> 人々のこのような反応は、印象派百年展がおそるべき雑沓ぶりを示したことと相まって、あるひとつの方向づけをもって行われてきた啓蒙活動のあまりにもみごとな勝利を証するものだ。かつて異端であったものが、正統の位置に付けられ、人々は、かつて正統の位置にあったものやなべて今日の美術史で正統の外に位置付けられているものの中にも面白いものがあり得ると思うだけの余裕を無くしてしまった。いや、それだけの余裕をまだもたない、と言った方がよいかもしれない。（一八頁）

印象派登場から一〇〇年を超えた当時（そして現在は「印象・日の出」からちょうど一五〇年を超えたところである）すでにそれ以前の絵画の大半は、歴史的に「見る価値なし」と本国フランスのブルジョワたちにも思われていたのであって、しかし、その「印象派」を用意した「写実主義」には――一八四八年の、ブルジョワたちがもう克服し終わり、歴史の暗部として忘却し去ったと考えている「二月革命」とその破綻の申し子とも言える「写実主義（レアリスム）」には、過去と現在が激しくもつれ合うことによって引き起こされる痙攣（けいれん）が刻み込まれており、いまでもぼくたちの目を、どちらが未来でどちらが過去なのか不明な引き裂かれの瞬間に誘い込むのである。

## ボードレールが見出した「現代性」

この瞬間を「現代性（モデルニテ）」という言葉で主題化したのが、一八四五年に美術批評家としてデビューしたシャルル・ボードレールであった。

彼は巨匠ドラクロワを賛美しながら、しかし、自分たちの生活を描き切ることの出来る新世代の画家の登場を熱望した。それはパリに群れ集う「群衆」たちを、その無名性を、その無教養性を、その根無し草的な生活のスタイルを「現代生活の英雄性」として顕彰することの出来る画家である。彼にとって、そのアトリエに親しく通い、また同じような興奮でもって「四八年」を通過したクールベが、そのような「現代を描く」画家の第一人者であったことは間違いない。

しかし、ボードレールの想像力は、オースマンの都市計画によって変革を迫られたパリ市民とともに（田舎の文物を自身の才能の支えとした）クールベを離れて、さらに薄く、軽く、速く、貧しいものへと向かう。ここに自身初となる大画面絵画――つまり「歴史画」――『テュイルリーの音楽会』（一八六二）を仕上げたエドワール・マネがあらわれる。

この大画面は、マネの友人たちの肖像を集めて構成したコンポジションであると同時に、その一人一人があたかも無名の群衆の中から出現し、また都市の群衆の中へと消えてゆくかのような存在として描かれている。大都市のあちらこちらに生み出されているであろうそのような一瞬のイメージを定着させることこそ、ボードレールが「現代性」の名の下に称揚した美的快楽の表現なのであった。

阿部氏は『群衆の中の芸術家』（一九七五）において、クールベの『画家のアトリエ』とこの作品を比較しながら、制作年が一〇年とは隔たっていないこの二作の主題・素材・情報量の異なりについて指摘し、その「時間構造」について以下のように述べている。

クールベ《アトリエ》のマニフェスト的性格は、左半分の多くの者たちは現在の「冥府」に沈み、中でも一七九三年の革命の勇士やアカデミックな芸術を象徴する聖セバスティアヌスは過去をあらわすのに対して、中央の自分及び右半分の友人たちは人類の未来を先取りするものだという風に、時間的構造としても把握され得る。これに対して《テュイルリーの音楽会》は現在をしか表していない。[…]

時間構造において道徳構造が露出する、と要約した場合、過去と未来を切り捨てたマネや印象派の時間構造は「没道徳的」と定義したくなるていのものであって、同時代人の非難もしばしその点を指していた。技術の完璧さを犠牲にしてでも表出の迅速さをむねとすべきであると説き、〈同時代性〉の最も尖鋭なかたちとしての〈瞬時性〉を積極的な価値として定立したボードレール「現代生活の画家」の主張もまた、道徳的な意味で何物かを切り捨てた選択ではなかっただろうか。

(一八九頁)

ボードレールは、現在が表現されたのを見てぼくたちが味わう喜びは、「現在が身にまとうことのできる美からくるだけでなく、現在が現在であるという本質的な特性からくる」とも宣言していた。

現在が現在であることをイメージとして定着させること。そしてそのイメージを自分たちを主役とした作品と認め、瞬間的にしか存在しない、しかし確実に存在する無数の「歴史」を描いたものとして享受すること。

ボードレールはそのような喜びを、たとえば『悪の華』(一八五七)としてまとめられる自身の詩作において、あたかもクールベが既存の歴史画のコンポジションを引き継ぎながらその内容を「田舎のブルジョワ」に置き換えたように、定型詩という伝統的な指示表出スタイルを使いながら、それを「没道徳的」にパロディー化することで表現した。この作品が——そして彼の完全なる同時代人であるフローベールによる『ボヴァリー夫人』(一八五七)が、「公序良俗に反する」として裁判沙汰になったのは周知の通り。彼らは、前世代がかろうじて保っていた西欧文化の伝統を——「自己表出」と「指示表出」の傾きをバランスさせながら「作品」を生み出すための体系を、目の前にあらわれはじめた「大衆文化」によって引き裂く/引き裂かれる時代の芸術家なのである。

## 絵画から写真、そして映画へ

シャルル・ボードレールは一八六七年に四六歳の若さで死去した。つまり彼は「印象派」の運動を見ることなく亡くなったわけだが、彼が望んだ「現代生活の英雄性」の表出は、晩年の彼が「君の芸術の老衰の中での第一人者」と呼んだエドワール・マネの苦闘を経て(彼も一八八三年に五一歳で早逝する。合掌)、一方では題材を「風景」という「現在」そのものから選ぶことによって目の前の光と影の揺らめきそのものをカンヴァスに定着させようとする「印象派」を生み出し、もう一方では、工業技術の発展と並走するように成長してきた「写真」による、もはや数を数えられないほど無数の「肖像」や「名所」のイメージを生み出した。

この「写真」が次の文化のイメージを支える「映画」へと発展してゆくことになるのだが、ところで、ジャン＝リュック・ゴダールは、自身の『（複数の）映画史』（一九八八－九八）において、エドワール・マネの作品を取り上げて、以下のようなモノローグをおこなっている。

ダ・ヴィンチやフェルメールの有名な微笑みは、まず、私、と言う。私、それから、世界。ピンクのショールを纏ったコローの女性さえ、オランピアの考えることを考えていない。ベルト・モリゾの考えることも、フォリー・ベルジュールの女給が考えることも。なぜなら、ついに世界が、内的世界が、宇宙（コスモス）と合流したからであり、エドワール・マネとともに、近代絵画が始まったからだ。つまり、シネマトグラフが。つまり、言葉へと通じてゆく形式が。より正確を期すれば、思考する形式が。映画が最初は思考のために作られたということは、すぐさま忘れられるだろう。だがそれは別の話だ。炎はアウシュビッツで決定的に消えてしまうだろう。この考えには、いささかの価値はある。（三七頁）

上記の引用は、蓮實重彥が『増補新版　ゴダール　マネ　フーコー――思考と感性とをめぐる断片的な考察』(二〇一九)において訳出したものからの孫引きである。蓮實氏は続けて以下のように述べる。

こうしたモノローグにつれて、ダ・ヴィンチ、フェルメール、オランピア、ベルト・モリゾ、フォリー・ベルジェールのバーメイドなどが、それぞれクローズアップで示されるが、重要なのはそうしたショットの連鎖そのものではない。問題は、ゴダールが、映画はマネとともに始まる近代絵画に由来すると考えているのではないということだ。一九世紀は、内的な世界と外的な世界とをひとつのものとして表象するための新たな思考の形式を人類に教えたのであり、それがマネとともに近代絵画となり、同時に映画ともなったとこのモノローグはいっているのである。(二一一頁)

エドワール・マネとともに「近代絵画」が、「シネマトグラフ」が、「言葉へと通じてゆく形式」が誕生した……最後の言葉はおそらく「像」=「イメージが言葉へと通じてゆく形式」という意味であり、さらに言葉を補うと、「像」=「イメージが言葉へと通じてゆく思考」=「形式」ということだと思われる。

蓮實氏はこの著作において、『(複数の)映画史』におけるゴダールのモノローグについて詳細な分析をおこないながら、「サイレント」と「トーキー」という二つの映画のスタイルの「歴史性」について語っている。そこにあるのは単なる発展ではなく、まったく異なった原理を持っていただろう幾つかの「指示」を巡る機能が、あたかもその複数の出自を隠蔽するかのように一つにまとめあげられてゆく物語である。この物語は、現在「見る」ことと「書く」こと、および「聴く」ことが一つのデバイス上で同時に提供されているぼくたちの現状を考えるための補助線としても読めるものだと思う。

次章では、蓮實重彥の『増補新版　ゴダール　マネ　フーコー――思考と感性とをめぐる断片的な考察』における「シネマトグラフ」と「言葉」との関わり合いについてを取り上げる。

# 第9章　マネの絵画と「シネマトグラフ」／無声映画における「言葉」

『増補新版　ゴダール　マネ　フーコー――思考と感性とをめぐる断片的な考察』（以下、『ゴ・マ・フ』と略）の「II」において、蓮實重彥は、ジャン＝リュック・ゴダールの『（複数の）映画史』の「3A」篇に映し出されている映像と音響について、そのはじまりからの言述化を試みている。

ほんの一瞬暗くなった画面がすぐに明るさをとりもどすと、光源の位置を意識させない鈍い照明のごく排他的なクローズアップが、開かれた書物のページを薄暗い室内のテーブルの表面にやや斜めに浮かび上がらせる。とはいえ、印刷された文字をたどりうるほどの距離にキャメラがおかれておらず、画面全体はパースペクティヴを欠いた静物画といった風情で、被写体のひとつひとつを孤立させている。（二一頁）

まるまる一章を使って、蓮實氏は冒頭部分わずか約二分四五秒あまりの読み取り／聴き取りをおこない、シーンを思い出しながら当該文を読み進めてゆくこちらが（もちろんウロ覚えもいいとこなんで、読んだあと慌ててDVDを引っ張り出して確認することになるのだが）「そうか！　なるほど！」とポンと手を叩くほど明晰に、ゴダールがこの場面において定着させている「音響と映像（ソン＝イマージュ）」の意図と構造を解析してゆく。

詳しくはもちろん直接参照していただきたいのだが、ゴダールはこのわずか三分弱の時間において、映画におけるふたつの歴史的形式を〈相互反復的な関係〉でもって画面に定着させ、その形式自体を一人の画家の作品とともにぼくたちに「見せて」いるのである。

何の解説もなしに、いかにもゴダール的な唐突さでゴロッと投げ出される（しかも途中でちょっとした「取り違えのギャグ」まで挟み込まれる！）その形式とは、「無声映画（サイレント）」と「トーキー」であり、画家とは、エドワール・マネである。

### 映像・文字・音声

ゴダールは『（複数の）映画史』「3A」の冒頭で、自身の作品『JLG／自画像』（一九九五）を使ったイントロに続けて（ブリッジとしてゴヤの絵を挟みながら）マネの描いた女性たちのアップを三つモンタージュし、そこに「あなたが／何を考えているか／私にはわかっている JE SAIS A QUOI TU PENSES」という字幕を被せることで「無声映画」を作り出す。その後、「1/PENSÉE」という文字のインポーズとともに、ゴダール自身のナレーションをメインとした「トーキー」がはじまり、そこで彼は「マネの描く女性はみな、あなたが何を考えているかわかっているわ、と言っているようだ」と語る。すでに引用したが、繰り返そう。

ダ・ヴィンチやフェルメールの有名な微笑みは、まず、私、と言う。私、それから、世界。ピンクのショールを纏ったコローの女性さえ、オランピアの考えることを考えていない。ベルト・モリゾの考えることも、フォリー・ベルジュールの女給が考えることも。なぜなら、ついに世界が、内的世界が、宇宙（コスモス）と合流したからであり、エドワール・マネとともに、近代絵画が始まったからだ。つまり、シネマトグラフが。つまり、言葉へと通じてゆく形式が。より正確を期すれば、思考する形式が。映画が最初は思考のために作られたということは、すぐさま忘れられるだろう。だがそれは別の話だ。炎はアウシュビッツで決定的に消えてしまうだろう。この考えには、いささかの価値はある。

**蓮實氏**は、この言葉の前に提示されたゴダールの「マネの絵画を使った無声映画」＝「シネマトグラフ」について、それを『あなたが何を考えているかわかっているわ』という題名を持った〈あたかも人類史上初のシネマトグラフとして撮られた匿名の作品〉として見ることを提案する。リュミエールやエディソンといった、これまでの一般的な「映画史」に出てくる固有名や日付を一旦傍にどけて、マネの絵画を「映画」として、特にその女性たちをクローズアップで見てみること——このような作業によって得られる経験について、蓮實氏はゴダールに代わって述べる。

見てみたまえ、とゴダールは音としては響かぬ声で口にしているかのようだ。見てみたまえ、この「無声映画」の「オランピア」を、ベルト・モリゾを、そして、フォリー・ベルジェールの女給を。それがエドワール・マネの絵画の複製だということを知らなかったとしても、それはそれで一向にかまわない。モデルとなった女性の固有名詞さえ、無視することもできる。ただ、そこにはまぎれもなく「内的世界が、宇宙と合流」しており、それさえ見逃さずにおくなら、事態を「近代絵画」と呼ぶべきか、それとも「シネマトグラフ」と呼ぶべきかなどといった詮索は、まったくもってどうでもよいことだからである。

よく見てみるがよい。そこには、その後に「映画」の名で呼ばれることになる貴重な何かが、まぎれもない潜在態として生々しく息づいている。［…］それは、マネの絵画を題材としたゴダールの作品ですらなく、ことによったらこのようなものとして映画は生まれたのかもしれないという映画自体の発生期の自画像のようなものだ。また、そのようなものとして撮られているかぎり、シネマトグラフが「思考する形式」として人類の資産となったことを忘れさせない何かが、この「無声映画」にこめられているはずでもあるだろう。

（四四頁）

実際、蓮實氏のこの解説を読んでからあらためて見直す『（複数の）映画史』は、ここで取り上げられた「3A」冒頭だけに止まらず、いくつもの箇所に「映画自体の発生期の自画像」への言及と提示が含まれた作品として浮かび上がって来るだろう。
マネとともにはじまった〈シネマトグラフ〉……それは、〈言葉へと通じてゆく形式〉であり、〈思考のために作られた〉ものであったが、それは〈すぐさま忘れられ〉、そして〈炎はアウシュビッツで決定的に消えてしまう〉。しかしこれは、具体的には、どのような事態を指しているのだろうか。

### 字幕という体験

ゴダールは一九七八年にモントリオールでおこなわれた『映画史』講義の講義録において、シュトロハイムの『グリード』の冒頭部分について、以下のように述べていた。

この映画の冒頭では、まずだれかがなにかをしているところを見せるカットが七つか八つつづき、ついで「彼はこういう人だった」〔英語〕という字幕が入ります。そして次に、その男の母親を見せるカットが三つつづき、ついで「彼の母親はこういう人だった」〔英語〕という字幕が入ります。映画がかつてもっていた驚くべき力は、こうした字幕のつかい方にこそあったのです。映画はそのあと〔トーキーに移行することによって〕その力を失ったのですが、当時はおうおうにして、文字なり言語なりと映画との仲はよかったのです。（九八頁）

サイレント期の映画は、まず映像を見せ、その後に字幕を見せる。このようなプロセスの中に〈映画がかつてもっていた驚くべき力〉が生まれた……。ここでゴダールが語っているのは、「映像」と「書き言葉」とを結び付けるための機能がサイレント期の映画には備わっていた、ということである。そしてゴダールによると、このような「言葉」へと通じてゆく映像のはじまりは、マネの絵画によって、まず、提出されたものなのだ。

エドワール・マネの作品について、その歴史的な位置付けについてはすでに前章で軽く触れた。クールベの「写実主義（レアリスム）」によって顕揚された「現在を見るという欲望」を引き継ぎながら、その視線をさらに速く、軽く、感覚的に、都会の風俗とそこに行き交う人々のイメージへと集中させたマネ。ゴダールは、彼が描く女性たちが、あたかも「何かを考えている」女性のように見える、ということについて『（複数の）映画史』において検証しているのである。

ゴダールは、スクリーンの上に転写したマネの女たちに「あなたが／何を考えているか／私にはわかっている」という字幕を与えることによって、彼女たちにはそれぞれに内面世界が——考えていること、言いたいこと、つまり、「自己表出」をおこなえるような「言語活動」が備わっていることをぼくたちに示す。ゴダールは、彼女たちに「あなたが何を考えているかわかっているわ」という字幕でもって語らせることによって、世界の中にはじめて「内面を備えた個人」としてのイメージが登場した瞬間を再現しているのである。

ゴダールが語ることに従えば、マネ以前に描かれた女性のイメージは、たとえば〈ダ・ヴィンチやフェルメールの有名な微笑み〉が表現しているのは、「これが〈私〉」ということであり、また、

「これが〈世界〉」ということである。彼女たちのイメージは、それまでの西欧絵画における表象の連なりの中に、その「指示表出」性の秩序体系に従ってコンポジションされており、その姿——〈私〉の中には、たとえば、ミシェル・フーコーが『言葉と物』（一九六六）の冒頭において分析したベラスケスの絵画のように、描く人と描かれる人との関係も含めた〈世界〉が捩じ込まれるようなかたちであらかじめ含まれている。

つまり、彼女たちの微笑みはその「内面」をあらわしたものではなく、絵画という表現世界に属するアレゴリー＝喩の一つなのである。そのイメージは、バルト的にいうならば、コード的な読み取りが十分に可能な表徴であり、絵画史における作家の主体的活動が刻み込まれたエクリチュールである。西欧における絵画とは、そもそもがそのような「記号の国」における自己＝指示表出活動の一つなのであった。

このような絵画における「表出」を「現在」を舞台にしておこなおうとしたのがギュスターヴ・クールベであり、また、その「現在性」が持ち得る可能性を最大限に遠くまで展開し、自身の批評と詩作によって全面的に擁護しようとしたのがシャルル・ボードレールであった。このラインについても前章ですでに述べたが、そして、ゴダールによれば、エドワール・マネが描いた女性たちによって、〈ついに世界が、内的世界が、宇宙（コスモス）と合流〉する。

マネの描く女性は、これまでの伝統的なコンポジションや明暗法を無視した（あるいは、換骨奪胎的にその価値を横滑りさせた）画法によって描かれている。これはもちろん、これまでの「指示表出」体系ではボードレール的な「現代生活の英雄性」を体現するようなイメージを描くことが不可能だったからであって、逆に言うならば、マネは、群衆から出て群衆の中へと帰ってゆくような無名の女性たちを正確に描こうとすることを通して、一九世紀後半の「ブルジョワ社会」を表出するためのあたらしい技法と形式を生み出したのであった。彼女たちは無名であると同時に確かな個人であり、社会的な位置付けがないまま生まれて死ぬ群衆の一人であり、そして、都市に生きる一市民としてこれからの世界の主体となってゆくはずであるそのような個性が、マネによってはじめて「絵画」と言う〈宇宙（コスモス）〉の中に姿を表したのであった。

彼女たちの微笑みや倦怠は寓話（アレゴリー）ではなく、まさしく、その時点での彼女たちの〈内的世界〉の表出である。個人が個人として表現した感情が、はじめて個人のイメージとして絵画史＝宇宙（コスモス）と合流した瞬間が、マネの絵画なのであった。

## 絵画に言葉を与える

ところで、ここまで一貫して「形式」としてきた言葉の原語が「forme」であるとするならば、これは「フォルム」、つまり、あるイメージの形態を指す「絵画用語」としてそのまま取り扱うことが出来るものでもあるはずである。

この用語は絵画史的には「マチエール matiere」と対になるものであって、そしてマチエールとは、カンヴァスに定着された物質の肌目の在り方についてを示す言葉なわけだが、マネこそはまさしく、その作品の平面性、色彩の自律性、古典的な価値体系を逸脱した構図……といった「フォルム」の特質によって、逆説的に絵画における「マチエール」の価値を、真に二〇世紀を用意するやり方で明らかにした画家なのである。

近代絵画はここから——クールベ的な写実主義からさらに一歩踏み出し、「フォルム」と「マチエール」が平面上で格闘するその弁証法的な過程をそのまま画面に刻み込んだ、あるひとつの「現実そのもの」として制作される方向へと進んでゆくことになるだろう。

複製のきかない、他から独立した、一つのモノとしてのイメージ……言葉から切り離されたこのような平面を「自律した作品」として「鑑賞する」という様式が、二〇世紀に入ったぼくたちのブルジョワ文化にまたあらたな価値体系を導入することになる。芸術批評のモダニストたちが乗っかってくるのはもっぱらこちらの方角ばかり……という状況はさておき、エドワール・マネの作品にはこのようにきわめて高い両義性が備わっており、そしてゴダールが推奨するのは、「マチエール」としての絵画の創始者としてではなく、**「言葉」と「イメージ」を合流させる「思考するフォルム」を生み出した作家としてのマネ**なのだ。

絵画自体は喋らない。それは当然のことだが、先述したように、絵画は絵画史における「指示表出」の体系に従ってコンポジションされることで、さまざまな意味を伝える「言語活動」的領域をその形象上に豊富に備え得ることが出来るメディアである。「歴史画」の画面とはそのような「意味」と「価値」で充たされたスクリーンであり、それはきわめて雄弁に自身の伝えたいことを語るフォルムである。そこに登場する人物たちはその人であると同時に一つの「喩」であって、たとえばドラクロワの描く「民衆を導く自由の女神」はある理念を表現するためにコンポジションされた女性の形象であり、そのイメージは生きてメシ喰って排泄して死ぬ「個人」を描いたものではない。ここにもヘーゲル的な世界観は響いているわけだが、クールベもボードレールも実はこのような、自分たちの世界と理念を定着させた「歴史画」こそを芸術の理想としており、そして、しかし、彼らの世界はドラクロワの時代とは異なり、「自由の女神」的なやりかたで自分たちを「表出」することは（クールベは果敢にそれに挑んだが）もはや不可能だったのだ。

　エドワール・マネの女性たちが姿を表したのはこの時点であった。マネは彼女たちを絵画史的な意味の磁場から解放し、なんの理念も代表しないような無名の一個人として、しかし、確かにはっきりと絵画上の宇宙（コスモス）に存在するイメージとして描くことに成功した。彼女たちのフォルムが表現しているのは「理念」や「精神」や「意味」ではなく、彼女たち自身である。考えてみれば、おそるべきことに、現在ぼくたちが一般的にやりとりしている「意味は特にない」が「確かにそれは存在した」ことを記録する映像は、**マネによってここで示されるまで、ぼくたちの世界の中には存在していなかった**のである。ただ単に存在していること。そのことだけで描かれる＝表現される＝再現される価値があるということ――マネの絵画が切り開いたのはこのような、無法なほどの平等性に充ち溢れた、おそらく、ほとんどバルトが述べる「始原的リアリスム」にも近しい領域に存在するフォルムであったのだ。

ゴダールはしかし、一枚の写真の前で立ち止まったバルトと異なり、マネの女性たちのクロースアップを自分のスクリーンの上に並べ、そこに「**あなたが／何を考えているか／私にはわかっているわ**」という言葉を重ねて、ぼくたちに見せる。

ゴダールが見せたいのはおそらく、二つの事柄である。一つは、マネの女性に体現された「無名の、個人としてのイメージ」は、そこに「見る／見られる」という関係を築くための伝統的なインフォメーションが欠けているため、ぼくたちはその空白を前にして、逆に、自由に、あらたな想像力でもってそこから「言葉」を引き出し、彼女たちと言語活動的な〈場面〉を架構することを通して、自分が見たものを有用化しようとする傾向がある、ということだ。マネ的な映像には絵画としての「言語活動」が欠けており、だからこそぼくたちは、そのイメージに「言葉」を重ねることでなんとかそれを「読める」ものにしようとする。このイメージには「言葉へと通じてゆくフォルム」が備わっているのである。

そして、ゴダールは、三つのマネの女性の映像に対して等しく、「**あなたが／何を考えているか／私にはわかっているわ**」という字幕を重ねる。彼はそれぞれの女性に同じ言葉を付与することによって三つの映像を一つに連結し、そして、あらためて、映像に重ねられたこの言葉は誰の言葉なのか。これを語っているのは正確には誰なのか？　ということをぼくたちに「見せる」。ロラン・バルトは「映画」よりも「写真」を好むとしながら、〈映画では、一つの流れに巻き込まれた写真が、たえず他の画面のほうへ押し流され、引き寄せられていく〉ということについて述べていた。写真に備わっている「狂気」は、映画においては〈横すべりし、自己の現実性を認めさせようとつとめはせず、自己のかつての存在を主張しない〉。バルトは時間の流れを切断し逆流させる写真の「未来のなさ」に注目するが、映画は一秒間に二四枚の写真を見せることによって、それらの過去をぼくたちの現在における知覚に巻き込んでゆく。すでに終わったもの、歴史の中に一回しかあらわれなかったもの、ぼくたちを抜きにして「言語活動」を終了させたものが、映画の中では何度でも運動するイメージとして再生されるのである。

無声映画の作家たちは、これらのイメージの上に「書き言葉」を「映像化」して加えることで、言葉の持つ指示／自己表出性の体系でもってイメージをまとめあげる手法を作り上げた。ここで「書き言葉」は「運動」および「無名の一個人の映像」と併置され、つまり、言語から切断されているイメージへと向けてその意味を傾けられ、その結果、これまで自身を支えてきたヘーゲル的な弁証法の組み上げから滑り落ちるようにして、その意味の宛先を宙に吊られることになる。――ゴダールが「思考するフォルム」と述べたのは、このような、言葉の網の目を組み直す映像の能力を指しているのだとぼくは思う。

## 書き言葉が表象するもの

蓮實氏は、F・W・ムルナウの『サンライズ』(一九二七)におけるジャネット・ゲイナーを想起しながら、「**あなたが／何を考えているか／私にはわかっているわ**」という字幕を、「**私がだまって**

**いるからといって／何も考えていないと思ったら／それは大間違いよ**」と変奏してみることを提唱する。もちろん、マネの女たちのイメージは、この言葉も十分に自身のものとして引き受けてくれるだろう。彼女たちは沈黙しているが、のちに彼女たちの行動へと結びつけられるだろうさまざまな事柄が、そこでは確かに思考されている……シネマトグラフの、無声映画の「字幕」は、そのような無名のイメージたちの「思考」を表象する「書き言葉」なのである。

ヘーゲル的な歴史観で考えるならば、書き言葉によって自身の精神を表現出来ない存在は、けっして歴史的な主体となることは出来ない。エドワール・マネが描き、ムルナウがカメラに捉え、そしてバルトが「温室の写真」に見出したイメージは、それまでまったく歴史の外側に投げ出され、放棄されていた存在たちが、自分たちの「言葉」とともにあらためて身を起こしはじめたことの確かな証明なのである。

ゴダールの述べる〈映画がかつてもっていた驚くべき力〉とは、このような「イメージ」と「言葉」を巡る権力配置の問い直しを可能とする力であったはずだ。しかし、その力は、〈トーキーに移行することによって〉失われ、そして、〈アウシュビッツで決定的に消えてしまう〉……。

ゴダールは『映画史』講義録の中で、〈トーキーの発明の利点〉について、それは単に〈字幕のカットをとり除くということ〉だった、と述べている。字幕＝書き言葉を取り除き、「声」によってイメージを直接コトバと結び付けること――この選択には、おそらく、「声」によって「文字」としての「言葉」を巡る思考にブレーキを掛けようとする判断が含まれている。

無声映画の隆盛からトーキーの覇権までのあいだには約三〇年の時間が挟まれている。トーキーを可能とする技術はサイレントの誕生とほぼ同時期に開発されているのだから、このタイム・ラグには、「言葉」と「声」と「映像」の配置を巡る西欧文化の伝統的価値判断が反映しているのではないか――『ゴ・マ・フ』において蓮實氏はこのようにも述べていた。このズレにはおそらく、西欧形而上学的概念を脈々と支えてきた「音声中心主義」的制度の働きが存在しているのだ。

しかし、この話にはあとでもう一度戻ってこよう。ここではまだ、無声映画が全盛期であった時代の「映像」と「書き言葉」と「声」のアレンジメントを読み取る／聞き取る作業を続けてみたい。次章で取り上げるのは、言ってみれば、「映画の発明のあと、トーキーの発明のまえ」の作家と、「サイレントからトーキーへの移行」を自身の思想に反映させた哲学者の著作である。フランツ・カフカとルートヴィヒ・ヴィトゲンシュタインだ。

# 第10章　カフカとヴィトゲンシュタインの「指示表出」

フランツ・カフカは自身の創作のための練習を、おそらく、映画の印象を記述することから始めている。ハンス・ツィシュラーは『カフカ、映画に行く』（一九九六）の冒頭で次のように述べている。

「列車が通りかかると、観客は身体をこわばらせる」カフカはこの一文によって彼の〈練習帳〉を始めているが、この背景にどのような出来事があったかは不明である。この文章に表現された意識の混乱状態とショックは——それは鉄道の歴史と密接に結びついている——映画が発明されたごく早い時期から繰り返し語られてきたものだ。実験的な試みとして読者を永遠に挑発するこの書き出しは、観客とスクリーン上の列車とのあいだで揺れ動いている。それは文章によるカメラのパンである。観客の〈ここ〉と列車の〈そこ〉とのモンタージュである。

（八〜九頁）

一九〇八年前後のプラハからはじまり、一九二四年の死去によって断たれるカフカの創作活動についてはまさしくもう膨大な数の研究があって（この本はそんなんばっかですが）、何を書いてもコレってすでに論じられ終わったテーマなんじゃないかなーと思ったりもするんだけど、ここでは、「無声映画がニューメディアであった時代の小説家としてのカフカ」という視点から、そして、そんな彼にとっての「書く」ことの「自己表出」と「指示表出」のアンサンブルはどのようなものだったかについて考えてみたい。

カフカの小説自体には、これはツィシュラーも確認しているが、映画に対して直接的に言及したり、スクリーン上で見た場面を援用しただろうと思われる部分は皆無である……と、書いたところで、ちょうどまだ読んでいなかったペーター＝アンドレ・アルト『カフカと映画』（二〇〇九）の中に「映画のショットを文章化したのではないかと思われるカフカの小説」についての言及がある、ということを知った。

アルトは『観察』（一九一二）の諸作品における手法に〈映画のまなざしの練習〉が含まれていると指摘する。カフカはこの第一著作の中で、映画によって得られたあたらしい視覚を「観察」的に再構成することで、たとえば、物語とは切り離された「運動」のイメージ、光と影の効果、瞬間の像によって拡散される叙述の多様性……などなどを自身の「書く」作業へと結び付ける実験をおこなっている、と、アルトは述べている。映画的に見る／書くことへの試みは、カフカに自身の〈執筆過程の省察〉そのものへと向かわせた。なぜなら、若きカフカにとっては、知覚のデータに集中することによってはじめて文学的想像力を動員することが可能になるからだ。執筆作業の必須条件である自己忘却は、自己を消滅させ、知覚経験のなかに入りこむことによって実現される。映画はカフカに、そのように自己を消すためのまったく新しい可能性を提供したのである。（五三頁）

カフカは手紙および日記の中で、「書く」ために必要な「自己の消滅」について繰り返し述べている。そのための第一歩が、映画に刻み込まれたイメージ——自身の外側にあって、自分とは無関係に運動する世界としてのイメージを正確に「見る」ことであり、そのようにして得られた〈知覚のデータ〉に集中することで、紙の上に書かれてゆく文字自体を自分の外に広がる事物として「観察」するための領域を作り上げることであった。

庭の四つ目垣のそばを、つぎつぎと、馬車の通りすぎるのが聞こえる。ときおり、かすかにゆれる木の葉がくれにも　車は見えた。夏の暑いさかりに　車輪のスポークや長柄の木が、なんとみしみし　きしむことか。畑仕事から農夫たちが帰る、その笑い声がして　これはもう恥さらしなほどだった。

わたしは　うちの小さいブランコに坐っている。両親の家の庭で　樹々のあいだに疲れを休めているところだった。

垣根の外では　往来の絶え間がなかった。駆け足の子供たちが　あっという間に駆け抜ける。
男たちや女たちを　麦束の上やまわりにのせた穀物車が、花壇に影を落としてゆく。（七〜八頁）

短編「国道の子供たち」の一節である。このような「観察」を通してカフカの目の前にあらわれたのは、これまであった「書かれたもの」には含まれていないイメージの存在——「指示表出」の網目によって覆われている、すべての表現がすでに記号化され終わったデータベース的な世界から零れ落ちたまま放置されている、たとえば、前世紀末から広がり続けている都市のあらたな景観・風俗・機関・速度などであった。

つまり彼は、スクリーンに到着する列車の映像と、それを見てたじろぐ観客の両方を同時に「書く」ことを試みる作業を通して、コナン・ドイルらによって一九世紀末、ギリギリにまで煮詰められた「指示表出によって覆われた世界」の物語から、つまり、ホームズ的な読み書きによって成り立つ世界から決定的に別たれる道筋へと入り込んだのである。

## 「吸血鬼ドラキュラ」に描かれた周縁

ドイルは映画を見なかったであろう。少なくとも、彼の主人公であるホームズと、その事件を記録するワトスンの生活半径に「映画を見ること」は登場しない。映画とは、ヴィクトリア朝的なピクチュアレスク文化から誕生しながら、しかし、その存在基盤である「見る／見られる」ことを支える「距離の制度」をなし崩しにしてしまうような力を備えたメディアであるのだ。

ここでもう一度、高山宏に登場いただこう。彼は「テクストの勝利——吸血鬼ドラキュラの世紀末」(『殺す・集める・読む——推理小説特殊講義』(二〇〇二)所収)において、まさしくホームズ全盛期である一八九七年に発表された吸血鬼小説の古典『吸血鬼ドラキュラ』を取り上げ、この小説が〈徹底して二つの世界をめぐって書きつがれてゆくテクスト〉であることを語っている。

この「二つの世界」とは、「いま」と「かつて」であり、「ここ」と「かなた」であり、「事実」と「噂」であり、「記述」と「口誦」であり、日記を書き、記録を読む人としてのジョナサン・ハーカーらの「近代」と、その「口」に機能がフォーカスされるドラキュラ伯爵の「(太古からつながる)前近代」である。著者ブラム・ストーカーはこのような対を、大英帝国の首都ロンドンという「都会」=「中心」と、ドラキュラの城があるトランシルヴェニアという「田舎」=「周縁」という同心円的な空間に配置し、その往復の中に人物と事件を設置することで物語を進行させてゆく。

世界を読み、書き、「指示表出」の体系の中に位置付けるための距離を確保する場所としての「ロンドン」において、トランシルヴェニアというフォークロアの倉庫からやって来たドラキュラたちの眷属が猛威を奮い、しかし、記号的世界を爛れさせる疫病である「口」の文化は、「読む人」である主人公たちの努力によって解読され、同定され、治療され、根絶され、データの一部として回収されることで、この物語は終わる……と、まとめるならば、これはまさしくホームズ的な小説として読むことが出来るものだろう。

しかし、高山氏の読むところによると、「周縁」に属するアイルランド出身であるブラム・ストーカーの筆には、このような「光」と「闇」の二項対立を曖昧にする「黄昏」的な時間への言及がそこかしこに漂っている。ドラキュラの抹殺を書くことで彼は、「口誦」的なものを抑圧する「書く」作業の現場に逆説的に光を当て、「指示表出体系の高度な組み上げ」それ自体が「一つの文化的装置」にすぎないことを暗示しているのである。

このような黄昏にあって、口にのぼった言葉はいつでもその指示する対象を見失うことが出来る。世紀末の群衆の只中にあって、妖魔と悪魔祓い、犯罪者と探偵は、ふと似た相貌で佇んでいる互いの姿を発見することになるだろう。高山氏は述べる。

ドラキュラは本当に死んだのか。今や「何もかもきれいに消えてしまっていた」と「付記」は言う。「ただあの城だけは、ありし日のままに、荒涼とした山の上に、巍然としてそびえ立っていた」。いつでもまた召喚に応じて、「森」の「彼方」の界域から合理の不毛を衝くためにやってくるはずのアナザー・ワールドが、われわれの世界にぽつんと残していった橋頭堡がこれ、とでも言いたげに。（一五〇頁）

ホームズが怖れた、言語的「田舎」の発生原器（ジェネレーター）としてのドラキュラ城……。ところで、フランツ・カフカは、一九二二年に自身の未完の長編である『城』を書くに当たって、F・W・ムルナウが（ブラム・ストーカーの小説を下敷きとした）『吸血鬼ノスフェラトゥ』（一九二二）の撮影で使用したトランシルヴェニアの「オラヴァ城」と同じ「城」を見学しているのではないか、と、先述した『カフカと映画』には記されている。

アルトの調査によると、カフカは一九二一年に同地を訪れており、その執筆はムルナウの映画の公開より先なので直接の影響は考えられないが、〈カフカの虚構の建築物と、モデルとして考えられるオラヴァ城は、城を山頂の館として顕現させるという基本姿勢において共通している〉――カフカの『城』とムルナウの「吸血鬼の城」＝〈合理の不毛を衝くためにやってくるはずのアナザー・ワールド〉は、同じモデルから生み出されたと推測することが出来るのだ。

## カフカが無声映画に見出した可能性

しかし、カフカが描く「城」――と言うよりも、その城を取り巻く「村」の人々とその文化の在りよう――は、『ノスフェラトゥ』とも『吸血鬼ドラキュラ』ともまったく異なった時間と空間によって作られているように思える。それは世紀末的な「黄昏」の時間とも、ワイマール時代にあらわれた「表現主義」的な空間の質感とも違う独特な描写によって、二一世紀の現在でも、それを読むぼくたちを戸惑わせるに十分なものだ。

あまりにも有名な書き出し、

Kが到着したのは夜おそくだった。村は深い雪にうずもれていた。城山はすこしも見えず、霧と闇とにつつまれており、大きな城のあることを示す、ほんのかすかな光さえも、さしてはいなかった。Kは長いあいだ、国道から村へ通じる木橋の上に立って、目にはうつろに見える彼方を見上げていた。（五頁）

……ぐらいまでは、まだブラム・ストーカー的な「怪奇小説」を期待しながら読んでいて大丈夫なんだけど、村に入ったらもうイケナイ。『ドラキュラ』ではキープされていた「地方」と「中央」の同心円的な関係性はここではまったく機能せず、奇妙に歪んだ遠近感の中で、登場する人物たちのコトバや態度が「指示」するものはひたすら横滑りさせられてゆく。たとえば、Kはまず村の料理屋の食堂に泊まることになるのだが、彼を不審者と怪しんだ一人によって叩き起こされ、その場でその身元を役所に問い合わせられることになる。この田舎の酒場にはフツーに「電話」があり、村にはなんと夜勤で稼働している「中央事務局」がある！　これじゃ『ノスフェラトゥ』的なおはなしになるはずもなく、Kたちは、おそらく不眠症的と言えるかもしれない白茶けた時間の中で、「指示」も「自己」も曖昧な要領の得ない会話をし続ける。

実際、『城』のそのほとんどは、登場する人物たちの途切れることのない、読むこちらがそこから「言語活動」のための〈場面〉を立ち上げようとする努力をへし折るような、クッソながい駄弁（モノローグ）の連続によって出来ているのである。引用する気も起きないので直接あたっていただきたいが、この発話（を書くこと）の奔流には、映画とともにカフカが熱狂した「演劇」からの影響があるのかもしれない。

『カフカ、映画に行く』によると、カフカは親友、マックス・ブロートへの一九一〇年の手紙において、〈マックス、ハムレットの公演を観た。いや、バッサーマンを聴いてきたといったほうがいいだろう。神に誓ってもいいが、十五分ごとに僕は別の人間の顔になっていた。自分を取り戻すために、ときどき舞台から目をそらして無人の桟敷席を見なければならなかった。〉とその興奮を書き止めているという。また同時期に彼はプラハでいわゆる「イディッシュ劇」の公演に通い詰めている。

独自の象徴体系を持っていると言われる「イディッシュ劇」および「ユダヤ文化」についてぼくは何も書くことが出来ないが、演劇とは、そこで発話される言葉に、舞台の上だけで成立する独自の「指示表出」性と「自己表出」性を与えることが出来るメディアである。そこでは「いまは夜である」という言葉は（書き留められることを抜きにして）無限の指示の拡がりを担うことが出来るコトバに「変身」することが出来るのだ。

そして、カフカはおそらく無声映画の中に、**いまぼくたちの目の前にある世界それ自体がそのまま、このような無限の象徴に充たされた「表出」を可能とする「舞台」となってあらわれる可能性**を見ていたのだと思う。映画的視覚による「観察」からはじまったカフカの小説は、ぼくたちの生活の細部から、舞台の上にある木や椅子や帽子やジェスチャーと同じような「表出」の存在を見出し、それを書き留めようとする努力によって成立している。このような「書き文字による、無声映画的な舞台」においては、「会話」も現実を、または、現実によって、または、現実から「指示」されることを離れ、独自の時空間を形成しながら書き継がれるものとなるだろう。

さらにここに、実際のカフカの「声」が加わり、オーストリア＝ハンガリー二重帝国におけるユダヤ人コミュニティという言語環境が加わる。カフカは『判決』（一九一三）および『変身』（一九一五）などの作品を、それを書き終えたのちに友人・親族たちの前で朗読して聞かせるものとしてドイツ語で書いている。カフカが書いたものは、単に目で読まれるだけではなく、誰かの声によって朗読されることを通して、現実的な「言語活動」の〈場面〉の中に引き出される状態を前提として制作されているのである。

映画的視覚による映像の世界を踏まえながら、声によって現前化されることを前提として、親しい友人たちと顔を合わせながら、小説を書くこと。さらにさらにここに「手紙」という「言語活動」が加えられ……おそらく生涯で自身の作品よりはるかに多くの「手紙」を書いたカフカの「書くこと」の吸血鬼」的性格が彼の作品には混ざり込んでおり、フランツ・カフカの創作物は、無声映画、演劇、朗読、手紙という、少なくとも四つの異なったメディアの特質が反映された「小説」として書かれているのである。

こんなヤヤコしい小説家は貴重だろうが、『城』が書かれたのと同じ一九二二年、そんなカフカと対極にあるだろう「言語活動」を磨き上げようとした作品が出版されている。ルートヴィヒ・ヴィトゲンシュタインの『論理哲学論考』である。

## 『論理哲学論考』に聞こえる声

ヴィトゲンシュタインはまず名前がカッコいいですよね。『論理哲学論考』というタイトルもハードボイルド。さらに本文はいきなり、

Ｉ　世界は、そうであることのすべてである。（六頁）

とくるのだから、なんだかわからないけど「！」ってなる極上のカマシであって、実際「Ｉ」「Ｉ．Ｉ」「Ｉ．ＩＩ」「Ｉ．Ｉ2」……と、短いセンテンスの積み重ねによって刻み上げられてゆくこの本の形式自体が、素材そのものから構造を引き出すモダニズムの美学を体現した文章として、まず本質から入りたいケッペキな一〇代なんかにはタマラナイものがあると思う。

『論理哲学論考』（以下『論考』）も無数の解説書があるので、あと、読めば実際それほどむつかしいことは書いていないので直接本文に当たることをオススメしますが、ヴィトゲンシュタインはここで世界を「語ることが出来ること」と「出来ないこと」に峻別しようと試みる。

彼にとって哲学の問題とは徹底して「言語活動」の問題なのであり、ＳＮＳを取り扱っているこの本の視座から『論考』を眺めてみると、たとえば、〈2．Ｉ　私たちは事実の像を作る〉〈2．Ｉ Ｉ　像は、論理空間の状況をあらわしている。事態が現実になっていることを、そして事態が現実

になっていないことを、あらわしている。〉〈2．Ｉ2　像は、現実の模型である。〉〈2．Ｉ3　対象に対応しているものは、像では像のエレメントである。〉〈2．Ｉ3Ｉ　像のエレメントが、像では対象の代理をしている。〉〈2．Ｉ4　像が像であるのは、像のエレメントたちが特定のやり方で関係しあっているからである。〉〈2．Ｉ4Ｉ　像も事実である。〉……といったあたりが興味深いところである。

ヴィトゲンシュタインが述べているのは、ぼくたちは言葉でもって世界＝事実の総体（ex.〈Ｉ．Ｉ〉）の「像」を作ることが出来る、ということである。その像は像自体の「特定のやり方」でもって成立するものだが、それは確かに世界とつながっており、ぼくたちはそのような像を作ることで世界と関わる……ので、その像＝コトバを作るための「特定のやり方」を正確に把握することが、「世界」を理解するためには必要となってくる、ということである。

たとえば、ヘーゲルによる「いまは夜である」という「命題」は、どのようなカタチで「事実の像」となっているのか。〈像は、論理空間の状況をあらわしている〉云々という文脈から、この「言語活動」を読むならば、それはどのような「像」としてあらわれることになるのか……という話を『論考』内部の理論に従って辿ってゆくのも面白いと思うけど、とりあえずここで確認したいのは、いまが夜か夜でないかにかかわらず、言語によって作られた「像」は「現実の模型」として世界を示すことが可能であり、つまり、吉本的な用語で言うならば、言語に備わっている「自己表出」性と「指示表出」性の二傾向は、その「像を作る特定のやり方」を正確に把握することを通して、どのような「自己」性とも無関係な、世界と思考とを直接つなぐ「指示表出」性一〇〇パーセントの「言語活動」を成立させることが可能なのだ、と、ヴィトゲンシュタインが考えているということである。

ヴィトゲンシュタインは彼の『論考』を、母語であるドイツ語と、彼の学問のスタートとなったケンブリッジ大学における英語で考えることとの軋轢を通して構築していった。これは『一九二二年を読む——モダンの現場に戻って』(一九九九) においてマイケル・ノースが指摘していることであるが、『論考』のきわめて厳密に組み上げられてゆくパラグラフの底部に置かれてあるのは、カフカと同じようにやはり「声」としての「言語活動」なのである。

異なった言語間でのやりとりを通して、しかも、それを声でもって相手に語って理解してもらうという〈場面〉の存在を介して、ヴィトゲンシュタインは「言語」の中に含まれている「どこでも理解されるもの」=言語内部だけで成立する「像」の存在を確信したのであった。

**ヴィトゲンシュタインのその後**

自己とも、現実にあったりなかったりする「指示対象」とも切り離されたこのような「像」の在り方は、人間の理性は最終的にただ一つの限界へと辿り着くだろう、と考えるヘーゲル的観念によって支えられている。つまり、きわめて一九世紀的な思想がここにはあり、ルイス・キャロルと同じように、幼児期を完全なる家庭教育で過ごしたヴィーンの大ブルジョワの出身者であるルートヴィヒ・ヴィトゲンシュタインは『論考』において、おそらく第一次大戦後最初の、最年少の、最後の、完全なる一九世紀的哲学を展開しようとしたのであった。

彼は『論考』を書いたのち哲学から離れ、三〇代をもっぱら小学校教員として過ごすことになる。彼がケンブリッジに戻ってきたのは一九二九年、四〇歳になった時のことだった。彼はここからまたあらたな哲学的探求を開始し、それはのちに「後期ヴィトゲンシュタイン」として、『論考』にも劣らないほどその内実が研究される仕事となる。

ソール・クリプキは『ヴィトゲンシュタインのパラドックス』（一九八二）において、「私的言語論」と呼ばれる後期ヴィトゲンシュタインの思想の中心に〈我々のパラドックスはこうであった。即ち、規則は行為の仕方を決定できない、なぜなら、いかなる行為の仕方もその規則と一致させられ得るから〉という『探求』の第二〇一部の命題を置き、いったい「規則」に従うとは本質的にどのような行為なのか、という問題を巡って展開されるヴィトゲンシュタインの論述を解説している。

たとえば、「＋」という記号をぼくたちは数学における「加法」の関数として理解し、その規則に従って、これまで自分が一度もやったことがない計算においても――たとえば、「68＋57」という式に対して「125」という解を提出する。しかし、ここに〈ある突飛な懐疑論者〉がいて、その計算は間違っている、なぜなら、あなたは実はこれまで「＋」という記号を「プラス」ではなく「クワス」としてずっと扱ってきており、「クワス」という記号は単なる「加法」ではなく、「与えられた数式の値の内のひとつ以上が57以下」ならば「その計算の結果は常に5になる」という規則を表しているものなのだ。だから、ここでの正解は「68＋57＝5」なのです、と述べたとする。これはきわめて異常な意見ではあるが、「クワス」という記号は実際に存在し得るし、そしてぼくはその規則の存在をこの計算の時に単に忘れていただけで、実はやはりこれまではそれに従って計算をしており、そして、これからもそのルールで計算するのかもしれないと考えることは可能である――ここで問題にされているのは、「125」という答えが正しいかどうかではなく、「いまおこなった「＋」という記号の使用方法が、これまでぼくたちがおこなってきた「＋」の使用法と同じであるということを、ぼくたちは如何にして知ることが出来るのか」ということなのである。

　数学における規則の概念を使ってヴィトゲンシュタインはこの問題を取り上げているが、これはもちろん、ぼくたちの「言語活動」一般にも適用される懐疑である。クリプキは以下のようにまとめている。

> 私の考えるに、私は「テーブル」という語を、未来に遭遇する限りなく多くのものに適用されるような仕方で、習ったのである。それゆえ私は「テーブル」という語を、新しい状況においても使えるのである。しかし例えば私が、はじめてエッフェル塔の中へ入り、そこに一つのテーブルを見つける、とする。この場合私は、過去において私は「テーブル」でもってタベヤー（tabir）を意味していたのだ、と想像している懐疑論者に、答えることが出来るであろうか。[…] はじめて私が、テーブル「という概念を把握した」とき、即ち、「テーブル」という語に

よって私が意味するものを私自身に指示したとき、私は一体エッフェル塔について明示的に考えていたであろうか。そして、例えエッフェル塔について明示的に考えていたとしても、私がエッフェル塔に言及しながら私自身に与えた如何なる指示も、懐疑論者の仮定と両立するように、再解釈され得ないだろうか。〔勿論、再解釈され得る。〕（三五〜三六頁）

ヴィトゲンシュタインがこのような懐疑をどう展開していったかについてはクリプキの著述に当たっていただくとして、このような「言葉の用法」における「規則」を巡る思考を展開することによって、彼は『論考』的なかつての思想の磁場からどんどん離れてゆくことになる。

このような懐疑について、時枝誠記なら一言、それがテーブルであってもタベヤーであってもプラスであってもクワスであっても、そこに〈場面〉と〈素材〉と〈主体〉が揃うならば、それは人間に有用な言語活動として成立するし、それで何の問題もない、と述べるだろう。また吉本隆明ならば、人があることを表現しようと試みたその心の圧力の掛かり具合を計らなければ、その言葉がテーブルであってもタベヤーであっても同じことだ、と述べるだろう。後期ヴィトゲンシュタインもこのような「プロセス」としての言語活動について考えていたのだろうと思うが、いささか強引にこれまでの文脈をよみがえらせて接続すると、ぼくはこのヴィトゲンシュタインの転回は、世界に溢れはじめた「写真的映像」に対してあらためてどのように「言語」を配置するか、という思想的課題から生まれたものだと思うのだ。

## 映画を見るヴィトゲンシュタイン

ゴダールが述べていたように、無声映画によってリリースされた「思考するフォルム」によって、ぼくたちも含む「無名」の「映像」たちは「書き言葉」と結ばれ、思考する（弁証法的な！）存在として世界の中にあらわれることが可能となった。あらかじめ「言語活動」を奪われている「写真的映像」は、他の「映像」および「面としての文字」と組み合わされることではじめて、これまで「言語」によって自分を表現してこなかった存在たちを「歴史」というスクリーンの上に呼び寄せたのである。

ここで生まれた「書き言葉」の所有権を巡る階級闘争（という言葉をここでは積極的に使ってみよう）こそ、「映画がかつてもっていた驚くべき力」のひとつである。『論考』までのヴィトゲンシュタインの思考は、もっぱら伝統的な「書き言葉」の論理の側に立ってこのような〈場面〉を持たない映像たちと対立し、一九世紀的な弁証法を固持するテクスト世界を確立することへと向けられていたのだとぼくは思う。

しかし、このような闘争は、映像それ自体に「声」を与え、映像における言葉が「話し言葉」の領域へとふたたび沈められることで、つまり、トーキーによって「映像」が「書き言葉」と分離させられたことによって沈静化させられた——このテーマに関してはもう一度あとで戻ってくるとして、ヴィトゲンシュタインの『探求』とは、このような「トーキー」の時代における「哲学」の試みだったのではないだろうか。

この時代、映画とはすでに、映像と言葉とがあらたに切り結ばれるべき舞台ではなく、「言語」は周囲に溢れはじめた「映像」を名付けることも指示することも出来ぬまま、自分たちだけの世界で「自己」を表出する作業ばかりを繰り返す状態へと陥っている。トーキーにおいて実践される、毎回毎回、デタラメなカタチで組み上げられ、〈場面〉に従ってコロコロとその意味を変えてゆく「声」と「映像」との組み合わせこそ、「私的言語」が実践されている現場に他ならない。「トーキー」とはまさしくそのまま、「ある特殊な懐疑論者」による言語の規則への問いかけなのである。ヴィトゲンシュタインが立ち向かったのはそのような状況なのだ。

一九三九年から彼の生徒となったノーマン・マルコムは、『回想のヴィトゲンシュタイン』(一九五八)の中で映画を見るヴィトゲンシュタインについて以下のように書いていた。

ヴィトゲンシュタインは、講義をするといつも疲労困憊した。また自分の講義に反撥した。かれは自分の言ったこと、そして自分自身にうんざりするのだった。しばしばかれは、授業が終わるとすぐに映画館にかけつけた。聴講者たちが椅子を室から運び出しはじめると、かれは哀願するように自分の友人を見つめ、低い声で、「きみ、活動へ行かないか」と言うことがあっただろう。映画館へ行く途中、ヴィトゲンシュタインは乾しぶどう入りの甘パンか、つめたいポークパイを買い、映画を見ながらそれをかじるのが常であった。かれはスクリーンがかれの視野全体を占めるように、いつも最前列の席に座ろうとした。そうすると、かれの心は講義のことや自分自身への反撥の気持から解放されるのだった。一度かれはわたくしに、「これはシャワーをあびるようなものだ」とささやいたことがある。かれの映画の観かたは、くつろいだり、傍観したりするのではなかった。かれは自分の席からぐっと身をのり出し、画面から眼をほとんどそらさなかった。（四八頁）

ルートヴィヒはアメリカ映画を好み（「イギリス映画などあり得ない！」とのこと）、好きな女優はカルメン・ミランダとベティ・ハットンだそうな。南洋果実の帽子！　アニーよ銃をとれ！　実にキッチュでナイスな趣味である。

同い年のチャーリー・チャップリンは、彼がケンブリッジで講義中の一九三六年に「ティティナ」を唄うことによってはじめて自身の「声」と「映像」を接続させた。その歌詞は、しかし、どのような意味に還元させられることも拒むデタラメな言語でもって唄われた。

「声」に接続され、ふたたび「書き言葉」から切り離された「映像」は、「思考するフォルム」としての自分から遠ざかり、映画はここで言葉を巡る闘争の最前線から離脱することになる。代わりに……ということではもちろんないが、二〇世紀文化の中から無声映画が消えていった時代に生まれた思想家たちは、「文字」で書かれたものそれ自体を映画のように、また、書かれた言葉そのものを「思考するフォルム」として読むための探求をはじめることになるだろう。フランスを中心としたいわゆる二〇世紀の「現代思想」とは、おそらく、そのように把握されることが出来るものなのだと、いま、ぼくは思っている。宙に吊ったままだった「音声中心主義」についてとともに、次章ではこの直観を可能な限り膨らませてみることにしたい。

# 第11章　音声中心主義という制度／『声と現象』&『言語と行為』

先日、英語ネイティヴの友人がメモするために開いたマック・ブックのキーボードを見て軽い衝撃を受けた。考えてみれば当たり前のことなのだが、キーの上にはアルファベットと数字（と記号）しか書かれていないのである。この装置を使って入力されるアルファベット系言語環境においては「書くこと」は、日本語の入力のように、アタマの中に思い付いたコトバを一旦一文字ずつ母音と子音に（しかもローマ字で）分節して、さらにそこに表示される「ひらがな」から再び適切な漢字 or カタカナを掘り出して配置する、といった作業が不要なのだ。アルファベットの書字にアルファベットでフリガナをフることは出来ない。ここでは表現したい文字＝音＝声と打鍵が直結しており「なるほど、音声中心主義というものはこういうものか」と実感した次第であった。

すでに一度触れたが、西欧形而上学における「音声中心主義」について、蓮實重彥は、たとえば『反＝日本語論』（一九八六）において以下のように指摘している。

いわゆるプラトニスムなるものが、ごく通俗的な意味あいにおいて、叡知的なるものと感覚的なるものを区別したことは誰でもが知っていよう。「文字」とは、『パイドロス』のプラトンにとっては、その感覚的なるものにほかならず、魂に真理を告げる「声」の叡知的な側面を技術的に代補する悪しき有限性そのものである。それは不自然な人為的媒介であって、「ロゴス」の現前から人の目を遠ざけてしまう。このような視点は、アリストテレスにもうけつがれ、書かれた語が、魂の状態を無媒介的に象徴する「音声」のそのまた象徴にすぎぬという地点にまで遠ざけられる。［…］構造主義や機能主義的な「音声中心主義」は「今世紀前半の世界の言語学上のいわば通念」である以前に、西欧なるものの歴史を貫く神話的な「制度」だったのだ。かかる思考の「制度」にあっては、「文字」という外部の悪しき技術は、「言語」の内的で自然な秩序を乱す疾病の源として、絶えず軽蔑され、叡知的なるものへと向う内部の魂を媒介する感覚的物質として、不純なるものと見なされてきたのだ。

（二九二～二九三頁）

切れないので長くなりました。つまり、西欧的世界における〈書かれた語〉とは〈「声」〉の感覚的な（物質的な、現世的な、有限の、不純な）代替物であって、真理へと向かう「ロゴス」の象徴としての「声」のそのまた象徴として、その正統性を二重に切り下げられ蔑視されてきた言語の要素である、ということだ

このあたり、漢字などを「読み書き」出来るようになることが「学ぶ」こととほぼ等しいニッポンの文化にとって一番理解するに手強いところで、いや、もちろん西欧においても「正しく書ける」

ようになることが知識人への第一歩であるわけだが、しかし彼らはその「正しく書かれた言葉」の背後に、古代ギリシアから脈々と引き継がれた「音声中心主義」の制度を用意しながら、文字を書き、また読んでいるのである。

蓮實氏は『ゴ・マ・フ』において、フリードリッヒ・キットラーが『グラモフォン・フィルム・タイプライター』（一九八六）で引用しているジャック・デリダの「グラマトロジー」的文脈の誤読を指摘しながら、なぜ映画は発明された段階からトーキーではなかったのか、という問いを提出している。

つまり、映画を「見る」ことは、それが発明されるとすぐに、それこそあっという間に普及したのに比べて、動く映像とともに録音された「声」を「聞く」という行為が文化となるまでには、エディソンによる蓄音機の発明が一八七七年だとして、そこからおよそ半世紀近くもの時間が必要だった――この「遅れ」の背後には、「声」をロゴス的なものとして特権化する西欧的制度の影響があったのではないか、という見立てである。

ぼくたちは文字を音声抜きでは読むことは出来ない。**しかし、その音声は、いったい誰の「声」なのか？**　西欧形而上学の伝統に従えば、それは明らかに「ロゴス」に帰属する「声」である。文字を書き、また読むとき、ぼくたちはその背後に「ロゴス」から届けられる共通の、普遍的な声を聞いている。ヘーゲルが『精神現象学』で説いていたように、ぼくたちの意識は書かれることではじめて高次の状態へと展開してゆくことになるが、そしてそのような運動には入り込まない「おしゃべり」としての言語も存在するのだが、その「書くこと」を支えているのは一貫して、個人を離れた、物質的な支えを持たない、すべてのわれわれの魂に直結している精神の現前としての「声」なのである。

### 蓄音機の発明／再生される「声」

このような「声」はもちろんフィクションであり、しかし、そのようなフィクションによって稼働されてきた文化的制度は一九世紀に入っても健在であって、健在であるということは、誰もそのような制度のフィクション性については問題にしないまま暮らしていたということである。

あらためて、ぼくたちは文字を音声抜きでは読むことは出来ない。しかし、文字抜きの音声というものは当然のように存在する。というか、ぼくたちはまず音声として言葉を覚え、そしてのちに、文字としてその音声を記号化するのである。**記号化される以前の音声は、「指示」と「自己」とがまったく未分化な、そのたびごとにただ一つの出来事を指す表出**であるだろう。世界の中に一度しかあらわれない記号、という矛盾したものがここにはあり、これはいまでもたとえば唸り声をあげることでぼくたちも容易に追想出来るものだが、このような音声を「ロゴス」の領域へとひたすら送り込み、ノイズと倍音をカットして、ある声が常にある意味と接続された、何度でも繰り返され得る論理の体系の一部として聞きとられることを「自然」としたのが、西欧における「音声中心主義」なのである。

この「自然」にヒビが入る直接的なきっかけとなったのは、やはり、難聴のアメリカ人トーマス・エディソンによる蓄音機の発明であり、そこからはじまる「実在する個人の声」を録音再生することの出来るメディアの普及であっただろう。

声を録音して聞いてみるという作業を通して、誰の目にも、いや、耳にも明らかなことは、録音された声は「書かれた言葉」とはいささかも似ていないという事実である。そこにあるのは言い掛けては止まり、繰り返し、言い澱み、「あー」とか「うー」とか「yeahhh man!」みたいな雑音に塗れた、そのまま文章として読むことは困難な「言語活動」の残骸であるのだ。

知らない人どうしの会話の録音なんて、時枝的に言うならば、それがどのような〈主体〉と〈素材〉と〈場面〉によって出来ているのか、そもそもそれが成り立っているのかいないのかを推測することすら出来ない音のカタマリとして聞こえることの方が普通なんじゃないかと思う。録音された声は、それを後から聞くものと〈場面〉を共有しておらず、「会話における声の録音」を聞くことで、ぼくたちは逆説的に、話す／聞く主体を転回させることで成立してゆく、それまで無意識的に入り込んでいた言語活動における「リズム的場面」の重要性を実感することになるのである。

このように考えると、時枝の「言語過程説」はかなり「レコード以後」の知見を持った言語学だというような気もしてくるのだが、それはともかく、録音によって顕在化されるのは、ロゴスの領域に送り込まれることのないまま、ある日ある場所で発せられて消えたはずの一回きりの出来事としての「声」である。「それはかつてあった」という性格を強く持っているという点で、これは「写真」とも同じ「始原的レアリスム」に属する表象であるだろう。〈感覚的物質〉に充たされた〈悪しき有限性〉そのものとしての「録音された声」は、コトバであると同時に物質であるという両義性によって、西欧的な精神の運動の劇とは相入れない存在なのである。

反復可能な「意味」であると同時に、歴史の中に一回しかあらわれない「運動＝物質」でもある「録音された言葉」。ぼくたちは目の前にいる人間の声から物質性を剝奪する作業を通して「ロゴス」としての「言語活動」へと入り込むわけだが、録音物はそのモノ性の高さによってその「自然」な行為を躓かせるのである。

写真から映画とつながってゆく技術のラインは、まさしく一九世紀的工学と化学があってこそはじめて成立するものだ。しかし、「子供の科学」的な実験キットで実現出来ることからも明らかなように、「声の録音と再生」という技術は、いわば古代ギリシア時代から存在してもまったくおかしくはなかったメディアである。ぼくたちの歴史には、ソクラテスやイエス・キリストの説教の録音を聞ける可能性があったはずなのだ……が、しかし、それが実際にはないということは、やはり、モノに刻まれた声や音は、西欧文明にとって排除・抑圧すべきヤバいものとして、それを生み出すことすら想像しないような埒外に投げ捨てられたまま、近代の終わりにあってはじめて、ようやっと、ぼくたちの「制度」に合流することが可能となった存在なのだ。

## 「映像」と「書き言葉」を捉え直す

「書かれたもの」を「不純」として見下しながら、しかし、「文字」を「声」として「聞き取る」というフィクションの在り方を洗練させることによって、西欧文化はコトバを巡る代理＝表象制度を高度に、複雑に稼働させてきた。ぼくたちはコナン・ドイルの声も、フランツ・カフカの声も、耳で聞く現実の文化としては持っていない。彼らの声は、録音という物質的な舞台ではなく、もっぱら「読まれる」コトバの背後にある無時間的な空間で、ロゴスと直結した無音の声として現在でも響いている。

無声映画が生まれてからトーキーが普及するまでの約三〇年間は、おそらく、このような、これまでの文化内では相容れあうことのなかった、カインとアベル的性格を持った「書き言葉」と「モノとしての声」が、西欧文化の中で互いに手を取り合える現実的な場所を見い出すために費やされた時間だったのだと思う。

無声映画によって生み出された「思考するフォルム」は、「字幕」と言う「映像化された言葉」と組み合わされることで、「見る」ことと「読む」ことを結び付けるためのあらたなアレンジを発明した。ぼくたちは自分たちのイメージを見て、それからそこに重ねられた言葉を読み、実際にはその言葉は誰が発したものなのかを「思考」する。「**あなたが／何を考えているか／私にはわかっているわ**」「**私がだまっているからといって／何も考えていないと思ったら／それは大間違いよ**」——このような言葉によって成される「指示」と「自己」との、そして、それが指す「フォルム」とのズレまたは一致が、世界の中にまたあらたな表出の体系を生み出す「驚くべき力」の源泉となったのである。

このような体系から省かれたままであった「録音された声」は、歴史的に述べるならば、まずは「音楽」の力を利用してブルジョワ文化の中に我が身を寄生させる。音楽および演劇のステージ上こそ、ドレミの力をその身にまといながらではあるが、西欧において「声」がそのまま「声」として露呈することが可能な特権的な時空間であった。「蘇声機」または「蓄音機」として出発したレコード／プレイヤーは、回転する盤の上に「劇場」という古典的なフィクション装置を呼び込みながら、もっぱら「音楽」を再生する装置として、まずは二〇世紀初頭の西欧文化の中で機能してゆくことになる。

シネマトグラフは、もちろん、最初から「音楽」と手を取って劇場にあらわれている。『(複数の)映画史』の「無声映画」パートもマルタ・アルゲリッチのピアノの伴奏付きだ。人が集まる場所には音楽があった方が良い――エディソンは自身の「映画」を「一人で見るもの」として発明したが、リュミエールはそれを劇場で見るものと考え、最初からそれをステージの上に乗せようとした。ここにも「思考するフォルム」を巡る制度的闘争があっただろう。そしてこの争いは二一世紀の現在、「小型モニター」と「字幕」の復活という劇的な転回を見せながら未だ継続中であるのだが、記録されたものとしての「声」はまず、劇場ではなく各家庭に配備された「小型モニター」に映るものとして一般化された。ラジオである。

目の前にいないものの「声」を聞くためには、時間的というよりはむしろ空間的な広がりが必要だった……ということなのだろうか。フランクリン・ルーズヴェルトはこのようなラジオの「声」をはじめて有効に活用したタレントの一人であり、ここではないどこか遠くの、しかし、同じ時間上に存在する声の主のものとして聞くことで、（カフカの『城』には電話がある！）、ぼくたちは一人の観衆として、ラジオから聞こえてくる「声」の〈場面〉に入り込むことが可能になったのである。

ルーズヴェルトのラジオ演説「炉辺談話」は一九三三年からはじまる。この「声」は、新聞その他で届けられる「活字」と強く結び付けられる形式でもって受容されただろう。映画産業もトーキーに入り、アル・ジョルソンの『ジャズ・シンガー』が一九二七年。ミッキーマウスの『蒸気船ウィリー』が一九二八年。彼らはどちらも歌と踊りと音楽とともにスクリーンというステージに登場した。映画は「声」の前にまず「歌」をゲットしたのであり、逆に言うならば、「歌」によってステージに乗せられた「声」があってはじめて、ぼくたちは「録音された声」を抑圧する一九世紀までの文化からなし崩し的に滑り落ちてゆくことが出来るようになったのであった。

トーキー時代の最大のヒット商品はレヴュー映画である。「字幕」を追放することによって「書き言葉」を巡る思考から手を切ったシネマトグラフは、歌と踊りの力にシンクロすることによってオペラやバレエその他もろもろを再生させ、前世紀的までに蓄積されたブルジョワ芸術の粋を「大衆」へと提供する舞台となった。「思考するフォルム」は「録音された声」と密着させられることでその「思考」へのはずみを大きく削減され、映画は「書き言葉」と手を切って、書き言葉による作品＝文学はふたたび紙の上へと戻っていった……〈映画が最初は思考のために作られたということは、すぐさま忘れられるだろう。だがそれは別の話だ。炎はアウシュビッツで決定的に消えてしまうだろう〉……と、ゴダールは、『(複数の)映画史』の「トーキー」パートにおいて語っている。アウシュビッツ云々についてはここでは考察することを控えるが、いま、ぼくたちの目の前に、手の中に輝いているのは、小型のモニターとそこにびっしりと詰め込まれた映像であり、それに重ねられた字幕である。トーキーを経てふたたび戻ってきた「映像」と「書き言葉」のアンサンブルは、「無声映画」時代のそれとどのように異なっているのか。「無名の個人」のイメージが「近代絵画」として定着させられてからすでに一五〇年近くが経つ。ぼくたちはまだ、彼女たちのイメージと「言葉」を、「録音された声」を、自分たちの「言語活動」を結びつける思考を十分におこなうことが出来ないままでいるのではないだろうか。

SNS上に流れてくる画像と言葉を正確に見るためには、おそらく、ゴダールの言う「思考するフォルム」にまで戻って、それが「音声中心主義」的な言葉の捉え方——「ロゴス」の存在とどのような関係を持っているのかを経験することが必要なのである。

この文脈の中で言及することへの誘惑を禁じきれない本の一冊は、もちろん、ジル・ドゥルーズの『シネマ』(一九八三、八五)である。ドゥルーズの映画論の支えとなっているアンリ・ベルクソンは、コナン・ドイルと同年の生まれであり、ベルクソンの哲学は写真から無声映画が出現するその端境期に大きな展開をみせた。彼の「イマージュ」論は、写真と映画とのあいだで揺らめいているのである。ドゥルーズの『シネマ』は、ベルクソンの「イマージュ」に対する、トーキー以降の世界からの回答の一つであるだろう。しかしここでは、「声」と「書き言葉」と「映像」と「思考」を巡るテーマの中に踏み止まろう……写真は他の写真へと接続される運動を介して「映画」という「宇宙」を生み出した。このような、いわば無機物から有機物への移行に際して、「書き言葉」はどのような役割を果たしているのか？

## 内面の声と書かれた言葉のあわい

「文字」は「声」の二次メディアであり、それはあくまでもどこか遠くにある「ロゴス」を「聞く」ことによって体験するための人工的装置であって、「声」とは、目の前にあって死んだり生きたり老いたりする存在の表象とは切り離して扱われるべきものである――西欧形而上学が引き継いできたこのような「音声中心主義」に対して、もっともはっきりとそのフィクション性を指摘したのが、先ほどすでにちらりと登場したジャック・デリダであるだろう。

デリダは『声と現象』（一九六七）において、エトムント・フッサールの『論理学研究』（一九〇〇～〇一）の綿密な読み込みを通して、西欧の形而上学における「思考における音声の内面化」とでも考え得るべき傾向について分析している。

デリダによると、フッサールがその「現象学的還元」によって辿り着いた、人間的事象の根本を支えているだろう「生き生きとした現在」とは、「記号」を廃した「意味の現前性」によって生み出される。このような「現前」は、他者への伝達作用から切り離された「自分が自分に語るのを聞く」

という表現から導かれる。他者を排したこの「語り」の審級こそ思考が普遍性へと向かう媒体であって、フッサールも含めた西欧的な哲学の伝統は、（記号によって）書かれたコトバを「読む」ことではなく、その行為を通して（「読む」行為自体はスルーして）自身が自身の内面に響かせる「声」を「聞く」という行為によって編み出されたものなのだ、というのがデリダの説である。

詳しくは直接『声と現象』をお読みいただきたいが、デリダは、自身の「書記学」と既存の「記号学」との関係について問われた際に、ソシュールによる「記号」の概念――「意味するもの」と「意味されるもの」との区別について触れながら、しかし、これまでの哲学的伝統は、私の内面における〈声〉によって――〈私がそれを発するや、私に聞こえ、私の純粋かつ自由な自発性に依存しているように思われ、いかなる道具をも、いかなる付属物をも、世界のなかから取ってきたいかなる力をも、必要としないように思われる〉という機能を担う「声」によって、この二つの区分は〈消え去ったか、あるいは透明に〉なってしまった、と述べている。デリダによると、プラトンからフッサールまでの哲学の基盤となっている、無限に反復が可能な「イデア的対象」というフィクションは、「声」と「意識」を同一視するこのような発想から生まれてきたものなのである。

このあたり、繰り返すが詳しくはもちろん直接『声と現象』本文にあたっていただきたいが、バチバチバチっとキーボードを叩いて内面の音＝声をそのまま文字にして出力することが出来るアルファベット使用者たちの言語への意識は、「PC を使ったデジタル入出力」および「インターネットによって整備されたSNS的環境」においても、西欧の伝統的形而上学を引き継いだままでまったく違和感がないものなのかもしれない。

ヘーゲル的な「書くことの旅」を経て辿り着くことの出来る「絶対知」という領域も、おそらく、このような「内面の声」を前提に設定されたものである。しかし、やはり、実際に発話されるコトバと、それが引き起こす「内面の声」と、そして「書かれた文字」が持つ機能の拡がりとのあいだには異なりがあり、その異なりによって稼働されるだろう思考の実現こそが、現在の哲学における喫緊の課題なのである……といったことを、デリダは繰り返し述べ続けていたのだと思う。彼はヘーゲル的な弁証法の運動（とその停止）に立ち会いながら、以下のように宣言する。

> そのとき絶対知の「彼方で」「始まる」もののために、古い記号を通して自分を探し求めている前代未聞の思想が要請される。差延（ディフェランス）が、現前性に基づいて思考されるべきか、それとも現前性よりも前に思考されるべきかと問われるような概念にとどまっているかぎり、それは依然としてそうした古い記号の一つにとどまっている。そしてその記号はわれわれに、知の閉域＝囲い（クロチュール）の中で、際限なく現前性を探索しつづけなければならないと告げている。それをそのように、また別のし方で聞かなければならない。別のし方で、つまり知にも、また来るべき知としての非－知にも開かれていないような前代未聞の問いの開始の中で聞かれなければならない。
>
> （二二〇頁）

デリダがここから繰り広げる「差延」に基づいた思想の詳細を語ることは、この本にとって（ぼくにとって！）手に余ることなので、この話はここで止めにする。しかし、〈別のし方で聞かれなければならない〉というその〈記号〉とは、おそらく、レコードに刻まれて何度でも再生される「声」、または、トーキーとして映像に配置された「声」に代表されるようなコトバの存在なのだ。

逆に言うならば、**これまで文字として書かれてきた言葉＝古い記号を、レコードに針を落とすようなかたちで体験出来るようになる**ための道筋を探ることが、レコード／トーキー以後の哲学者の課題なのである。書き言葉をロゴス的な「声」にではなく、いま現在目の前で回転している円盤が鳴らしている音と同じように、ある物質に支えられた傷跡そのものとして読み取ること。このような作業によってデリダは、西欧の形而上学の更新を目論んだのであろうと思うのだ。

## 話し言葉だけで哲学は可能か？

こうした視点で再読してみると、むかし読んだ本の中にもいろいろと発見があった。J・L・オースティンの『言語と行為』（一九六二）は、言述行為の中に「確認体（コンスタティヴ）」と「遂行体（パフォーマティヴ）」の二つの区分を持ち込んだことで有名だが、実はこの区分は議論を進めるためのいわば捨て石であって、彼の論の本丸は、**「真／偽」というかたちで提出されてきた「言明 statement」を、彼の言う「発語行為内に宿る力」の働きの一つとして位置付ける**ことにある。

オースティンによると、たとえば、「AはBである」的な言述（確認体）と、審判がランナーに対して「アウト！」と告げる言述（遂行体）は、突き詰めて考えるならばはっきりと区分することはむつかしいものである。オースティンは『言語と行為』において延々と、講義約七回分を使ってこの区分を（意地悪く、楽しそうに）泥沼化させてゆく。彼によると、これまで「命題」として扱われてきた事実言明的コトバは、言述における〈評価の仕方のある一つの次元〉に過ぎない——それは〈言葉がどうあるかを、それが言及する事実や出来事、状況などとの関係の面でどれほど満足いくものか、という観点で推し量る、評価の次元〉において、膨大に存在している「発語内行為」の「型」の一つに過ぎないのである。

そしてオースティンはこのことを、彼曰く〈日常言語から何を絞り出せるかをよく見ること〉によって証明しようとする。そもそも『言語と行為』はオースティンの講義記録、つまり彼の「発話」に基づいて作られた本であるわけだが、彼の論議はもっぱら、「発言行為 speech act」を対象にして進められてゆくものであり、つまり彼は、「書かれたもの」ではなく具体的な「音声」としてやりとりされる「喋り言葉」＝「会話」の上に止まりながら、そこからもう一度、伝統的な「真／偽」的言述の体系を組み直すことが出来るかどうかについてを考察しているのである。

はたして、喋り言葉だけでもって「命題」のやりとりをすることは可能なのか？——これは「鼻で匂いを嗅ぐことだけで宇宙を認識出来るか？」くらい考えがいのある問題だと思うが、この設問の背景にあるのが、「声」と「文字」とのあいだにはっきりとした差異を見い出そうとするあらたな思考のスタイルへの欲望だと思うのだ。

わがニッポンに「コンスタティヴ」と「パフォーマティヴ」という概念を紹介・定着させたのは、おそらく、東浩紀の『存在論的、郵便的』(一九九八)なのではないかと思う。この本自体の影響というよりは、それ以後東氏が繰り広げた旺盛な活動を彼自らが「パフォーマティヴ」なものと呼んだところから、この二区分はなんとなくシンプルに「読み手=観客に働きかけることを強く意識して書くこと」と「観客の存在を無視してアカデミックな文章を書くこと」の対立、みたいに受け止められちゃったフシもあるんじゃないかと思う。参考のために『郵便的不安たちβ』(二〇一一)などを読み返してみたところ、東氏も時枝の文法論についてすでにこの時期に注目したりしていて(!)驚いたのだが、デリダとポール・ド・マンを経由して「行為遂行性(パフォーマティヴィティ)」という概念をとんでもなく遠くまで引っ張っていったジュディス・バトラーという人もいるので(たとえば『アセンブリ』(二〇一八)とか)、この区分はやはりとてもキャッチーかつ使いでのあるものなのだろうと思うが、『言語と行為』でオースティンがやりたかったのは、まず、「発言行為 speech act」の領域に形而上学を引き下ろす——哲学的言述を〈主体〉と〈素材〉と〈場面〉を必要とする「行為 act」の一部として位置付け、「文字」ではなく「会話」によってのみ成り立たせることが出来るあたらしい哲学のスタイルを発明することだったのではないかと思う。このような発想から生まれる思考のあれこれが、おそらく、「トーキー時代」の哲学なのである。

## 敬語にやどる「声」

ところで、日本語には敬語という表現がある。言葉をやりとりする主体たちの関係性を示すために使われるこの表現のシステムは、それが繊細に練り上げられていればいるほど、デリダが述べている〈**私がそれを発するや、私に聞こえ、私の純粋かつ自由な自発性に依存しているように思われ、いかなる道具をも、いかなる付属物をも、世界のなかから取ってきたいかなる力をも、必要としないように思われる**〉ようなコトバの領域が稼働しにくくなるような機能を果たすことになるのではないだろうか。

たとえば、「朝七時起床。トーストとコーヒーだけで朝食を済ませる。家人に三揃いのスーツを出させる。本日は恩師が定年退職されるとのことで、その最終講義の聴講に伺う」といった「書かれた」言葉があったとして、ここにある「文字」には、それがそのまま「ロゴス」を現前させてくれるような、書いたその当人に「超越性」を与えてくれる「声」としての力が備わっているだろうか。

ぼくたちの日本語には、コトバを使う〈主体〉どうしの関係性をあらわすシステムが、つまり〈場面〉の存在を示す表現が抜き差しがたく捻じ込まれている。このような〈場面〉を、たとえば「唯一神への祈り」であったり「理性による省察」であったり「合理的思考」であったりするようなきわめて限定されたものへと狭め、そこで得られるコトバの経験を「普遍的なもの」として共有化しようとするという手続きこそが、西欧における近代的思考を稼働させて来たフィクションなのだとぼくは思う。

一神教的な神を〈場面〉とした「言語活動」こそがおそらく、ぼくたちの「理性」を支える最大の掛け金であるだろう。このような、きわめて限定された〈場面〉から生み出される「主体」とその「無意識」部分からの声を聞き取る（そして位置付けなおす）ことがフロイトからはじまる精神分析のテーマであったわけだが、ぼくたちの日本語を使った「内面の声」は、いくつもの主体を織り込んだ、他者へと向けてあらかじめ開かれたアイマイな〈場面〉に則って構成されており、そもそもそこには最初から普遍性へと辿り着くための回路が存在していないのではないだろうか。

ニッポンの、封建時代に完成された言語のシステムをそのまま使って、当時暮らしていた人々の〈主体〉のあり方を、フロイト／ラカン派的な概念でもって取り出してみること……「御定法によって言葉を改める」とは白洲における判決時の決まり文句だが、江戸における「書くこと」と「話すこと」における「疎外」の差異は如何ほどのものだったのだろうか？　思い付いたアイディアをごろっと投げ出したまま、ここで視座をぐるりと転換して、ぼくたちの現代的日本語が定礎された時代の作家たちの仕事について、章をあらためて見ていこうと思う。まずはコナン・ドイルのちょっと年下の、しかしおそらく完全に同世代の文化人、夏目漱石である。

# 第3部　近代日本の境界面（インターフェース）

# 第12章　『文学論』と『俳諧大要』／夏目漱石と正岡子規

山田風太郎に「黄色い下宿人」という短編がある。ぼくはこれをちくま文庫に入った『明治十手架（下）』の併録で読んだので、てっきり「明治もの」のひとつだと思っていたのだけれど、確認したら書かれたのはいわゆる「忍法帳」シリーズより全然前の一九五三年だったので驚いた。風太郎さんがまだ「探偵小説」作家として活動していた時代の作品であって、ロンドン留学中の夏目漱石が、英文学の個人教授を受けていたクレイグ先生の部屋でホームズと会い、殺人事件に巻き込まれ、互いに推理を披露する……といった話である。

漱石の「永日小品」（一九一〇）に、クレイグ氏を〈髭などはまことに御気の毒なくらい黒白乱生していた。いつかベーカーストリートで先生に出合った時には、鞭を忘れた御者かと思った〉云々と書いたページがあり、こんなところから思いついた小説なのだと思うのだけど、漱石がロンドンに着いたのは一九〇〇年一〇月、いままさしくヴィクトリア朝が終わらんとする、文字通りの世紀の変わり目での洋行であった。

辞典などによるとホームズの探偵業引退は一九〇三年設定（のちほど復帰しますが）とのことなので、

これまで書いてきたように、世界をデータベースの固まりと見なし、そこにあらわれた「指示表出」の破れ目を辿ることで「犯罪」＝「自己表出」の暴力的な噴出を同定・解消してゆくホームズ的知性の在り方自体がそろそろアヤシイものに思われはじめてきた、そんな時代の英国において、無数の植民地のそのまた先にある、古くて新しい帝国からやってきた漱石こと夏目金之助は、国命による英語研修に携わることになったのであった。

## 漱石の『文学論』

辞令が下ったあと漱石は文部省を訪ねて、局長・上田万年にわざわざ直接、「研究対象が「英語」であって「英文学」じゃないのはなんでですか？「英文学」だとダメなんですか？」みたいなことを質(ただ)している。ここは微妙に面白いところで、上田万年は一八九五年に「標準語に就きて」という国語＝標準語論を発表し、近代国家に相応しい「書き言葉」を「教育ある東京人の話し言葉」を基盤にして制作・確定・普及させることを唱えていた人物である。おそらく、国が夏目金之助＝「教育ある東京人」に求めていたのは、まさに「帝国」としての日本が必要としていた「植民地を経営するためのコトバ」を、その世界規模での本家本元から学んでこい、ということだっただろうと思われる。そして、もしフツーのエリートであったならば、この意図はスンナリ理解・了承されて、それなりに勉強されて持ち帰られ、たとえば「ホームズ的世界」を支える「規範としての英語」を典とした、広がりつつあった近代ニッポンの社会体制に相応しい「指示表出」を整えるための体系の一部として、漱石の「英語」は帝国大学の一科目に組み込まれたかもしれないのである。

しかし留学したのは「英文学じゃダメ？」と細かいトコをわざわざチェックしに来るような夏目漱石であった。上田万年答えて曰く〈別段窮屈なる束縛を置く必要を認めず、ただ帰朝後高等学校もしくは大学にて教授すべき課目を専修せられたき希望なり〉……ということで、漱石は、〈命令されたる題目に英語とあるは、多少自家の意見にて変更し得るの余地あること〉と判断し、「英語」ではなく「英文学」——時はホームズ的物語世界の終わり、以後きわめて不安定な関係へと落ち込みながら、コトバの「指示表出」性と「自己表出」性がチミドロで四つに組み合うことになる「文学」の勉学に励んだのであった。

ほとんどノイローゼ状態になりながら漱石はなんとかこの仕事をまとめ、帰国後、彼は東京大学に招かれ英文学の講師となる。彼はこの講義を留学時に作ったノートを使っておこない、辞職後、そのノートをまとめ、『文学論』（一九〇七）と銘打って上梓した。シンプルなタイトル！　ここまでの引用はその「序」からのものだが、流れとしては帰国→先生をしながら文学論を整理→『吾輩は猫である』『坊っちゃん』などを執筆→ガッコ辞めて朝日新聞社に入社→『文学論』出版→筆一本の生活へ……ということで、漱石の『文学論』は彼が研究から創作へと向かうその過程においてまとめられたものである。このあいだ、わずか三年余り。

正直に言うとこの『文学論』、最初に読んだ時にはさっぱり面白くありませんでした。面白くないと言うか、よく分からなかった。だっていきなりこんなんなんですよ。

第一編　文学的内容の分類

第一章　文学的内容の形式

凡そ文学的内容の形式は（F＋f）なることを要す。Fは焦点的印象または観念を意味し、fはこれに附着する情緒を意味す。されば上述の公式は印象または観念の二方面即ち認識的要素（F）と情緒的要素（f）との結合を示したるものといひ得べし。吾人が日常経験する印象及び観念はこれを大別して三種となすべし。

（一）Fありてfなき場合即ち知的要素を存し情的要素を欠くもの、例へば吾人が有する三角形の観念の如く、それに伴ふ情緒さらにあることなきもの。

（二）Fに伴ふてfを生ずる場合、例へば花、星等の観念におけるが如きもの。

（三）fのみ存在して、それに相応すべきFを認め得ざる場合、所謂"fear of everything and fear of nothing"《何もかもが怖いとか何も怖くないとかいう感情》の如きもの。

[…] 以上三種のうち、文学的内容たり得べきは（二）にして、即ち（F＋f）の形式を具ふるものとす。

（三二頁）

いま書き写してみても呆れるというか、いきなり（F＋f）とか言い出すのは尋常じゃない……ま

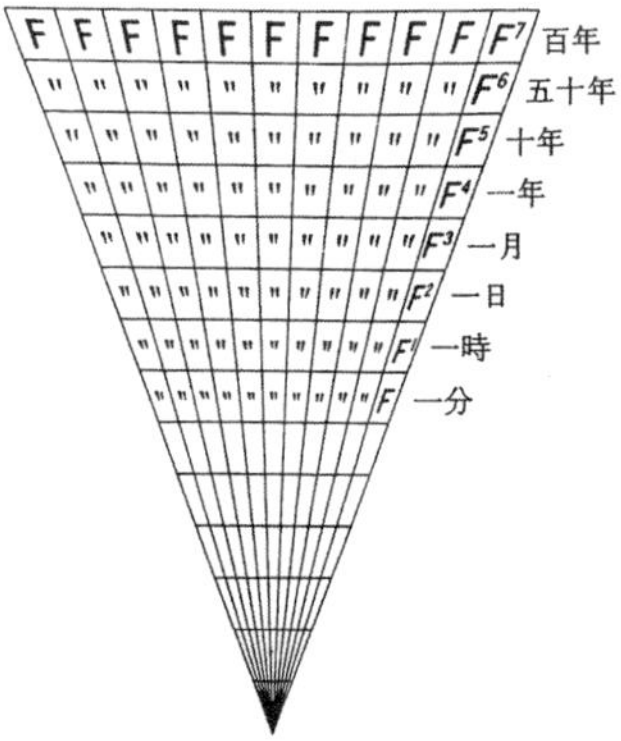

図1

あ、一見「論理学」風な見た目はいかにも「英国仕込み」な感じもありますが、英文学の講義の初日にまず黒板に大きく「(F+f)」って書いて授業がはじまったとするならば、ほとんどの受講生は口ポカーン状態だったに違いない。

漱石はここで、近代的国家が欲しがった「標準語の確立」や、明治文壇が求めていた「日本語で書かれる詩および小説の更新」（漱石と同期で講師に雇われたのは俊英・上田敏である）なんかを一切無視して、もっぱら当時の最新の学問である心理学と社会学の成果を参照することで、「言葉」が人間に対して働きかける領域のすべてを網羅しようと試みている。

漱石は「F」や「f」という記号を使うことで、「英文学」や「漢文学」や「近代日本の文学」といった脈絡を超えた普遍的な「言語活動」の枠組みを提示しようと試みたのであった。

この論を構築するにあたって漱石が述べている「自己本位」という姿勢は、書字的な言語活動の現場における「個」としての出来事に焦点を絞るために選択されたものなのだと思う。彼の文学論はそのような個人的なF+fから、社会及び世界全体を対象とする最大規模のF+fまでを往還するようにして進められてゆく。

漱石が「F」＝印象または観念のいろいろな段階について、オリジナルの図版を使って解説している図があって［図1］、これを使って〈近く例を我邦にとりていえば攘夷、佐幕、勤王の三観念は四十余年前維新のFにして即ち当代意識の焦点なりしなり〉みたいにきわめて大マジメに語ってゆくので思わず吹き出しちゃいますが、古今の歴史を最大遠方から眺めようとする漱石の、現在ニッポンからの身の引き剝がしっぷりはハンパじゃない。この講義の最中に日本はロシア帝国との戦争に突入している。敗戦・国土割譲・占領まであり得るこの状況下にあって彼はしらーっと「自己本位」を唱えているのであって、これはかなり興味深い「戦争期の文学」のひとつだろう。

おそらく、こうした作業が可能だったのは、漱石が「漢文」及び「英語」という、かつての帝国を支え、そして現在はそれが指示する対象を現実的に失いかけている「黄昏の文学」をダブルで身に付けた存在だったからだと思う。また、もう一つは、彼がロンドンで下宿に籠ってこの講義のためのノートを作っている時に死んだ親友・正岡子規の存在があったのだと思う。

漱石が、これだけきっぱりと日本における文学の現状及び伝統に属する要素を無視することが出来たのは、「**そういった側面はすべて子規に任せる**」という判断があったからに違いないと思うのだ。

## 七五調が繋ぐ近世と近代

漱石の『文学論』を、一八九五～九九年のあいだに子規によって書かれた「俳諧大要」「俳人蕪村」「古池の句の弁」「俳句の初歩」といった一連の「伝統的詩型の作品研究」と対になる著述として読んでみること——たとえば、前田愛の『近代日本の文学空間』(一九八三)では、漱石や子規が理論的著述をはじめるに当たって、いや、坪内逍遙が『小説神髄』(一八八五~八六)で「近代小説」のイデアを唱える以前からすでに存在していた、それこそ膨大な幅と量のニッポンの「文学」たちが取り上げられている。

冒頭からトピックだけ拾ってゆくと「明治歴史文学」「パミラと梅暦」「横浜新繁盛記」「成島柳北の航西日乗」「円朝とキリスト教徒」「江山洵美是吾郷」「中野逍遙」「戯作文学と当世書生気質」……などなどなど。漱石と子規の目の前には、和歌、俳句、川柳、漢詩、歴史物語、小説、戯作、随筆その他もろもろの、万葉の昔から流れ下って江戸町民の元にまで辿り着いていた有象無象の文芸たちが、近世と近代の裂け目に落ち込むかたちで、これから先どうなるか不明の激しさでゴウゴウと渦を巻いていたのであった。

『近代日本の文学空間』で取り上げられている「文学」は硬・雅系が中心だが、当然ここには軟・俗系の読みもの作品も入ってくるだろうし、あと、もっともその文化的パイが大きかったと思われるのは、江戸から引き継がれた口誦な文芸……つまり、小唄や端唄、都々逸、清元、新内、義太夫の語り、歌舞伎の長唄、謡曲、それに講釈や落語といった「口にされることで共有されてゆく文芸作品」の存在だっただろう。『詩的リズム論』で菅谷規矩雄も述べていたとおり、**七五調定型は近世と近代をブリッジする、まだ生まれていない「国語」のための唯一の共通基盤**であった。

ちょうど漱石帰国と同じ一九〇三年に録音された「ガイズバーグ・レコーディングス」と呼ばれ

る記録がある。英国グラモフォン社から派遣されて来た録音技師フレッド・ガイズバーグによって、築地のホテルの一室をスタジオとして、東京で活躍している芸人たちの芸をレコーディングしたシリーズである。一ヶ月あまりの滞在で録音したその数、なんと約二六〇曲超！　この録音の詳細については『歌というフィクション』で書いたのでここでは省くけど、能、狂言、常磐津（ときわづ）、落語、声色（こわいろ）から阿呆陀羅経（あほだらきょう）まで、大江戸が爛熟させたこのような「声」をメインにした文芸文化は、二〇世紀初頭でもほぼそのままのかたちで引き継がれていたことが、これらの録音を聴くと理解出来る。考えてみれば、この頃は、封建の時代が終わってから約三〇年ほどしか経っていないのである。

漱石と子規が寄席好きだったことはよく知られている。彼らが好んだのはもっぱら講釈で、落語家では三遊亭圓朝の格式を愛したと伝えられている。講釈……いまでいう「講談」は、ウタとフィクションによって飾られていない「実話」を伝える芸能であって、また圓朝の「落語」も「塩原多助一代記」に代表されるようにきわめてマジメなものであって（もちろんそれだけじゃないけど）、つまり二人は声による芸能のそのもっともカタいところを愛好していたわけだが、このような「口誦文学」から子規がその更新を狙った「座の文学」――「俳諧」の世界までの距離は、当時、どれくらい遠いのか、あるいは、近いのか。

圓朝の語りが「近代小説」に与えた影響については多数の考察があるけれど、そもそも集団制作が基本であり、つまり、その場にいる人たちが〈場面〉として強く働く「俳諧」、および、具体的な誰かに対する歌いかけ／語りかけを基本とする「和歌」を、明治の世の中に相応しいように「近代化」

しようとする子規の文学的野心は、当時にあって最大規模に大胆なものだったのではないかと思われる。なにせ愛好者の数が違う。伝統も格式もいまだ強固である。子規によって『ほとゝぎす』が創刊されたのは一八九七年。また、与謝野鉄幹が『明星』を創刊したのが一九〇〇年——定型詩の革新運動には、現在における大衆音楽（ポップ・ミュージック）の革命とほぼ似たようなニュアンスがあったのではなかったか。

『Rockin'on』あるいは『ニューミュージック・マガジン』としての『明星』と『ほとゝぎす』……このような雑誌に投稿し、同人となった人たちの手によって、二〇世紀のニッポンの大衆的詩歌のあらたな伝統はスタートしたのであった。

### 声の文芸としての俳諧

このような和歌（ポップス）の革新運動を、漱石の『文学論』と並走するものとして把握してみること。子規の『俳諧大要』は、盲人に対する語りかけの体でもって書かれている。これは単に事実だということだけに止まらず、「声」の文芸としての、そして「大衆」の文芸としての「俳諧」の本質をこの設定はあらわしているだろう。

〈なかなかに耳にもっぱらなることこと正覚のたよりなるべけれ〉——誰かの口に乗り、誰かの耳に届けられるものとしての「文学」の伝統を更新し、そこに明治日本に相応しいかたちの「思考のフォルム」を与えること。漱石が『文学論』で追求したF＋fの焦点をはるか彼方に睨みながら、子規は自身のウタの運動でもって、広く長いスパンで「大衆」に「文学」を啓蒙しようとしたのであった。

一、俳句は文学の一部なり。文学は美術の一部なり。故に美の標準は文学の標準なり。文学の標準は俳句の標準なり。即ち絵画も彫刻も音楽も演劇も詩歌小説も皆同一の標準を以て論評し得べし。

一、俳句をものしたる時はその道の先輩に示して教を乞ふも善し。

一、運座点取など人と競争するも善し。秀逸の賞品を得るが如きは野卑にして君子の為すべき所に非ず。俳句の下巻または巻を取るは苦しからず。時宜に由りて俳諧を賞品と為すも善かるべし。

（六、一五、二一頁）

『俳諧大要』から適当に抜いてみた。きわめてフォーマルな漱石の『文学論』とは逆相的に、子規によるテーゼは融通無碍であり、実際の「言語活動」における〈場面〉が生み出す創作のジェネレーターを最大限に重視した、まったく実践的なものである。

彼はこの後、「歌よみに与ふる書」によって歌人たちへの大攻撃をはじめるが、これは伝統的な詩のコトバによる「指示表出」の体系を守ることにがんじがらめになっている「歌よみ」たちの傲慢な現実オンチぶりに耐えられなくなった、すでに病床を離れることが難しい、つまり、歌会（ライブ）を実際に開くことが出来なくなった子規のカンシャクの炸裂であろう。彼は述べる。〈歌では「ぼたん」とは言わず「ふかみぐさ」と詠むが正当なりとか、この詞はこうは言わず必ずこういうしきたりのものぞなど言わるる人有之候えどもそれは根本においてすでに愚考と異り居候。［…］俗語を用いたる方その美感を現すに適せりと思わば雅語を捨てて俗語を用い可申、また古来のしきたりの通りに詠むことも有之候えど、それはしきたりなるがゆえにそれを守りたるにては無之、その方が美感を現すに適せるがためにこれを用いたるまでに候。〉自分たちの「歌」を自分たちの今の言葉で作って唄ってなにが悪い！　子規による「口誦文学」の伝統の更新は、俳句と短歌に止まらず、もしかすると、この後もっともっと広く、たとえば小唄や端唄、浄瑠璃といったジャンルのコトバを対象として繰り広げられる可能性もあったかもしれないし、シェイクスピアも含め、ステージに載せられる「演劇」の言葉の革新にも彼は参加したかもしれないのである。それだけの度量が彼にはあり、そして、子規のオーラルかつローカルな実践と、漱石のリテラルでインターナショナルな理論を両極に置くことで、明治の文学運動はさらに大きな運動量を手に入れることが可能であったはずなのだ。

## 新聞に載った口語

しかし、子規の早逝によってこれらの可能性は断たれ、漱石が『文学論』で示した一方のフォーカスだけがポツンと残された。「**僕ハモーダメニナツテシマツタ、**」という子規の手紙の「声」は、どのような響きでもってロンドンの漱石の耳に届いただろうか。

子規の死によって「近代化」を免れた封建期の文芸のメインストリームは、ここから一気に、反動的に自分たちの伝統を（封建期に得た成果を近代的な社会に適応させるかたちで、つまり見事に修正主義的なやり方で）復活・強化させる道筋に入ったように見受けられる。小唄、端唄、里謡、音頭も含めて、江戸期の「庶民によって実際に唄われてきた文芸」の革新が潰えたところに、おそらく、みんなで唄える歌が唱歌や軍歌しかないような、ぼくたちの「民族音楽」の貧しさの領域がある。

日露戦争後、漱石は本格的に小説家に転進し、自身が理論化した「F」を見事に「戦後日本」の現実へとアジャストさせた作品を創作してゆくことになる。朝日新聞社に入社した彼は、まず「です、ます」体で「文藝の哲学的基礎」と題した文学論を連載したのち、一九〇七年六月から最初の新聞小説『虞美人草』をスタートさせる。

比叡山の麓を歩く学生二人の会話からはじまるこの小説の同じページには、「満韓糖業の啓発」という植民地農業論や、家庭用薬剤箱の普及記事、上野公園における「奉天大戦のパノラマ」の広告、それに葬儀参加者への御礼文などが掲載されている。新聞という雑多な「言語活動」の寄り集まりの中にあって、彼の「小説」は当時どのように読者に受け止められたのか。

横浜市中央図書館には当時の新聞の合本版が開架状態でおいてあるので、ついつい紙上での漱石を他の記事とともに読むという遊びをしてしまうことがあるのだが、たとえば『こゝろ』（一九一四）における「先生の遺書」パートは、一九一四年の夏、第一次世界大戦勃発のニュースとともにはじめられている。疾走する列車中で読まれる遺書とともに終わるこの小説のラストは、「独軍算を乱して退却」「露独未だ戦わず」と言った外電とともに、朝日新聞の読者に届けられたのだった。

夏目漱石は『文学論』の「序」において、ロンドンにおける「金力に支配せらるる」生活についてかなり恨みがましく書いている。彼の本名である「金之助」は、近代的な資本の運動に対する彼の意識を過敏にさせたきっかけのひとつであっただろう。そして、漱石とほぼ同じタイミングで朝日新聞社に「校正係」として入社し、まさしく一文字何銭レヴェルで働く「労働者」として二〇世紀の文学の中に入り込んだ人物がいる。石川啄木である。

次章では、漱石の若き同世代人であり、そして、日本における、現在へとつながる「都市」の遊民的生活のはじまりに位置する文学者である石川啄木の「表出」について取り上げる。

# 第13章　石川啄木の短歌と借金／「ローマ字日記」という表出

啄木こと本名・石川一は、盛岡中学校時代に創刊されたばかりの『明星』を読み、短歌の創作と投稿を始める。作品が初めて掲載されたのは数え年一七歳、一九〇二年の頃であった。

同年、彼は学校を退学し、上京して与謝野鉄幹・晶子夫妻を訪ね新詩社の同人となる。彼はそのまま東京で文学によって身を立てることを志すが、病を得たため一旦帰郷。一九〇四年に再上京し、翌年第一詩集『あこがれ』を出版する、が、まったく売れず、評判にもならず、父が地元の住職を解雇され無職になったこともあって、一九〇五年にまた岩手に戻る。この時、学生時代からの恋愛相手である掘合節子と入籍するが、啄木は帰路途中の仙台で友人たちと遊びながらダラダラ一〇日あまりも逗留を続け、結婚式をすっぽかした（結婚はした）。その後、彼は故郷で小学校の代用教員の職を得るが、翌年免職。あたらしい職を探して北海道に移住し、函館、札幌、小樽、釧路など一年余り転々とし、呼び寄せた妻子を函館に残したまま、友人に旅費を用立ててもらってふたたび文士志願者として上京する。

一九〇八年春、東京に着いた彼は地元の先輩・金田一京助を頼りながら小説の執筆と売り込みに専念する。が、これも不首尾に終わり、翌年一九〇九年校正係として月給二十五円（+夜勤手当）で東京朝日新聞に入社。この値段は関川夏央によると「一九九〇年代の物価で十五万円くらいの実力」とのことで、ギリギリ暮らせるんじゃないかと判断した北海道の妻は「一人暮らしをまだ続けたい」という啄木の希望を顧みず初夏に上京。父も冬には田舎から出て来ちゃって、嫁・娘・父・母・啄木による理髪店の二階での間借り東京生活がはじまったのであった。

一九一〇年、長男が生まれ、しかし、わずか二〇日あまりで病没する。また「朝日歌壇」の選者となり、歌集『一握の砂』も出版され、啄木の歌人としての名前は広まりはじめていた……が、しかし、この頃から彼は体調芳しからず、一九一一年に入ると病院および自宅での療養生活が続き、一九一二年初頭には母も喀血、三月に死去。そして一九一二年四月一三日、石川一は肺結核で永眠。享年満二六歳であった。

## 永山則夫と彼の見た風景

どうでしょうか。書いているうちに記憶によみがえって来たのは、唐突だが、永山則夫の公判記録である。いわゆる「連続射殺魔」事件の犯人である彼は、侵入した米軍基地で入手した拳銃を使って一九六八年の一〇月から一一月のあいだに無差別に四人を射殺。翌年四月に逮捕され、一九九〇年に死刑が確定し、一九九七年に処刑された。ぼくが思い出したのは、彼が生まれてから犯行に至るまでの居住および就労の軌跡である。

永山は北海道網走に生まれ、いまで言うネグレクトの家庭で子供時代を過ごし(北海道―青森)、義務教育を終えると集団就職で上京。ここから、渋谷(果物店)―香港(密航し発見され送還)―宇都宮(板金工)―大阪(米屋)―池袋(喫茶店)―羽田(喫茶店)―淀橋(牛乳配達)―横浜(沖仲仕)―池袋(牛乳店)―神戸(密航)―練馬(鑑別所)―西荻窪(牛乳店)―青森(一時帰郷)―横浜(日雇い)―長野(自衛隊入隊を志願するが不合格)―横須賀(米軍住宅に潜入しピストルを入手)―池袋(第一の殺人)―京都(第二の殺人)―横浜(日雇い)―池袋―函館―小樽―札幌―函館(第三の殺人)―名古屋(第四の殺人)―新宿(ジャズ喫茶店員)―横浜―原宿(逮捕)……と、一九六五〜六九年の四年間を一所不定のアルバイターとして暮らしている。

永山はいわゆる「金の卵」のひとり――五〇〜六〇年代に農村から都市部へと出て来た若年労働者の一員であったわけだが、日露戦争前後の、国を挙げて「高度成長」してゆかんとする近代ニッポンの領土と資本の勢いは、石川啄木のようなその日暮らしの「フリーター」を、地方から都市部に呼び込むほどの幅と厚みを、二〇世紀初頭のこの時期、すでに備えていたのだろうと思うのだ。『明星』=『ニューミュージック・マガジン』というヨタ話についてはすでに書いたが、逆に言うならば、一九〇五年から六五年までの日本は、あいだにハデな敗戦が挟まっているとはいえ、一貫して増産・拡大を是とする〽サザレ石のイワオとなりてコケのむすまで、というウタの通りの一枚岩の国家なのである。

このような、永山則夫と石川啄木の状況に異なりがあるとするならば(初等教育の環境についてはおいておくとして）、それはまず「家」の問題であっただろう。

永山にとって「家」とは、あらかじめ失われているものであり、自分が社会から排斥されていることを決定付ける、我が身に刻印されたマイナスの痕そのものである。家を（あるいは、江藤淳的にいうならば、国を）失った人間は、「資本」によってそのままスムーズに「純粋な労働力」へと解体されて、ここに一人の入れ替え可能な「労働者」が誕生する、というわけなのだが、啄木にとっての「家」とは、その運営を（自他ともに）当然の義務としながら、しかし、その作業を「自然」におこなうことがどうしても出来ない、そこから抜け出そうとしても離脱する方角がわからない、吉本隆明用語で言うならば「対幻想（ついげんそう）」的な力の磁場に充ちみちた環境として存在していたのである。

この環境はきわめて前近代的なものだが、しかし、実は、明治の終わりにおける彼の上京とそこでの暮らしを可能とした「借金」とは、このような前近代的な文化環境においてのみ実現されるような経済活動であったはずだ。都市という労働の舞台と、家という文化的装置のそのどちらをも手放さなかったことが、石川啄木の針路を決定付けたのだ、とぼくは思っている。

### 小説にたどりつけない啄木

啄木は（全然返さないくせに）割合マメにこれまで自分が借りた金についてのメモを付けていて、それは一九〇九年秋の段階で一三七二円五〇銭、現在の物価だと、えーと、約七〇〇〇万円！　くらいの金額になっていたという。しかもどれもその日暮らし用の小口取りで、二四歳までにこんだけの金を借りられた彼の借財の才に感心するが、おそらく、この時期のニッポンはまだ「借金を踏み倒す」という行為が「不義理」ではあったとしても「犯罪」として扱われることのない社会相にあったのであろう。

つまりまだ世の中は「契約」や「利潤」といった概念ではなく、いうなれば「義理」や「人情」といったセンスをたっぷりとたたえて回転していたのであって、夜逃げや借金で絶縁することはあっても訴訟はしなかったのがこの時代なのである。掛売りと顔役の文化があってこその啄木の借金で、しかし、この時代は同時に、漱石曰く「金力に支配せらるる」時代の本格的なはじまりでもあり、そのような時代にあって、啄木の借金とその浪費は近代と前近代とのスキマに吹き溜まったあらたな娯楽へと向かって傾けられてゆくことになる。

彼は金策に成功するとそのまま活動写真に行き、友達を誘って飲み屋をハシゴし、女を買う。啄木は、彼の借財を可能とする一九世紀的な規範と、浅草一二階下に代表される下層労務者たちの娯楽の魅力——いままさにはじまらんとする二〇世紀ポピュラー・カルチャーとのあいだに挟まれて懊悩しているのである。

そんな啄木の「文学」について、菅谷規矩雄は『近代詩十章』（一九八二）において、彼の最初の師である明治歌界のマスラオ、与謝野鉄幹と比較しながら解析している。啄木は東京において、「短歌」ではなく「小説」を書くことを本望としていた。しかしそれは実を結ばず、啄木は（漱石的な「F＋f」によって構成される）小説の目前に立ち止まり、その不能の周辺をグルグルまわりながら、こちらは自家薬籠中のものである「前近代的」なウタの「リズム的場面」の中に手当たり次第にコトバを放り込み、そこに（もしかして小説として結実するかもしれない）何らかのイメージが立ち上がる姿を見ることで、自分が今いる場所の再確認をおこなおうとする。

たとえば、一九〇八年六月二三日、啄木は一晩のうちに五五首もの歌を作った。菅谷はこれらの、〈見よ君を屠る日は来ぬヒマラヤの第一峯に赤き旗立つ〉〈限りなく高く築ける灰色の壁に面して我一人泣く〉といった歌について、その大半が最後の句を「立つ」「泣く」「焼く」「見る」といった二音の動詞で止められていることを指摘し、この創作は〈射あてるべき目標をさだめ、一発必中を期し、のみならず的をはずせばおのが身の破滅と覚悟して……なのではなくて、要するに「数打ちゃあたる」式なのだ〉と見定めている。

菅谷は啄木のこの「数打ちゃあたる」式の歌を「パチンコ」と比較しながら、〈わたしたちの周辺で、いわゆるパチンコのプロなるものがいるように、啄木にとっての短歌は、ある意味では、やむなく身をやつしての、しがない身すぎ世すぎのわざとなった——このとき、啄木にとっての短歌のモダニティは、詩としての短歌との本質的な相克を、はじめてしめすことになるのである——無意味を意味化することへ。〉とまとめている。

菅谷によると、啄木の短歌の遊戯性＝フィクション性は、東京における彼の生活がまったくもって「無意味」＝「無根拠」であることへの対応なのである。都市民の誰もが共有しているはずのその「無根拠」さは、啄木も自覚しているように、創作としては小説として表出されるべきはずのものだっただろう。しかし彼はこのような「無根拠な生活」を成立させる人間関係を当時の散文によって、つまり、あらたな「指示表出」性の拡がりによって描くことが出来ず、それは音数律のゲームの中に放り込まれることでかろうじて擬態的な表現を得た——短歌を「詩」ではなく「ゲーム」として扱わざるを得なかったところに、啄木が直面していた「現代性（モダニティ）」の困難さが、逆説的に刻み込まれているのである。

### 石川啄木の『ローマ字日記』

このようなゲームとしての「指示表出」の中に彼の「望郷の想い」や「故郷の風景」も呼び込まれてくるというわけだが、ところで、『一握の砂』としてまとめられる短歌が書かれたのと同時期、石川啄木はきわめて特殊な記述法で書く散文作品を試みていた。生前は未発表であり、死後も長らく不完全なかたちでしか読むことが出来ず、一九七七年にようやっとその全貌が明らかになった、いわゆる『ローマ字日記』である。

一九〇九年四月七日から同年六月一六日まで、啄木は金田一京助と入った下宿の一室で、新しく購入した黒クロース装のノートに「ローマ字」で日記を記した。啄木は最初の上京から死の直前までおよそ一〇年間にわたって日記を付け続け、それは死にあたって金田一京助および遺族に託されている。自分で焼かずに人に処理を任せるということは、これらの日記は「人が読んでもいい」「むしろ読んで価値があるか判断してもらいたい」「価値があると思ったら出版しちゃってもいい」と啄木が思っていたということであって、なかでもこの「ローマ字」での日記は、おそらく「日記文学」として作品化することを強く意識しながら書き進められたものなのではなかったかと思う。

冒頭から、書き写してみる。

APRIL TOKYO

HONGO-KU MORIKAWA-TYO 1 BANTI,
SINSAKA 359 GO, GAIHEI-KAN-BESSO NITE.

7TH WEDNESDAY

Hareta Sora ni susamajii Oto wo tatete, hagesii Nisi-Kaze ga huki areta. Sangai no Mado to Yû Mado wa Taema mo naku gata-gata naru, sono Sukima kara wa, haruka Sita kara tatinobotta Sunahokori ga sara-sara to hukikomu: sono kuse Sora ni tirabatta siroi Kumo wa titto mo ugokanu. Gogo ni natte Kaze wa yô-yô otituita.

Haru rasii Hikage ga Mado no Surigarasu wo atataka ni somette, Kaze sae nakuba Ase de mo nagare sô na Hi de atta. Itu mo kuru Kasihonya no Oyadi, Te-no-hira de Hana wo kosurinage nagara, "Hidoku huki masu nâ" to itte haitte kita. "Desuga,Kyô-dyû nya Tôkyô-dyû no Sakura ga nokorazu saki masu ze. Kaze ga attate, anata, kono Tenki de gozai masu mono"
"Tôtô Haru ni nattyatta nê!" to yo wa itta. Muron kono Kangai wa Oyadi ni wakarikko wa nai. "Eh! eh!" to Oyadi wa kotaeta: ［…］

（九頁）

いやー、書き写してみてあらためてスゴイ……これホントにこのまま書いてあるんであって、実物は写真でしか見たことがないのですが、ノートにペンで横書きで、かなり丁寧な筆致で「Gogo ni natte Kaze wa yô-yô otituita.」みたいに書いてあるわけです。

書き写しながら、音と意味とローマ字とローマ字入力を打つキーボード操作とがこんがらがって、意識がひび割れるというか、コトバを捉えるための回路の作り直しが一言ごとにはじまっては止まって、こんなに苦しい書字行為は久しぶりというのが正直なところだ。

ちょいと調べてみると、いわゆる「ローマ字」推進論者たちが大同団結して「ローマ字広め会」（ＲＨＫ）を結成したのが一九〇五年のこと。啄木がこの日記を始めた一九〇九年には「ローマ字普及」に関する建議案が衆議院を通過しており、つまり、「ローマ字」による読み／書きがようやく珍奇なものではなくなってきたのがおそらくこの時期であって、もしかして啄木には、「ローマ字による文学」のモデルとなるものをいち早く作って発表しようと考えていた節もあったのかもしれない。彼自身はこの試みを、日記中では「ヨメさんに読まれたくないからローマ字で書く」と述べている。そしてしかし、次の節ではすぐに「結局夫婦という制度があるのが悪い」云々と社会に対するグチが開始され、以後「ローマ字」で書くという選択自体については二度と触れなくなる。啄木は、彼が望んだ「書字行為による自由」がうっかり自身の文化的環境――彼の生活を縛り、しかし同時に借金を実現させもする家的制度――とコンフリクトを起こしそうになるたびに、あわててそこから目を逸らしちゃうのである。

これじゃやはり小説など書けそうにもないと思うのだが、日記の冒頭を読むと、ここで啄木が試みたかった作業は、ローマ字という「音」に特化されたコトバを使うことによって、意味や喩がたっぷり詰まった漢文的表現とも、センテンスの中に人と人との関係がたっぷりと含まれている和文的構文とも距離をとって、現在の彼の目の前にある都市の風物を描くためのあらたな「描写」＝「写生文」を作り出すことだったのだと想像される。

五月一日の日記の中に、以下のような記述がある。

"Koko ni mattete kudasai. Watashi wa ima To wo akete kuru kara." to Bâsan ga itta. Nan da ka kyoro-kyoro shite iru. Junsa wo osorete iru no da.
Shinda yô na Hito-mune no Nagaya no, totsuki no Uchi no To wo shizuka ni akete, Bâsan

wa sukoshi modotte kite Yo wo Tsuki-kage ni Ko-temanegishita.
Bâsan wa Yo wo sono Kimi warui Uchi no naka e ireru to “Watashi wa sokoira de Hari-ban shite Imasu kara.” to itte dete itta.
Hana-ko wa Yo yori mo Saki ni kite ite, Yo ga agaru ya ina ya, ikinari Yo ni daki-tsuita.
Semai, kitanai Uchi da. Yoku mo minakatta ga, Kabe wa kuroku, Tatami wa kusarete, Yane-ura ga mieta. Sono misuborashii arisama wo, Nagahibachi no Neko-ita no ue ni notte iru Mame-ranpu ga obotsu-kanage ni terashite ita. Furui Tokei ga monouge ni natte iru.　（九一頁）

キツいけど、頑張って少しでもこの「ローマ字」による啄木の「写生文」を読んでみて欲しい。彼は社から前借りした金を持って浅草に行き、花子という娼婦を買う。もし男女のやりとり／女郎買い／遊郭での立て引きが（「源氏物語」から流れ下る）ニッポンの「文芸」のテーマの一つであるとするならば、ここにあるのはこれまでまったく表現されて来なかった、都市下層労働者としての男女の、金銭を媒介にした性をめぐる剝き出しの描写である。啄木は彼が埋没しているこのような世界を描くための必要から、「ローマ字」という日本語の書字スタイルを選択したのだ。

ここにはおそらく『スバル』同人であり、この日記開始の直前に出版され、彼が受け取って読んだその感想を自身の日記に「ローマ字」で綴った、北原白秋の『邪宗門』（一九〇九）からの影響がある。〈Yoru 2 ji made “Jashûmon” wo yonda. Utukusii, sosite Tokusoku no aru Hon da. Kitahara wa

Kóuku-na Hito da!〉……白秋を羨みながら、啄木は、彼とはまったく正反対な方角に、つまり、白秋の〈われは思ふ、末世の邪宗、切支丹でうすの魔法。黒船の加比丹を、紅毛の不可思議国を〉といった、漢字・カナ・ひらがなによって作られる重層的な視覚的イメージをローマ字によって切って落とし、また、自身が得意とした七五の音数律も完全に封印することで、まったく歌にならない自身の日常に散文としての「指示表出」を与えようとしたのであった。

### ローマ字から伝わる手触り

啄木の「ローマ字」による「表出」の試みは約半年で終了する。唄われるものとしてではない、徹底して散文的に書かれるべき「東京の生活」という主題に、結果的にではあるが、啄木は踏みとどまることが出来なかった。

吉増剛造はこのような啄木の表出について、北村透谷の「、」および折口信夫の和歌における「。」の導入と比較しながら、その響きとリズムについてを語っている。啄木のローマ字を書き写しながらぼくが思い出すのはやはり、永山則夫の、彼が見たものだけを辿ってフィルムに納めた「風景論」映画、足立正生らによる『略称・連続射殺魔』（一九七五）の映像である。

一切のドラマトゥルギーを排して、のちに殺人を犯す青年が見ただろう景色をひたすら撮影して繋いだこの映画に、ぼくは「ローマ字日記」と同じ「表出」のスタイルを感じる。カメラの向こうに〈主体〉を設定しない『略称・連続射殺魔』の映像は、文字の背後から「漢字」を排除した日本語の世界と奇妙に同質な手触りを持っているようにぼくは感じる。

啄木が書いたローマ字をキーボードで打つのはとても難儀である。読む方もそうだと思うが、日本語による言語活動の、だいたいいつもオートマティックに処理している部分の多くがこのような「ローマ字」による「文章」からは失われていて、アルファベットを日本語として打って読んでを繰り返してると気持ちがだんだんヒビ割れて、ガサガサしてくる……しかし、おそらく、このガサガサこそが、明治のこの時期に（あるいは、昭和のあの時代に、そして現在も）大都市において、不安定なその日暮らしを送っていた人たちが感じていた世界を「指示」するコトバの感触なのではないだろうか。当時の活動写真館に集まっていた人たちの「声」として、漢字を剝かれたこのようなコトバの「音」を聴き取ってみること――。

啄木にとって「短歌」とは、このようなガサついた世界に最低限の「音数律」を与え、それを見立てと風流の世界に混ぜ込んでクールに距離を取るための遊戯であった。このような「遊び」が可能だったことについて菅谷規矩雄は、啄木にとって「短歌」とは、そもそもが「都市的なモダニティとの遭遇」であったのだ、と判断している。〈鉄幹も「明星」も晶子の《みだれ髪》も、ひとことでいえば少年啄木のいわば〈東京幻想〉そのものだった。だから啄木は短歌において鉄幹以前にさかのぼるひつようがまるでなかったし、また、古典としての短歌との疎隔感になやむ理由もなかった。〉……啄木にとって「短歌」とは、最初から「都会の歌（シティ・ポップ）」だったのであり、また、東京のシーンに入り込むための音数律を使ったモダンなゲームの一つだったのであり、優秀なゲーム・プレイヤーであった彼は、その限りで、近代を代表する歌い手の一人であった。

ところで、「歌」というものは「近代」とか「現代」とか「ポストモダン」とか、そういった時代的区分を超えて、太古から現在まで一貫して流れ続けるニッポンの「やまとごころ」の伝統そのものなのじゃー！　という説もある。

近世の「国学」において唱えられたこの一説を取り上げて、その話の周囲を巡るようにして、一九六五年（永山則夫上京の年ですね）から一九七七年まで延々と書き続けた批評家がいる。言わずと知れた小林秀雄である。本は『本居宣長』（一九七七）。すでに一度取り上げたきり、ずいぶんと長く迂回してきたわけだが、また大変な人たちが出てきてしまった……。

# 第14章 『古事記伝』と、本居宣長の「音声中心主義」

本居宣長は一七三〇年生まれ、一八〇一年に逝去。西欧音楽で言ったらハイドンからモーツァルト、日本で言えば「吉原雀」など長唄の名作が誕生し、また、宮古路豊後掾（みやこじぶんごのじょう）の弟子たちが続々と浄瑠璃の新派を創設する、そんな時代の伊勢は松坂に暮らした本業医者の歌人／古典学者／思想家である。

大日本帝国敗戦以前の彼の扱いは、「神国ニッポン」の素晴らしさをルル語って止まない「国学の首領（ドン）」という位置付けだ。明治政府が採用した「皇国史観」の支えともなった彼の思想の影響力は、おそらく現在の右翼あたりにまで届いているほど巨大なものである。歴史に残る大イデオローグの一人と言っても過言ではないだろう。

たとえば、宣長は、日本国誕生の文献に関して、〈ありがたくも皇国には、かかるまことの伝へごとのこりて、皆人これをうかがひ知ることとなるに、これを信ずることあたはずして、かへりてかの外国の風俗をかしこきことに思ひ信ずるは、いかなるまどひぞや〉みたいなことを語る。

これは藤貞幹（とうていかん）という同時代の学者が「日本書紀などの記述には朝鮮半島における王朝の勃興が反

映している。というかむしろ記紀の物語はもともとは三韓（馬韓・辰韓・弁韓）の成立過程を描いたものなのではないか？」と唱えた説に対して、宣長が「狂人がなんか言ってるから矯正します」的なタイトルで論駁した文の一節である。こんなネトウヨもビックリのえらそうでヒステリックな言辞に「ん？」と思った上田秋成もこのあと論争に参加して、そして二人で見事に話の噛み合わないケンカがはじまっちゃったりもして、そんな風に宣長の「皇国」論は、それまでの江戸の思想地図内に収まらないほど斬新なものだったのである。

江戸期の思想の基本は儒教と仏教である。基本というか、近世日本には思想と呼べるようなものはこの二つの流れに属するもの以外にはなくて（キリスト教の弾圧残念！）、そしてこのどちらも元々は海外原産の輸入品である。岩波文庫の本居著作の校閲・解説を担当している子安宣邦による、たとえば『江戸思想史講義』（一九九八）などを読むと、江戸幕府の公式の学問である朱子学から流れくだる思想の潮流もなかなかに複雑であることが勉強出来るが、話を本居宣長に絞ると、彼は一七〇〇年代後半の日本において、史上初めて「完全に日本がオリジナル！」な思想をぶち上げた漢（オトコ）なのであった。

## 古代のテクストから声を読み解く

宣長の思想の目新しさは、一言で言うと「仏教」と「儒教」が入って来る以前の、海外の文物にまだ影響されていない状態の「ニッポンの姿、ニッポンのこころ、ニッポンの考え方」というものを設定したところにある。われわれニッポン国の国民は古来から延々と繋がるひとつの文化の下で生活している。その文化は素晴らしいものだが、しかしそれは歴史のその時々にやって来る外国の風俗の影響を受けて覆い隠されたり、捻じ曲げて見られたりすることも多々あった。わたしたちは、いまその目のホコリを取り払って、あらためてしっかりと「やまとごころ」に立ち返り、「もののあわれを知る」ことに充たされたわたしたちの国の姿を見るべきである。なぜならば、良く見さえすれば、わたしたちの国はいまだに、全世界を生み出した神々がおわしませる尊い国だということは明らかなのだから……というのが宣長の主張である。

このような狂信（ですよね？）を本居宣長はどこから得たのか。彼はそれを『古事記』を読むことによって——ニッポン最古の文字記録である『古事記』を〈**まことの伝へごと**〉として読み込むことを通して、このような絶対至上の皇国の姿を「発見」したのであった。

『古事記』に書かれてあるのは、仏教や儒教（や近代的科学）のスキーマで読むならば、怪力乱神がドタンバタンと活躍を繰り広げる荒唐無稽なオハナシであって、宣長までの学者ももちろんこれを歴史以前の「神話（フィクション）」として読んできた。しかし宣長は、このテクストを「当時の天皇が語った、それまでのニッポンの歴史を示した真実の物語（ノンフィクション）」として読むことを提唱したのである。

『古事記』の序文によると、このテクストの起源は「天武天皇」である。天皇によって語られたコトバを「稗田阿礼（ひえだのあれ）」という人物が聞き取って覚え、彼／彼女（稗田阿礼は性別不明）はそれをそのまま「太安万侶（おおのやすまろ）」に語り継ぎ、太安万侶はそのカタリを当時はそれしか使える文字がなかった「漢字」を使って、もっぱらその「音」の姿を留めるようなかたちで書き留めた。つまり、『古事記』とは、天武天皇の「肉声」の記録なのである――この話自体は『古事記』の「序文」から素直に導かれる把握であるが、宣長が重要視したのは、このテクストがもっぱら「声」＝「発音」を記録したものだ、ということろであった。

「日本の歴史」を語る書として宣長の時代まで重要視されてきたのは、『古事記』(成立伝七一二年)よりもむしろ正調派の漢文で書かれた『日本書紀』(成立伝七二〇年)である。しかし宣長は、そのような「漢文＝外来思想」が入り込む以前の、つまり、外国に汚されていない「やまとことば」で作られた第一級の歴史的資料として、変態的漢字の使用によって作られた『古事記』を位置付けたのである。

彼は『古事記』のテクストを、祝詞(のりと)、万葉仮名、漢文書籍その他の膨大な資料を参照しながら、一行一行それを「音読」出来るものに解きほぐしてゆく。後世の学問がくっつけた解釈や訓話を一旦すべて退けて、「漢字」の後ろに鳴り響いているであろう当時の「声」を探り当て、その「ひびき」を同定してゆこうとすること。これは実に手間ヒマがかかる作業であって、実際宣長は『古事記』全文の「発音の同定」を完成させるために三五年もの歳月を費やしている。その作業はきわめて実証的なものであって、時代の影響を取り去ってオリジナル・テクストの姿を再現しようと望む彼の欲望はきわめて「近代的」なものだとも言えるだろう。そして、しかし、そのようなテクスト研究から生まれた結論こそが、「ニッポンが世界で一番優れた国」だという彼の「皇国至上主義」的確信なのであった。

## 本居宣長が見出した「声」と「国民」

宣長は、漢字で書かれた書籍を使って、それ以前にあっただろう「声としての言葉の世界」に辿り着くことを試みる。『古事記』とは文字と声の境目に位置するテクストであり、逆に言うならばこの書物は、それを生み出した「声」の時代が現実に存在していたことの証明記録なのである。宣長はそう確信し、そして、その実在の「神代」は、現在でもわたしたちがその当時のコトバを十分に読み、聞くことが出来ることからも明らかなように、ぼくたちの現在の歴史へと直接的に続いている……つまり、わたしたちが暮らしているこの現世は『古事記』の世界と直結した世界なのである。

橋爪大三郎は、このような宣長の思想がニッポンにおける「ロマン主義」および「ナショナリズム」運動を生み出す起点となったことについて、『小林秀雄の悲哀』（二〇一九）において解説している。橋爪氏は、宣長の仕事を「ルターによる聖書のドイツ語訳に相当するインパクト」と捉え、西ヨーロッパの状況と比較しながら以下のように述べる。

> 西ヨーロッパでは、カトリック教会がラテン語を典礼語とし、公用語とした。書籍は、ラテン語で書かれることを原則とした。
>
> 人びとは、俗語（ロマンス語やゲルマン語）を話していた。カトリック教会は、西ヨーロッパ全

域にまたがる普遍的な組織であったから、俗語とは別個に、書記言語である共通語のラテン語が存在することに、問題はなかった。むしろ、ヨーロッパ世界が一体であるために、キリスト教とラテン語は不可欠であった。

俗語の正書法が確立しなければ、民族に基盤をおくナショナリズムにかたちを与えることができない。ローマ字は、たしかに表音文字であり、俗語を表記することもできたが、そうした文書は社会的な影響を持たなかった。[…]

日本語でラテン語にあたるのは、儒学の公用語である漢文である。江戸時代、学術書がおおむね漢文で書かれていたのに対して、書簡や大衆書や口頭言語は俗語（日本語）であった。

この分裂に対して、日本語に、語源が見通せる「透明」性を与え、日本語で、漢文が立ち入れない場所で、精密で体系的で超越的な議論を展開したのが、宣長の古学である。

（三四七〜三四八頁）

宣長の古学は、近代の国家が依って立つ「国民」というイデオロギーを、「遙か古代から続く言語共同体」として描きだすことに成功したのである。宣長は古典初学者へのレクチャー『うひ山ぶみ』において、以下のように述べている。

「古事記日本紀をよくよむべし。古言をしらでは、古意（ふるきこころ）はしられず、古意をしらでは、古の道は知りがたかるべし」［…］、まづ大かた人は、言と事と心と、そのさま大抵相かなひて、似たる物にて、たとへば心のかしこき人は、いふ言のさまも、なす事のさまも、それに応じてかしこく、心のつたなき人は、いふ言のさまも、なすわざのさまも、それに応じてつたなきもの也。

（一七二～一七三頁）

「言」（ことば）と「事」（わざ）と「心」（こころ）が相似的であるということ——宣長が『古事記』に発見し、また、ぼくたちが相変わらず現在でも暮らしているこのニッポンという国は、発せられた「言葉」がそのまま「事物」および「感情」と等しくなるような、すべてのコトバが「真実」であるような世界なのである。

これまでのぼくたちの用語で言うならば、宣長は『古事記』から、言語活動における「指示表出」と「自己表出」がぴったり一致した、「表出」による矛盾の発生しない、読み書きによって「意識」がズレたり否定されたりすることがおこらない超歴史的な世界を見出したのであった。

## 本居宣長にとっての「和歌」

「やまとごころ」によって充たされた、コトバとその対象との間に裂け目が生まれない、すでに完成された、永遠に動かない「自己表出」と「指示表出」がイコールであり続ける世界——宣長が好んだ「鈴の音」とは、太古と現在と未来を通して鳴り続ける、常に同一である「ことばのひびきのうつくしさ」の象徴であっただろう。

本居宣長は、取り外しの出来る階段によって現世から隔離された三畳間に籠り、ひたすら『古事記』を読み込むことを通して、ヴィクトリア朝時代のホームズが前提としたような「コトバとしての世界」にも似た、一元的な記号の表出体系を独力で発見＝創出しようと試みたのであった。その最初の刊行は一七九〇年……欧州ではフランス革命の真っ最中である。まさしく全世界的な「ナショナリズム」の時代のはじまりにあって、日本においてもこのような「ネーション」思想が用意されていたことは、以後の日本の歴史にとってプラスだったのか、マイナスだったのか。

宣長の思想はニッポン人のココロに「ロマン主義」と「ナショナリズム」を呼び覚まし、下って勤皇の志士たちに「尊王攘夷」というイデオロギーを与え、幕藩体制を瓦解させるほどの政治的運動を生み出した——しかし、ところで、宣長自体はきわめて非政治的な人間であって、彼は当時の江戸幕府に対して何か注文を付けるようなことは一切せず、きわめて丁寧に慎重に現実の体制に順応して誤らず、松坂藩の一町民として平穏無事な生涯を終えている。

彼の『古事記伝』その他の著作から、直接「現状の社会体制はＮＧ」といった主張を読み取ることは出来ない。宣長は、ただみんなで「からごころ」を取り去れば「コトバとワザとココロが一致している」わが皇国の真の姿が見えるでしょう、と繰り返し述べているだけなのである。

宣長の著述のはじまりは、結果として未発表となった京都遊学時代の「うた」論——二〇代半ばで書かれたとされる『排蘆小舟（あしわけおぶね）』である。彼はまず「和歌」という文芸のジャンルを自身の思想の第一の対象として選び、「わたしたちにとって「和歌」とはなにか？」ということを明らかにするところから自分の仕事をはじめたのであった。

宣長は和歌を詠むことが好きだった。それは好きというレヴェルを超えてほとんど自身のアイデンティティーそのものであり、彼が残した歌は生涯で八千から一万に及ぶと言われている。キャリア四〇年として年平均二〇〇首以上！　宣長のルーティンには町衆が開催する歌会への参加があり、そのように彼の暮らした江戸中期は、俳諧と同じように和歌を作ることもすでに町民文化として一般的なものとなっていた。宣長は、そのように大衆化・俗化した、いわば江戸期町民のサブカルチャーとなった「和歌」の「意義」についてを考えるところから自身の学問を出発させたのである。『排蘆小舟』は問答形式で書かれている。一番最初の「問」は、「歌とは政治を助けるために役立つもので、古今集の序にもそう書いてある。だからそれを「翫び物（もてあそび）」として考えるのはよくないんじゃない？」というもので、これは一七四二年に出された荷田在満（かだのありまろ）の「現在の歌は天下の政務にも生活の常行にも関係ない嗜好品である」という論を受けての自問自答だ、と、『排蘆小舟・石上私淑言』の解説で子安宣邦は述べている。宣長の答えはどうか。子安氏は以下のようにまとめている。

> 歌の意義をめぐる先の問いに宣長は答えていく。「歌の本体、政治をたすくるためにもあらず。身をおさむる為にもあらず。ただ心に思ふことをいふより外なし」と。歌の意義は政治的な意味にあるのではない、また修身という道徳上にあるのでもない、歌の本体とはただ心に思うことを

いうことより外にないのだと宣長はいうのである。宣長は歌の意義への問いに歌の本質論をもって答えていく。問いと答えはずれている。宣長の歌論はまさしくこのずれに成立する。[…]

歌の本質をただ「心に思ふことをいふ」という一点によって定義しようとすることは、人における歌とそれを詠む行為とを誰にも、どのような形においても普遍的に認められる心情的起源によって正当化することである。『排蘆小舟』がここから出発するかぎり、それは宣長自身のものでもある歌を詠み、歌を作る行為の一般性・非特権性への要求に答えるものであった。

(三四六〜三四七頁)

宣長は「歌を作ること」を「意義」＝現世的な利益や効能から切り離して「それはすべての人間に備わっている本質的活動そのものなのだ」と定義するのである。彼にとって和歌を作るということは、「自分が感じたことを自分なりに表現する」こと以外ではなく、それは武士や貴族や農民といった「階級」および「社会的役割」を超えた「個人」に属する領域にあるものなのだ。

**書かれたものを読むこと**

自分の心の動きを見つめ、素直にそれを表現すること――〈姦邪の心にてよまば、姦邪の歌をよむべし。好色の心にてよまば、好色の歌をよむべし。仁義の心にてよまば、仁義の歌をよむべし。ただただ歌は一遍にかたよれるものにてはなきなり。実情をあらわさんとおもはば、実情をよむべし。

いつはりをいはむとおもはば、いつはりをよむべし〉とも彼は告げる。**なんと自由な！** 政治および実利的な価値観を遮断した、ほとんど「芸術至上主義」とも捉えられる宣長の「町民歌道宣言」であろう。

この宣言を、しかし宣長は函底に留めて発表しなかった。発表しないまま彼は『源氏物語』および『古事記』を読む作業、つまり古典研究の道へと進む。そして、そのあいだも彼は自分の歌を詠み続けている。橋爪氏は上述の著述で、〈歌を詠み続けることは、学者・宣長にとって必要であった〉とし、歌を詠むことは王朝、万葉、そしてさらにその昔の「古言」と自分がつながっていることの彼なりの証明行為であったと述べている。

それはその通りだと思うが、話はおそらく逆で、宣長はまずとにかく歌が詠みたかったのだと思う。詠みたかったというか、詠めた。自分の心の動くままに、政治とか倫理とか王朝的技巧とか万葉的なしらべとか、そのような外から押し付けられるルールやマナーに囚われず、歌を作って詠んで楽しむこと。こんな簡単なことが、しかし、彼が暮らしている江戸期においては一般的には理解しがたい、下手したら反社会的な主張とも捉えられかねないイズムだったのだと思う。

宣長は自分が勝手に詠む歌が「日本文化の正統に属するもの」だという確証を得るために古典を読み、そして、そこに確かに損得や倫理、身分や階級を超えた「自由な声」が響いている世界を発見したのである。彼の学者としての仕事は自分の歌が「文化的に正しい！」ということを世間に通すための手続きであり、宣長は自分が楽になるために、そして、みんなが自由に平等に歌が詠めるような世界を切り開くために、「皇国」というフィクションを設定したのであった。

そしてそれは、書かれた文字から「声」を「聞く」という作業を通して実現された……というよりも、これもたぶん逆であって、「**書かれたもの**」**を**「**話されたもの**」**あるいは**「**歌われたもの**」**として読むことで切り開かれる時空間**というものがあり、そこで育まれる思考によってこそはじめて「万人が（神の下において）平等である」というイデオロギーが立ち上がるのである。

つまり本居宣長の仕事とは、日本におけるはじめての「音声中心主義」宣言だったのである——という見立てについて、稿をあらためて、小林秀雄という批評家の仕事、および、現代日本におけるもっとも個性的な作家の一人である、なんと「第一回小林秀雄賞」の受賞者でもある橋本治の意見と共に考えてみたい。

# 第15章 『小林秀雄の恵み』／橋本治と一緒に読む小林秀雄

「小林秀雄論」というものは世の中にどれくらいあるのかな。最近ではさすがに減ってきたとは思いますが、たとえば綾目広治『小林秀雄――思想史のなかの批評』（二〇一二）では全一二章で約四〇本（数えました！）の著作および紀要論考が引用されており、この本はクール&トータルな秀雄考察でとても参考になるのだが、いろいろ読むとだいたい「いいね！系が7：ディスが2：その他1」くらいの割合でしょうか。うまく混ぜるととても良いシオカラが出来るように思います。

そんな中で、かなり変わった一冊が橋本治の『小林秀雄の恵み』（二〇〇七）である。何が変わってるかっていうと、他の人たちは褒めるにせよ貶すにせよ、だいたいみんな「小林秀雄」に代表されるいわゆる「日本近代の文化や思想」に関してはもう十分な知識があって、それを前提に「秀雄」の仕事について云々しているわけですが、橋本治はそうじゃなくて、ニッポンの近代とは彼にとって「自分とは無関係」であるようなもので、もっとハッキリ言うと長いあいだ「自分の存在を拒む」ようなものであって、彼はそれに対して「知らなくても別にヘーキ。自分の場所は自分で作るし！」という姿勢を取ることで仕事を開始した人間だったのであった。

そんな彼がはじめて「小林秀雄」を読んだのは一九八五年、秀雄が死んだ二年後のことである。この年三七歳になる橋本治はすでに作家としてバリバリ活躍中であり、このエピソードは『小林秀雄の恵み』でも書かれているけれど、彼は当時「コラムを一〇〇本書き下ろした本」を作りたいと思って、そのネタの一つとして「当時の日本で一番難解」な一冊だと思われていた小林秀雄の『本居宣長』を取り上げたのであった。

**切断された近代をあらためて読む**

コラム本のタイトルはダジャレで『デビッド100コラム』(一九八五)。ちなみにもう一冊「相棒」として『ロバート本』(一九八六)という「書き下ろし随筆集」が作られており、二冊で「ナポレオン揃い」(定価どちらも一一〇〇円)というかーなりバカバカしいコンセプト(ピンとこない方は現物&解説に当たって下さい!)の一環として彼は『本居宣長』を読んだのであった。

ちなみにその前のコラムのタイトルは〈『おはなはん』の正しい見方〉。その前の前は〈〝姫川亜弓〟が好き!〉というノリであり……「コラム」=「アメリカ風都会的短文」のサカナとして『ガラスの仮面』と一緒に『本居宣長』を取り上げるというのは、いかにも80s橋本治の面目である。

しかし、というか、なんというか、橋本治は実際に『本居宣長』を読んで、これまで自分とまったく関係ないと思っていた「小林秀雄」のことを「この人はいい人だ」と思い、大いに感動したのであった。

『デビッド100コラム』の「『本居宣長』――書評」から引く。

私は小林秀雄という人の本を今迄にまったく読んだことのない人間で、それどころか和辻哲郎・亀井勝一郎と一緒にして、「教科書に出て来たから退屈な人。もう死んでる」ということにしていた人間である。勿論、本居宣長の本なぞは読もうようもない。大体私は「誰が学問なんかやるもんか、バッカらしい！」と言っていた人間であるが、しかしこの本を読んで、その気を少し改めた。「暇になったら、もう一遍純粋に学問をやってみようかなァ」と思い直したほどに、この本はエキサイティングである。面白い。[…]

私は『古事記』の現代語訳と『源氏物語』の現代語訳と平田篤胤を主人公にした小説を書きたいと、バラバラに思っていたのだが、それがまんまとこの本の中で一つになっていたので、ザマァミロ的に嬉しかった。（二一二頁）

橋本治の『本居宣長』理解は、この時点で約二〇年後の『小林秀雄の恵み』と基本的に変わっていない。彼はそれを大きく二点に取りまとめて「コラム」を書き、その後「小林秀雄」を読んだことすらほとんど忘れて自分の仕事を続け、昭和が終わって平成になり、二〇世紀も終わって二一世紀になって、二〇〇二年に上梓した『「三島由紀夫」とはなにものだったのか』によって「第一回小林秀雄賞」を受賞する。この受賞式において「小林秀雄についてはは関心はないけど、小林秀雄を必要とした日本人とはなにものだったのかについては関心がある」云々と（多少リップサービス的に）発言したことが、橋本治が『小林秀雄の恵み』を書く直接的なきっかけとなったのであった。

この再読で彼がテーマにしたのは、〈小林秀雄の生きた時代〉を探ることである。先述したとおり、橋本治にとってながらく「小林秀雄」とは、「自分とは関係のない世界」を構成するものの一つであった。その関係のなさは、彼の言によると、ほとんど〈「時代を異にする」という質の遠さ〉である。そして彼はこの時期、おそらくフィクション作家としての興味から、〈自分とは関係のない「近代」というものの核となるような「近代の考え方」が知りたい〉と思っていたのである。

彼は『デビッド100コラム』とほぼ同時期の講演録『ぼくたちの近代史』（一九八八）において、〈近代史〉を〈ここ二十年ばかりの話〉と定義し、自分がいま実際に居る現在は〈近代とは切れている〉と語る。続けて彼は、〈だから、〈近代史〉っていうのは、ある意味で、もう関係なくなってしまった時間というような意味。近い昔っていうか。で、近代史だから、多分、〝前近代〟というのがあって、〝前近代〟というのは、多分、僕の場合十七歳ぐらいまで続いているんですね。〉と述べ、その「近い昔」にあった事件として、彼自身もその場に立会い、しかしそこにはまったく参加しなかった「全共闘」について解説してゆく。

〈前近代〉から出てきた彼が巻き込まれた〈近代〉に関して、彼は『ぼくたちの近代史』文庫版（一九九二）のあとがきにおいて、それを「昭和」と呼び変えながら以下のように語っていた。

考えてみたら、私が四十歳である時期に昭和がなくなってしまったのは、個人的にはとってもすごいことである。私はその瞬間、「やったぜ、ザマァミロ!」と、一人で跳ね回って踊っていたのであるから。私にとって、昭和というのは、どうも長い間、イコール〝やな男〟だったのである。「そいつがいる限り、自分は永遠に拒絶された傍流だな」と思っていた。〝そいつ〟というのは、勿論昭和天皇のことではない。昭和という限定されたある期間を絶対の永遠のように思っていた、〝状況〟という男の論理である。それを私は〝やな男〟と規定して、それに対する私の態度は、「あ、そ!」である。「勝手にすれば! お前なんか嫌いだよ!」とか。

「どおおせ、すべての決定権からイニシアチブから何から何まで、あんた達が握って放さないんだから、俺は勝手にやる!」と、私は昭和の間、ずーっとイソーローをやってたのである——子供の時間を終えた十七の時から。

「イソーローだからあんまりイニシアチブを取っちゃいけないと思うんで、遠慮しとく」というので、この時期、肝腎なことをゼーンブ〝喋り言葉〟というよく分かんない手段に閉じ込めてしまった別種のゼンキョートーが、この私なのである。だから、本書が分かりにくくたってしょうがない。それは昭和のせいなのだから。

それが証拠に、昭和が終わった後の、私のとんでもない明解なる分かりやすさへの変貌ぶりというのは、もう、スサマジイものがあるのであると、自分で言ってりゃ世話ねーが、ホントだよーん。

(二〇六～二〇七頁)

長くなったが、ここには「橋本治」（および、彼にとっての「近代」）を理解するためにかなり重要な事柄が書いてあるように思う。彼がはじめて『本居宣長』を読んだのが一九八五年、「近代史」講演が一九八七年。上記の文章が書かれたのがおそらく一九九一年の終わり――そして、ここから一〇年が経って、橋本治は「昭和」あるいは「近代」、あるいは、彼がそれまで〈〝やな男〟〉と思っていた〈〝そいつ〟〉らの本尊的存在であったかもしれない「小林秀雄」に「でも、確か、『本居宣長』は面白かった……」という記憶とともに、あらためて正面から向き合ってみることを試みたのであった。

## 近代以前に「思考する個人」を見出す

彼は『本居宣長』を再読し、そして、再び感動する。本のタイトルにもあるように、彼は小林秀雄の『本居宣長』を読んで「恵み」を受けた。これは皮肉でも逆説でもなんでもなくて、文中の表現によると〈凄まじい感動〉をともなった掛け値ナシの感想・評価である。

橋本治は、小林秀雄が『本居宣長』で書きたかったことを〈読み始めてしばらくして〉いきなり理解し、感動し、しかし、その後、〈小林秀雄の書き振りに翻弄〉されて〈その感動が頓挫してしまう〉――この「翻弄」の存在自体に「橋本治」と「小林秀雄」と「本居宣長」とが属して居る「時代」の違いが刻まれているのであるが、それは一旦置いて、まず先に橋本治が「感動」した点について手短にまとめてみると、一つは、小林秀雄が現在まで続く「学問」のはじまりを「江戸初期」

にまで遡って定礎しようと試みていたこと、そしてもう一つは、そのような「学問」のはじまりに「個人」を見出し、「個人」が「感動」することがなくては学問ははじまらない、と繰り返し説いているところである。

『デビッド100コラム』段階で彼はすでに、〈暇になったら、もう一遍純粋に学問をやってみようかなァ〉と「小林秀雄の恵み」について表現していたわけだが、子供時代を「前近代」の中で過ごしたオサムちゃんにとって、「近代的知性」の代表と思われていた秀雄が、「学問」のはじまりを「近世」にまで引き延ばして考えようとしていたことは、「えー、そんなことしちゃっていいのぉ？」と思っちゃうような事態だったのである。

確かに、小林秀雄の描く〈地盤は、まだ戦国の余震で震えていた〉江戸初頭における「学問する知性」のはじまりの物語は、おそらく『本居宣長』の中でももっとも読みでがあるパートだろう。彼によると、戦国時代の気風である「下克上」は、行動上でのそれが閉ざされた時、〈家康とは全く別種の豪傑〉たちによって、これまでの因習と戦う〈精神界の劇〉として〈学者〉たちに引き継がれた――日本のオリジナルな知性は、「近代」＝「西洋文明圏」との出会いによるショックをきっかけにではなく、少なくとも「近世」のはじまりにはその活動をはじめている、というのが秀雄の意見である。

中江藤樹（なかえとうじゅ）、熊沢蕃山（くまざわばんざん）、伊藤仁斎（いとうじんさい）らによって形作られ、そして本居宣長らによって引き継がれてゆく「江戸の新学問」には、明治以降の学問を可能とする「知」がすでに懐胎されている――「近代的知性」の代表選手であるような小林秀雄は『本居宣長』でそのように主張しているのである。以下、橋本治の解説を引く。

近代以前の日本にあるものは、「近代的ではない知性」である。それは普通、「知性には価しないもの」と解される。そうすると我々は、西洋と出合う前は「知性」そのものを持たなかったことになる。ところでしかし、西洋文明と出合って我々が得るものは、「西洋の知性」であり、「西洋に生まれた近代的知性」である。近代を始めた我々は、それを学ぶしかない。それはいいのだが、だとすると、「西洋を学ぶ」を可能にした「学問をする知性」はどこで育ったのか？西洋と出合って、我々日本人は「学ぶ」を可能とすることが出来た——それを可能にする「学問に関する知性」は、どこで生まれたのか？［…］

近代人は、苦労して西洋を学ぶ。その苦労の前には、「日本人の学問する知性はいつ始まったのか？」を考える必要はないとさえ思ってしまえるのである。しかし、明治に於ける近代のスタート以前、日本に「学問する知性」はあるのである。それを「ない」とすると、日本には独自の思想も哲学も存在しないことになってしまう。そして、日本の近代的知性はそれをたやすく「ない」と言って、西洋の思想や哲学を己れのルーツとしてしまうのである。しかし、『本居宣長』を書く小林秀雄は、これに真っ向から異議を唱えた。［…］

近代の起点が近世にまで遡ったらどうなるか？　近代と近世の間にある堤防は決壊して、日本の近代は水没する――「それでもかまわない。必要とされるものは〝学問をする知性〟という、これまで見逃されていた前提の確立である」と、近代知性の大家小林秀雄が言うかと思って、身が震えるほど感動したのである。

（五一～五二頁）

「学問」および「知性」の定義をやりなおすことによって、日本において「近代」と「近世」を分けていた「堤防」を「決壊」させること。これはそのまま、80～90Sにおける橋本治が引き受けていた仕事でもあっただろう。橋本治は小林秀雄に自身の先達を認めた。しかもこの先輩は、「学問」は――極端に言えば「考える」という作業それ自体が、「モノやコトやコトバによって深く心を動かされる」という経験がまず絶対的に必要なのだ、ということを、本居宣長の「もののあはれ」論を引きながら、繰り返し繰り返しこの本で述べているのである。

## 近世と近代のズレを乗り越える

「学問」のはじまりにあるのは「感動」であって、この「感動」こそがこれまで「もののあはれ」と言われていたものであって、この経験がなければすべてが無意味であり、そして、それは実は何も特別なことではない、誰でもが常に経験していることなのである――と述べているのは、『紫文要領』および『石上私淑言』における宣長であり、そして、宣長の言を引く小林秀雄である。

「もののあはれ」とは「ただ自分の中で感情が動いている」ということで、それを「知る」とは

「そのことを自分で実感する、その実感を大切にする」ということである、と、直接的にはこんなにシンプルに秀雄は書いていないが、橋本治は「そのようなことを彼はこの本で読者に伝えようとしている」と理解し、共感する。橋本治こそ、「感情が動く」＝「エモーショナルである」ことを「当然」と捉え、自分の活動の基盤に置き、そして、その「当然」が世間に通らないことに対して――〝やな男〟の論理によって自分が拒まれていることに対して、膨大な論陣を張りながら闘い続けてきた作家なのである。

ここでも橋本治は小林秀雄と意見を共有させている……が、このような根本の共有がありながら、橋本治は『本居宣長』をスムースには読み進められない。彼は「感動」したのちにやってきた難儀について、以下のように述べている。

「『本居宣長』とはこういう本だったのか」という感動は、予感である。予感だけで凄まじい感動があって、その感動はすぐに「なんだか分からないもの」になる。なるのは、小林秀雄の書き方のせいでもあるが、私は小林秀雄の書き振りに翻弄されて、時々「感動の予感」を手放しそうにもなる。ひどい悪路を行くバスの乗客のようなものであるが、しかし、予感は正しかった。やがて私は、自分の予感を裏書きしてくれる小林秀雄の記述に出合うことになる。「やっぱりそうなんだ！」という感動は、既に予感ではない。紛れもなく『本居宣長』は、私が思った通りの本なのである。

そこまではよかった。しかし、そこから先がまったくよくない。小林秀雄がなにを言ってるのか、ろくに分からない。バスの進む道はますますひどくなって、乗客の私は、黙っていても舌を嚙みそうである。比喩ではなく、脳が疲れた私は、体調を壊した。

（一八頁）

『本居宣長』という本には、橋本治にとっては〈ひどい悪路〉としか思えないような記述がボーダイに含まれており、自分の考えと一致する部分とズレてる部分の落差が大きすぎて、「そのズレてる理由も含めて丸抱えで理解しよう」とすると体調を壊してしまうほど、この読書体験はシンドイものになっちゃったのであった。

この「ズレ」は一言で言うならば、本居宣長が属する「近世」と小林秀雄が属する「近代」との間に存在するズレであり、そして、そのズレを無視、あるいはなんとかそのズレの辻褄を合わせようと迂回やショートカットを繰り返す秀雄の文章に発生してしまう論理の裂け目である。

そして、ここにこの本のもう一つの奇妙さがあって、橋本治は小林秀雄がウネウネと書いてゆくその対象である「本居宣長」自身の考え方については、実は『本居宣長』を読む前からほとんど分かりすぎるほど分かっているのである。言ってみれば、「橋本治」は「本居宣長」と同時代の人間であり、彼は宣長についてはまるで自分のことのように良く分かるのだ。

たとえば、秀雄が繰り返し「謎」として提示する宣長の「遺言」は、橋本治にとっては謎でもなんでもない。それは彼が近世の封建社会体制を受け入れて暮らしてきた一介の生活者であるということを示すものであり、と同時に、これまでの和歌に読まれてきた「桜」というイメージを「死んでも愛する恋人」としてマジで考えているという、創作物に萌え狂うエモーションを持ったオタク／サブカル野郎としての宣長の感性をあらわしているものでもある――『デビッド100コラム』の時点ですでに橋本治は〈宣長は桜になりたかったのである〉と言い切っている。前章でも触れたが、宣長の学問は、「桜」への愛着をストレートに詠み上げるような「自身の歌」の存在を肯定することを基盤に展開された。宣長にとって重要だった「和歌を詠む」ということについて、橋本治は小林秀雄よりもっともっと直接的に理解しているのである。

彼は〈小林秀雄の『本居宣長』の中にあって、私に「分からない」を連発させ頭を抱えさせる混乱は、「歌とはなにか」という規定が明確ではないことである〉と書いている……えー、秀雄自身の批評の書きぶりに辿り着くまでにはもうちょいかかりそうなので、ふたたび稿をあらためます。ちょっと休憩！

# 第16章　本居宣長にとって「歌」とはなにか／小林秀雄の「近代性」

本居宣長にとっての「歌」のモデルは、『源氏物語』の人物たちが物語中でやりとりする和歌である。では、その和歌がどういうものであるかというと、それは、登場人物たちが互いの胸のうちを披露する「会話」であり、彼ら彼女らの「生の声」を受け持つ表現なのだ――と、橋本治は解説している。

『源氏物語』の登場人物のメインは殿中の貴族であり、彼らは紫式部が創造した架空の人物なのだが、しかし、作者・紫式部は、書き手である自分よりも「高貴な身分」である彼らの行為や感情を、いわゆる「敬語」を駆使しながら書き記さなければならない――当時の制度上、当然そのように書かなくてはならないのである。『源氏物語』とは、作者が登場人物に「敬語」を使う物語なのだ。

宮中における複雑な上下関係を反映したコトバをまとって、光源氏や葵の上は物語の中にあらわれる。敬語というヴェールに包まれた彼ら彼女らの立ち振るまいは、制度に縛られたその立場と役割を反映したあるべき正しい姿でもって「書かれ」ており、そこに破調や破綻は見られない。「平安時代」とはよく名付けたものだが、厳密に細分化され、形式化された儀礼によって保たれる宮中の平安と、そこで使われているスタティックなコトバ＝「指示表出」の体系をくぐり抜けるようにして、紫式部は登場人物たちにドラマを演じさせる。そして、そのドラマを展開させるための最大のダイナモが、作中に挿入される彼ら彼女らの「歌」なのだ。

橋本治は、〈『源氏物語』の作中歌は、間接話法で書かれる文章の中に登場する、唯一の直接話法なのである〉と解説し、『源氏物語』を、制度社会にがんじがらめされている「地の文」と、二人の恋する男女のあいだに噴出する「生の声」＝「和歌」とが織り重ねられた物語として読むことを提唱する。彼は述べる。〈『源氏物語』に登場する作中歌は、それを成り立たせる地の文と呼応して、「生の声」としてのリアリティを持つ。誰がなんと言おうと、『源氏物語』の和歌はそのような構造の上に存在していて、『源氏物語』は、そのように和歌を存在させる物語なのである。本居宣長は、そのような『源氏物語』を読むのである。〉……宣長は『源氏物語』に、約七〇〇年の時をぶっ飛ばして、自分と同じように「生の声」で「自己表出」をおこなっている人たちを発見した。彼は源氏の登場人物が繰り広げる「歌物語」に、ウタというものは世俗のしがらみを超えて、自分が自分として自分を「自己表出」することが出来る文芸だということを教わり、そして、そのようなウタのやり取りがキチンとした人間どうしのドラマを生み出していることに感動したのだろうと思う。

しかしところが、見回してみると、自分の周辺には『源氏物語』をそのように読んでいる人はいない。それだけではなく、和歌というもの自体が何か自分が捉えている「個人の表現」＝「自己表出」とは全く異なった、「伝統」や「儀礼」のヴェールに厚く包まれた、「敬語」的なものにどっぷりと漬かった儀礼的とも言える「指示表出」を繰り返すための「制度」として扱われていることが多いのではあるまいか。これはいったいどうしたことか……本居宣長の「古学」は、このような疑問からスタートしたのであった。

### 「理性的な男性」が排除したもの

歌というものは、現実の制度＝社会＝「指示表出の網の目」をすり抜けて「自分の生の声」を表現することが出来る媒体である——そうしたことをはっきりと理解していた作家が、少なくともかつての日本には一人おり、その作家・紫式部は、敬語によってがんじがらめにされている地の文と、人間の生の感情を表現する「歌」をぶつけあうことで、テクスト上に豪華絢爛な一大ページェントを繰り広げた。しかし、このような「歌物語」は、現在、ワタシ、本居宣長の周囲には存在しない……このことを橋本治は「江戸時代に生きる本居宣長は、『源氏物語』を欠いて存在する『源氏物語』の作中人物なのである」と表現している。

宣長は「自分の声」で「歌」を詠むが、周囲にそれに応えてくれる人はいない。自分は『源氏物語』という「歌物語」の登場人物であってもいいはずだが、現実はそうではない——マンガと現実の区別が付かなくなった人がある作品世界に萌え狂ってる状態を考えてもらえば当たらずとも遠からずだと思うが、宣長はこのような、自分が属していてもおかしくないはずの文芸的世界のルーツを探して、『源氏』からさらに『古事記』へと遡っていったのであった。

宣長にとっての「歌」とは、自分のアイデンティティを支える創作物であり、そして自分を「源氏」の登場人物たちとつなぎ、彼らとの対話を可能とする「生の声」の存在を確認させてくれるような「言語活動」であった（宣長の和歌を、『源氏物語』世界のそれと比べて研究した論考はないのかしら……二次創作者・同人作家としての本居宣長！）。彼の狂信的な「皇国論」は、古代からつながっているはずの、このような「歌」という言語活動における〈場面〉の実在への確信によって裏打ちされたものなのである。

この宣長の「歌」への情熱を、しかし、小林秀雄は橋本治のようには理解しない。秀雄が分かるのは、宣長の『古事記伝』の背後には彼の〈場面〉への「確信」があるということだけであって、その「確信」とは何かについて、秀雄は「黙ってそれを見る」「聞く」「感じる」云々と繰り返すだけで、「歌」＝「生の声」という見解には踏み込まない。なんとなく気が付いているような気もするのだが、踏み込まない。秀雄は宣長の言動が「学者」的なものから離れたエモさを帯びるたびに、ほとんど困惑したように「これはその本質を耳を澄まして聞き取ることが大事なのだ」と、その実際から目を逸らすのである。

橋本治が言っている通り、秀雄は「感じる」ことの大切さについては述べるが、彼がこの本でキープしているのは、むしろ宣長が推奨した「感情によって心を乱されること」を認めない姿勢なのだ。ここに『本居宣長』における記述のクドさの原因の一つがある。

おそらく、小林秀雄が生きた「近代」とは、成人男子がエモーショナルな存在であることを公式には許さない世界なのである。橋本治が考える〈〝やな男〟〉とは、そのような抑圧を無意識的に前提にしている人々とその社会を指しているだろう。橋本治は『完本チャンバラ時代劇講座』(一九八六)において「講談」と「浪曲」の違いについて触れながら、浪曲に含まれている「唄うこと」が、近代のマジメな男たちからは「理外」のものとして忌避されたことを指摘している。歌および音楽とダンスは、恋愛と同じように非理性的なものの代表であり、それは社会における「指示表出」の体系を引き裂いてプライベートな「自己」を晒け出させてしまう、社会人としての「男」の人格に混乱をもたらすだけのものなのだ——近代思想が排除しようとしたこのような、「歌」に代表される「感情の高ぶり」を、しかし、自身の批評によって真正面から引き受けようとしたのが、実は、四〇代から先の小林秀雄の仕事なのである。

## 小説は人生の意匠と妥協する

一九四一年の冬、日米開戦直後、彼は能楽堂で「当麻(たえま)」を見て感動し、しかし、その感動を自分の中に位置付けることが出来ずに困惑する。超有名な一節だけどやはり引いておく。

あれは一体何だったのだろうか、何と名付けたら良いのだろう、笛の音と一緒にツッツッと動き出したあの二つの真っ白な足袋は。いや、世阿弥は、はっきりと「当麻」と名付けた筈だ。してみると、自分は信じているのかな、世阿弥という人物を、世阿弥という詩魂を。突然浮かんだこの考えは、僕を驚かした。

（「当麻」『小林秀雄全作品14』一三四頁）

もう一つ。ラスト部分。

僕は、星を見たり雪を見たりして夜道を歩いた。ああ、去年の雪何処に在りや、いや、いや、そんなところに落ちこんではいけない。僕は、再び星を眺め、雪を眺めた。

（一三七頁）

動揺しながらもエラソーなのが秀雄一流ですが（「自分は信じているのかな、世阿弥という人物を、世阿弥という詩魂を」**プップー！**）、ここで彼はステージ上で繰り広げられた歌と音楽を聴きダンスを見てメロメロになって、しかしその感情をどう処理していいのか分からず、その心の動きをつい既存の歌を引用しながらメロディックに「表出」しそうになるが、さすが、かろうじて踏み止まっている。でも、むしろ〈**そんなところに落ち込んで**〉自分も唄い踊っちゃえばよかったのに。それが出来ないから後日「ひどい悪路を行くバス」みたいな文章を書くことにもなっちゃうのだと思うが、彼は「モオツァルト」を書くきっかけとなったほぼ同時期の出来事について、後に『ゴッホの手紙』（一九五二）の中で以下のように述べている。

あれを書く四年前のある五月の朝、僕は友人の家で、独りでレコードをかけ、D調クインテット（K.593）を聞いていた。夜来の豪雨は上がっていたが、空には黒い雲が走り、灰色の海は一面に三角波を作って泡立っていた。新緑に覆われた半島は、昨夜の雨滴を満載し、大きく呼吸している様に見え、海の方から間断なくやって来る白い雲の断片に肌を撫でられ、海に向かって徐々に動く様に見えた。僕は、その時、モオツァルトの音楽の精巧明晰な形式で一杯になった精神で、この殆ど無定形な自然を見詰めていたに相違ない。突然、感動が来た。もはや音楽はレコードからやって来るのではなかった。海の方から、山の方からやって来た。そして其処に、音楽史的時間とは何んの関係もない、聴覚的宇宙が実在するのをまざまざと見る様に感じ、同時に凡そ音楽美学というものの観念上の限界が突破された様に感じた。

（『小林秀雄全集　第10巻』二六〇頁）

相次いで経験したこのような「歌」や「音楽」（や「絵画」）からの感動を「書く」ことが、ここから先の秀雄のテーマとなる。思えば、彼の文壇デビュー作「様々なる意匠」は、当時話題になっていた文学上の「イズム」を、そのほとんどが「意匠（デザイン）」でしかないと撫で斬りにしながら、個人的なものどうしの邂逅にこそ「批評」の可能性を見るという宣言であった。

この豊富性の裡を彷徨して、私は、その作家の思想を完全に了解したと信ずる。その途端、不思議な角度から、新しい思想の断片が私を見る。見られたが最後、断片はもはや断片ではない、忽ち拡大して、今了解した私の思想を呑んで了うという事が起る。この彷徨は恰も解析によって己れの姿を捕えようとする彷徨に等しい。こうして私は、私の解析の眩暈の末、傑作の豊富性の底を流れる宿命の主調低音をきくのである。この時私の騒然たる夢はやみ、私の心が私の言葉を語り始める、この時私は批評の可能性を悟るのである。（『小林秀雄初期文芸論集』一五頁）

作家の言葉とわたしの言葉が出会ったところに「批評」が生まれる、という、まあ、当たり前のことがここで言われているのだが、ここで彼が元手としているのは「自分が使う言葉は自分を正確には表現していない」という、**コトバが本来的に持っている「疎外」の経験に対するキョーレツな自覚**である。

秀雄はこのような「読む／書く」ことで生まれるヘーゲル的な「意識についての意識」を一九世紀のフランス文学者たちから学び、身に着け、いまだそのような「疎外」も「矛盾」も剝き出しなカタチでは主題にしていなかった昭和のニッポンの文学界に輸入した張本人であった。

小林秀雄は「小説」と「詩」を対比させながら、ポー、ボードレール、マラルメの三人の名前を挙げて〈言葉を嘘から救助しようとする熱烈な文学運動〉について解説する。その運動は、近代における小説の流行をその背後に持つものであり、秀雄曰く、〈人々は、ただわけもなく小説を読んでは暇をつぶす。小説の隆盛は偏に大衆の加護による。では、何故に大衆は小説に味方したか。それは小説というものが、その根底に於いて、言葉の社会性を信用するものであるが為だ。社会的偏見を肯定してかかるものであるが為だ。詩は詩という独立の世界を目指すが、小説は人生の意匠と妥協する。〉……へー、いいこと言うじゃん秀雄！〈言葉の社会性を信用する〉とは、ぼくたちの言葉で言うならば、言葉の「指示表出」性の働きに従ってもっぱら言語活動を理解しようとする、ということになるだろうか。**小説とは「自己」よりも「指示」傾向にその「表出」を振り切った、言葉における〈社会的偏見〉と妥協して書かれた文学**なのである。

### 「感動」が生み出した亀裂

小林秀雄は〈言葉を嘘から救助しようとする熱烈な文学運動〉の、近代日本における最大の後継者の一人であった。一九〇二年生まれの、若き日の彼の目の前に広がっていた風景を想像してみる。日露戦争の勝利とその後の不景気。朝鮮半島の植民地化。明治天皇の崩御。第一次世界大戦による成金の出現とインフレ。帝国劇場と無声映画と浅草オペラ。関東大震災と虐殺と復興。昭和のスタート。トーキーとレコード音楽の普及……対外戦争を総力戦で乗り切り、政体は相対的には頑健に、帝国は着々とその勢力を広げ、資本は投資先を次々と開拓し、ブルジョワ階級が成立すると同時に、近代的な都市労働者たちの姿がその娯楽とともにむらむらと盛り場に溢れてゆく……そのような、二**〇世紀における一九世紀半ばの欧州の首都**＝**パリ的な「指示表出」体系の拡大環境**に我が身を設えるところから、小林秀雄は自身の批評を開始したのであった。

彼が参照したボードレールにおける「自意識」とは、変化し続けるパリ＝ヨーロッパの最先端をその「現代性」の側面で摑むために磨かれるべきものであった。彼の詩と批評からこのような「自意識」を学んだ秀雄は、文士として立とうとするに当たって周囲を見回し、そこに〈独立の世界〉を目指す「詩」ではなく、〈人生の意匠と妥協する〉「小説」という文学ばかりを見出して苛立ったのだと思う。

これは、もしかして、本居宣長が『源氏物語』を読み、自身の歌を詠みながら、自分の周囲を取り巻く江戸の現実に感じたギャップと似たような質の経験だったかもしれない。そして、宣長が「歌の意義は?」という問いに対して、「その本質とは……」というズレた答えでもって返さざるを得なかったように、秀雄の批評精神は、ボードレールらにとってはほとんど現実的な死活問題だった「内面の声」と「書くことの制度」と「現実の社会環境の変化」という三要素の角逐(かくちく)を欠いたまま、彼は言葉を使うことであらわれる「意識の劇」だけをひたすら鋭く「本質」として提出する。

ボードレール直系の読み=書きによる「疎外」の経験を自覚することにおいて、秀雄は凡百のプロレタリア文学作家の敵ではなかった。若き批評家としての秀雄は、そのような「疎外」を生み出す「指示表出」と「自己表出」のズレを、もっぱら個性=「宿命」という非歴史的な側面に還元することで、個人と個人が出会う場所としての「文学」作品を語ってゆくことになるだろう。

そのような姿勢に、しかし、芸能から受けた彼の「感動」が亀裂を走らせる。芸能とは——ダンスも歌も音楽も、それは言葉による「表出」とはまた異なった領域に存在する表現である。

ふたたび、言語活動を成立させるためには、時枝誠記的に言うならば〈主体〉と〈素材〉と〈場面〉が必要となる。そして「文学」という芸術は（近代においては特に）「書く」という言語活動によって、一つの主体がコトバの上にさらにコトバを折り重ねることで、自身の〈場面〉を未知なる自分へと向けて拡大してゆくことで作られるものである。この拡大が社会性の方向に傾けられるところに「小説」が生まれ、個人的な方向に傾けられると「詩」が生まれる――いずれにせよそれは「書く」＝「読む」という言語活動から生まれる「表出」であるが、しかし、ダンスや音楽は「読み書き」によっておこなわれるものではなく、つまり、それは近代的な「疎外」から生まれる思考を一旦捨ててかからなければ十分には体験出来ない作品なのである。

これはもちろん絵画もそうで、というか「文学」以外のすべての芸術は「言語活動」としては把握出来ない側面を強く備えており、美術批評家としてのシャルル・ボードレールは絵画独自の表現を、その表現を可能にしている歴史的制度との関係性も含めて理解し、なおかつそれを現在の「公衆」へと向けて言葉でもって提示することを生涯の任務とした。彼の批評を稼働させていたのは、揺れ動く現在を表現しようとする絵画独自の「指示表出」性にあらたな体系と価値を与えようという欲望であり、そしてそれは同時に、それを描く作家の個人の劇＝「自己表出」性の高まりを正確に理解することでもあった。あらたな「自己表出」性がそのまま、これまでの「指示表出」性の総体を変形させる力として噴出している状態――一九世紀半ばの欧州にあって、そのように変動し続けるイメージの跡を追いかけ、その弁証法的な変化そのものに「現代性」を見出したところにボードレールの栄光があったのである。

ボードレールの生は、映画という芸術の誕生に間に合わずに途切れた。しかし、その美術批評の筆には、ゴダールがマネの絵画に認めたように、描かれたイメージからこれから展開されるだろう「思考するフォルム」を拾い上げようとする視線が刻み込まれているのである。では、あらためて、小林秀雄の近代批評は、歌や音楽や映像の「フォルム」と「マチエール」を前にして、どのような方角へと進んでゆくことになるのか。

# 第17章 「声を聞く」という批評／表現の厚みをくぐること

小林秀雄は、たとえば一九四一年、「日米開戦」を告げる新聞を眺めながら以下のように書いていた。「当麻」を書く直前の出来事である。

正月元旦の朝、僕は、帝国海軍真珠湾爆撃の写真が新聞に載っているのを眺めていた。「戦史に燦たり、米太平洋艦隊の撃滅」という大きな活字は、躍り上る様な姿で眼を射るのであるが、肝腎の写真の方は、冷然と静まり返っている様に見えた。模型軍艦の様なのが七艘、行儀よくならんで、チョッピリと白い煙の塊りをあげたり、烏賊の墨の様なものを吹き出したりしている。いや、いや、外観に惑わされてはならぬ、これこそ現に数千の人間が巻き込まれている焦熱地獄を嘘偽りなく語っているものだ、と僕はしきりに自分の心に言い聞かすのであるが、どうも巧くいかない。

（「戦争と平和」『小林秀雄全作品14』一三一頁）

ここで秀雄が戸惑っているのは、自分が読み取りたいことがこの写真には写っていない、という事実である。彼は「撃滅」というコトバに相応しい印象を報道写真から得ようとする。が、しかし、それはどうしても〈巧くいかない〉。それは当然で、これまで書いてきたように、「写真」には言語活動的な意味での〈主体〉と〈素材〉と〈場面〉は存在せず、それはそもそも何かを〈語っているもの〉ではない上に、ある主体がそこで「指示」と「自己」との矛盾に引き裂かれる舞台でもない。もちろん、こちらを共同作業に誘う「リズム」もそこにはない。

写真はそれだけでは「言語活動」を構成することは出来ず、だからこそそれを「読む」ためには「撃滅」云々という「指示表出」によってそこに文脈を導入する必要があるのだが、あらためて、彼がこの時期連続して直面したのは、言葉による「疎外」を前提とはしていないこのような表現からの感動と動揺であった。

開戦という非常事態の影響ももちろんあっただろう。大戦へと突入してゆく当時の彼を取り巻くコトバの状況は、若き日の彼の周囲にあった「様々なる意匠」と比べても格段に曖昧で、虚勢に充ちた、面と向かって取り上げるのもウンザリするようなものばかりだったに違いない。そんな中にあって彼の心を捉えたのが、世阿弥の能楽であり、西行と実朝の歌であり、モーツァルトの音楽だったのである。

彼はこのような、言葉で作られたものではないものから得たエモーションに向かって自身の「批評」の組み立て直しをおこなってゆく。いや、もちろん西行や実朝の歌はコトバで書かれたものであるが、秀雄はそれを「文字」によって書かれたものとしてではなく、自身の心に直接響いてくる

「声」として扱うことで、読み書きによって生まれる「疎外」の運動を断ち切った場所においてその感動を語ることを試みるのである。

すでに指摘しておいた通り、西欧の形而上学の基盤には、自身の内面に現前化して揺るがない「声」の存在があった。この「声」こそが「読み／書き」の同一性を支える大きな拠り所であり、ぼくたちの近代精神はこの「ロゴス」をヘーゲル的な手続きでもって稼働させることで立ち上がる。そして小林秀雄は、この困難な時期にあって、自身が経験したすべてのエモーショナルな体験を、「意識に現前している声を聞く」という「制度」に還元することによって、コトバを読むことから得られる具体的な経験のひとつひとつをすっ飛ばして、自身の内面に存在する「音声中心主義」的近代性を拡大・再生産する道筋に入り込んだのであった。

あまりにも有名なのでなんだけど、やはり次のコレは引用しておきたい。

> 〔…〕僕の乱脈な放浪時代のある冬の夜、大阪の道頓堀をうろついていた時、突然、このト短調シンフォニイの有名なテエマが頭の中で鳴ったのである〔…〕。ともかく、それは、自分で想像してみたとはどうしても思えなかった。街の雑踏の中を歩く、静まり返った僕の頭の中で、誰かがはっきりと演奏したように鳴った。僕は、脳味噌に手術を受けたように驚き、感動で慄えた。百貨店に駈け込み、レコオドを聞いたが、もはや感動は還ってこなかった。
>
> （『モオツァルト』一〇頁）

これは、「内面に現前している声を聞く」という「音声中心主義」的な制度を「音楽」に当て嵌めて語ろうとした批評であり、デカルトが「疑っている自分」がいることだけは確かだと思ったことと等しく、ここで秀雄は西欧的近代精神を正しく引き継ぎながら、「音楽」から得た自身の感動を「ロゴスの経験」＝「そこだけは揺るがない内面の現象」に還元して位置付けようと試みているのである。

この経験を、たとえばこれを「声」そのままでやったならば、「うろついていた時、突然、「向上心のないものは馬鹿だ」という言葉が頭の中で鳴ったのである」ということになるわけで、これだときわめてフツーというか、「だから?·」みたいな話になる。ポイントは、言語活動の枠から外れて機能する「音楽」に対して「内面の声」を適用したということで、ここで彼は**近代的精神を成立させている制度を全面的に活用**しながら、言語による弁証法的運動が実際には働かない、目の前に現前している「声」や「音楽」や「ダンス」や「映像」から得た——ヘーゲルならば「放尿的」というかもしれない感動を語るというテクニックを展開しているのである。

**日本文化の声を肯定する**

彼は〈**もはや音楽はレコードからやって来るのではなかった。海の方から、山の方からやって来た**〉とも書いていた。レコードに記録された音を、あるいは、紙の上に書かれた文字を時空間を超えた世界（＝「内面の声」）に還元して捉えようとする思想は、まったくもって一九世紀ブルジョワ的精神の賜物である。これは別に悪口でもなんでもなく、小林秀雄は常に一貫して、このニッポンにおいて徹底的に「近代的」であることを使命とした批評家なのだ。

そして彼はこのような、すべての感動に対して「音声中心主義」を適用させようとする「近代」的な批評の先達として、本居宣長を——「時空間を超えた天皇の肉声」を『古事記』から聞き取ろうとした本居宣長の思想を発見したのであった。小林秀雄の『本居宣長』は、歌やダンスによって体感した感動を基盤に置きながら、そのエモーションをひたすら「近代的」な言語の制度において語ろうとする、ニッポン近代文学のひとつの極端な帰結なのである。

このような「内面の声」に関する秀雄の論を直接的に退けるのは案外むつかしい。何故ならばそれは、「だってホントに聞こえたんだもん」という個人的見解を巡る問題ではなく、ぼくたちすべてに共通する（はずである）、近代的精神の支柱となる「ロゴス」を前提にした主張であるからだ。

ぼくたちの内面には精神を稼働させる「声」があり、そしてそれは「文字」として自身の外側に物質化させて表現することが出来るものだが、精神としての言葉の本体はあくまでもその内面の「声」であって、文字によっておこなわれる読み書きのシステムとはきわめて曖昧な、常に仮の状態にあるようなものなのである——小林秀雄は、西欧形而上学が伝統的に踏まえてきたこの「音声中心主義」を最大限に拡張させながら、ニッポンの文化にもこのような「声」が、つまり、オリジナルの「ロゴス」が備わっていると語るのである。本居宣長が語った「意と事と言とは、みな相称えるもの」としての世界とは、指示と自己が声としてぴったりと一致した、ヘーゲル的な「絶対知」が完成した世界なのだ。

小林秀雄はこの世界の住人たちについて以下のように語る。

彼等は、自分等が口にしている国語の抑揚さえ摑まえていれば、物事を知り、互に理解し合って暮らすのに、何の不自由もなかった。そういう生活が、文字と共に始った歴史以前、どれほど久しい間、続けられて来たか。宣長は、この言伝えの世として、何一つ欠けたところのない姿の裡に、身を置いて、人々の心ばえを宰領している言語表現を想い描き、其処では、表現の才をを言うより、表現の天分を言う方が、どれほど自然な事だったかを直覚していた。言語表現の本質を成すものは、習い覚えた智識に依存せず、その人の持って生れて来た心身の働きに、深く関わっているものだ、そういう言語機能の基本的な性質は、「文字ある世」になっても少しも変りはしないのだが、それが忘れられて了ったのである。（『本居宣長』下巻、二一一頁）

宣長もニッコリの書きぶりである。しかし、この〈国語の抑揚さえ摑まえていれば〉万事ＯＫだという〈そういう生活〉の背景には、それらの声を支えている絶対的な「声」があり、その声によって再生される命令に従うことによって、ぼくたちは、おそらく、帝国主義的戦争を可能にしたぼくたちの近代を稼働させてきたのである。

戦後、秀雄は宣長を通して、このような言語的なユートピア＝「歴史の終わり」に（あらかじめ、太古の昔から）辿り着いているものとして母国の文化を見出し、それについて語り、日本における近代的精神のあり方にひとつのオトシマエを付けて、一九八三年、この世を去った。

## 古代から現代のイメージを読み解く

江藤淳との対談において、小林秀雄は〈子供は三つぐらいになると、言語の働きにおいて完成しますね。という事は、この世の中が、根底的には、みんなわかっちゃっているということなんです。世の中が、「イマージュ」で、「かたち」で出来ているなら、そういう「かたち」の感受と表現の中で、大変な芸当をしちまっているということなんですよ。その上、何を教えようというのか、と宣長は言うのです。それを忘れ、それから先が教育だと自惚れている。日本語の構造に関する生きた知識は、三歳の子供において完成している、と言うのは、外から、これに、何か附け加える事は出来ないという意味だ。出来るのは、これを育て上げる事だけだ。これが教育の変わらぬ原理だな。〉とも述べていた。

言うまでもなく、日本語の言語活動に入った三歳の子供に欠けており、そこに〈外から、これに、何か附け加える〉べきものとは、言葉を読み書きすることである。

一九七七年、つまり、小林秀雄が『本居宣長』を出版したその同じ年に、吉本隆明は記紀万葉の歌を解析した『初期歌謡論』を上梓している。

作品中に直接的な言及はないが、そして吉本は別の場所で宣長およびそれに追随する秀雄の『古事記』理解についてはっきりと苦言を呈していたが、〈一見紳士風の記述の仕方〉を取って書かれたこの本はやはり、小林秀雄的な「声を聞く」という批評に対するカウンターとして機能するものだと思う。

吉本は『言美』においてすでに、文字として記録されている作品は口承段階にある歌や語りとは、〈表出として比喩的にいえば千里の径庭がある〉と規定していた。宣長および秀雄は『古事記』を「天皇の声をそのまま記録・再現したもの」と考えたが、吉本にとってみればそれは大きな勘違いであって、どのように記したとしても「文字」は「声」とは異質なものであり、書かれたコトバは書き言葉独自の論理に従って書かれ、読まれ、それは書き手と読み手とのあいだに広がってゆく独特な〈場面〉を基盤にした「表出」として取り扱うべきものなのである。

吉本は『古事記』『日本書紀』『万葉集』『風土記』などを調査し、そこに書きとめられてある「うた」を腑分けして、そのなかに含まれているだろう「それがテクストとして表現・定着されるに至った過程」を読み取ろうと試みる。これら日本最古のテクストたちは、古代人たちの「声」をそのまま写したものではなく、そしてもちろん〈**海の方から、山の方からやって来た**〉ようなものでもなく、そこにはすでに具体的な「読み書き」によってのみ実現される「構造」が縦横に張り巡らされているのである。

『古事記』は、吉本隆明によると、宣長＝秀雄的な「声」に還元することはまったくもって無理筋な、歌とカタリと書き言葉というその成立過程も機能も流通経路も異なっているコトバ＝メディアのハイブリッドな組み上げによって初めて可能となるような作品である。

彼はとりあえず歌謡パートと地の文を区別しながら、「歌の発生」「歌謡の祖形」「枕詞論」「続枕詞論」「歌体論」「続歌体論」「和歌成立論」……と、万葉から古今集までの（ちらっとだけ「新古今集」も）わが国の歌の「構造」がどのように変化していったのかについて論じてゆく。

ここで吉本が考えようとしているのは、ある歌人独自の「表出」の特徴といったようなものではなく、万葉集と古今集を隔てている「歌体」の異なりとでも言うしかないような、ジャンルを等しくしながらも時代を画する詩的想像力の変化の在りようについてである。彼は以下のようにそのモチベーションを解説する。

ある古典時代の〈歌〉とそれよりももっと前の〈歌〉をくらべて、作者の個性にかかわりなく変わってしまったものがあるとしたら、変わったことに不可避さが見つかるはずである。なぜ〈わたし〉の好きな時代の〈歌〉は、好きでない時代の〈歌〉に変わってしまったかと嘆くことには意味がない。どうしても変わってしまったのだ。またこの時代の〈歌〉はあの時代の〈歌〉より品下っているといっても仕方がない。〈歌〉もまた言葉の表現の歴史をつくりながら、いつも現にそこにありつづけるものだからだ。

（四六二頁）

吉本が試みているのは、単に「歌」の歴史的変遷を明らかにすることではなく、遠過去にある〈**作者の個性にかかわりなく変わってしまったもの**〉の把握を通して、現在、そしてこれから先の未来に起こるであろう〈**どうしても変わってしまった**〉ものの存在をあぶり出そうとすることであった。

以前すでに書いたように、この当時の吉本にとっての大きな課題は、彼の周囲を取り巻きはじめた「イメージ」のあらたな様式に対応する言語論を再構築することだった。吉本隆明は詩人であり、彼の言語論は「詩を書く」ことを巡る想像力と共にある。『マス・イメージ論』で彼は、二〇世紀的な映像および音響の文化に大きな影響を受けて作品を制作している（と彼が考える）作家たちを〈こちら側の巨匠〉と呼びながら、〈あなた方はどういう世界を本質として想定しているのだろう？〉と問いかけていた。

彼のこの問いかけは、現在の文化を『初期歌謡論』のそれと同じように、つまり、記紀万葉時代のメディアである「歌謡」の変化を読み解くようなやり方で眺めてみる、という立場から発せられたものである。ぼくたちの世界の変化は、作品の中に表現として刻み込まれている。吉本は『古事記』の構造を読み取ることと同じような姿勢でマンガを読み、TVのCMを眺め、その中にある「作者の個性にかかわりなく変わってしまったもの」についてを経験しようとする。彼はこのような変化が刻まれている作品の時間について、それを〈表現の厚み〉と表現しながら、以下のように述べていた。

わたしたちが表現の厚みをくぐっているあいだ遅延することによって、うまく世界を世界から差別するちょうどその時間にであうことができるのだ。わたしたちはそのように時間を多重に体験しているあいだに、ほんとうは見えないはずの現在の世界を、たてよこ自在に走る時間の織り目のようなものを体得している。それは織り具合として直覚されるもののようにおもえる。

（一〇四頁）

ある表現の〈厚みをくぐっているあいだ遅延すること〉によって、「現在の世界」と「表出されたもの」とのあいだにある〈時間の織り目〉のようなものを体験すること……作品として表出されたテクストあるいはイメージのあいだをくぐり抜ける経験を通して、〈世界を世界から差別するちょうどその時間〉に出会うこと。吉本隆明のイメージ論は「近代」の延長にあるものではなく、まだ生まれ得ない未来としての「現在」を考えるための、擬似的な「古代論」なのである。

小林秀雄はこのような「こちら側の巨匠」たちの仕事を、そこから近代的な声が（とは、しかし、彼にとってそれは超時代的な声という意味になるのだが）聞こえてこないものとしてまるごと無視した。吉本隆明は八〇年代から九〇年代の終わりまで、彼を取り巻く〈現在〉に対して、あくまでも「詩人」としての「書くこと」から離れないかたちで表現を与えようと奮戦を続けた。

このような〈現在〉へのアプローチのはじまりにあたる一九七八年、吉本は来日したミシェル・フーコーと対談をおこない、その対談を軸とした『世界認識の方法』（一九八〇）という著書を上梓している。フーコーと吉本の切り結び、または、切り結び損ないは、ぼくたちのＳＮＳ論にも大きな示唆を与えてくれるもののように思える。おそらく、このあたりが現代のはじまりである。部をあらためて再びスタートしよう。

# 第４部　疎外・退行・排泄による更新（アップデート）

# 第18章　『世界認識の方法』／〈大衆〉という概念について

吉本隆明とミシェル・フーコーとの対談は一九七八年四月二五日におこなわれた。ちょうどぴったり、ゴダールがカナダで『映画史』講義をはじめようとしていたタイミングである。対談における話題の中心となったのは、フーコーが『言葉と物』で示した世界観・歴史認識の方法と、吉本が把持するヘーゲル&マルクス・ラインの思想の可能性とをどのように擦り合わせるか、ということについてであった。

「マルクスの思想」と「マルクス主義」は分割して考えるべきだ、という吉本の言を肯定しながら、しかしやはりフーコーによると、〈十九世紀世紀においてマルクスは特殊な、ほとんど決定的といってもよい役割を演じはした。けれども、その役割は、明らかに十九世紀的なものであり、そこにおいてしか機能しない。その事実を明確に示すことによって、マルクスの持っていた予言的性格に結びついた権力関係を弱める必要がありますます〉と、その功績をきわめて限定的なものとして語る姿勢を崩さない。

このようなフーコーの「マルクス主義の始末」(by吉本)への提言に対して、吉本は、マルクスがヘーゲルから引き継いだ「意志論」の領域には、まだ〈社会の歴史法則というものにできる限り接近〉するための可能性が残されているのではないか、と反論する。

個人の意識から国家制度までを一貫して繋げてゆくヘーゲルの「意志論」の魅力を吉本はこの本の「註」において、〈ヘーゲルはなかなか汲みつくせない。ほんとうの意味での西欧的な諸概念、その諸概念の連繋する仕方のなかに潜むものは、驚嘆に価すると同時に、いつも不意を打たれるように奇異だ〉と述べ、「倫理」や「法」や「国家」の概念が「自由」の実現のための必然的な連環と規定されているヘーゲルの「意志」論に〈**いわば恍惚をもよおされる西欧的思考の典型**〉を見る。そして、フーコーはこのような「西欧的思考」を骨の髄から感得しており、だからこそ逆にそれらを『言葉と物』において徹底的に解体しようと試みたのではないか……というのが吉本の見立てである。

フーコーはこのような吉本の問いかけには直接答えず、自分がマルクスの著作の中で惹かれるのは、ルイ・ナポレオン・ボナパルトのクーデターなどについて書かれた「歴史的著作」であると述べ、そのような著作の中にあるマルクスの二つの傾向について指摘する。

一つは、きわめて冷静で聡明な「状況分析的言述」であり、もう一つは、その分析から引き出されたものであるにもかかわらず、結果的にまったく当て外れなものとなってしまう「予言的言述」である。マルクスの歴史的著作はこの「予言の形成」と「攻撃目標の定義」とのあいだの〈戯れのようなもの〉であり、この二つの言述が、おそらく一九世紀という「知」の配置の影響を被って、〈歴史的必然の意識と、つまり、予言的側面と、闘争の攻撃目標という二つのディスクールとが、充分な戯れを演じ切れずに終わってしまった〉ところに、むしろマルクスの可能性を見る、という意見を述べている（ちなみにこの対談を通訳したのは、四〇代に入ったばかりの蓮實重彥であった）。

フーコーは、「階級」という概念よりも、むしろ「闘争」の場所とやり方を具体的に明らかにすることが重要なのだ、と「階級闘争」に関して述べており、吉本はそのことに関しては頷きながら、そのような「闘争」をおこなうことは〈必ず世界からまったく孤立せざるをえない〉のが現状であると考えている、として、以下のようにフーコーに問い質してている。

そのところでフーコーさんにお訊きしたいのです。［…］フーコーさんは、概して孤立、孤独、それから情念、またニーチェが退けた暗さ、何でもいいです、固さ、そういうものをうまく始末して方法を展開しているようにみえます。むしろ代数学でいう構造的な同型の概念と似たところで、事物の関連、つまり、起こり得る事物、できごと、事件の関連をうまくさばいているので、概してぼくなどがもっている世界のなかでの孤立感みたいなものを、なしですましているような気がするのですが、そこのところの問題を、お訊きしたいと思います。（三七～三八頁）

この問いに関するフーコーの答えの一つが、前述した「マルクスのディスクールそのものに関わりを持つ予言的権力の発現形態」の分析であり、また、「党」として出現する「複数の意志を排除したり吸収したりする概念」を哲学上の問題として自ら引き受けることである。

六〇年代に書いた（ほぼ吉本の『言美』と同時期の作である）『言葉と物』で自ら示した「世界認識のための方法」よりも、このような具体的な実践の現場を探し、そこに関わることが現在の私にとって重要な事柄なのだ、と、直接的にそのように明言はしていないが、フーコーは宣言しているように思える。

以下のフーコーの言葉が、おそらく、吉本の「孤立」というコトバを巡って彼が自身の意見を遠心的に加速させた、つまり議論が見事にグルーヴしている部分であろう。

だからこそ、理論の持つこのような不充分な局面を白日のもとにさらさねばなりません。哲学のみが唯一の規範的な思考だとする考え方を破壊する必要があるのです。そして無数の語る主体の声を響かせ、おびただしい数の体験をして語らせねばならないのです。語る主体がいつでも同じ人間であってはいけない。哲学の規範的な言葉ばかりが響いてはならない。ありとあらゆる体験を語らせ、言葉を失った者たち、排除された者たち、死に瀕した人たちに耳を傾ける必要があるのです。というのは、我々は外部におり、そうした人たちこそが闘争の暗く孤立した側面を実質的に扱っているからです。そしてそうした言葉に耳を傾けることこそが、今日西欧に生きる哲学するもののつとめであろうと思います。（四六頁）

自身の「闘争」と「孤立」と「悲観」を訴える吉本に対して、そのような「孤立」を実質的に扱っているのは、〈言葉を失った者たち、排除された者たち、死に瀕した人たち〉であり、「闘争」とは、それらの声に「耳を傾け」、〈無数の語る主体の声を響かせ、おびただしい数の体験をして語らせ〉ることとなのだと、フーコーは答えている。

この対談において吉本が提出している「意志論」は、彼の他の著作においては「疎外論」というかたちで展開されているものであろう。『言美』においても礎に置かれている、それは言語活動において「自分が作ったものが自分と対立する関係に入る」という経験が「疎外」であり、それは言語活動においては、たとえば「いまは夜である」というコトバが昼の光の下で「気の抜けた真理」となって出現する、というヘーゲルが示した事態で代表される。ぼくたちはこのように、書くという活動を通して世界と連続的な対立関係に入り、吉本の述べる「孤立」とは、このような、書くことへの意志によってこれまでの世界から立ち離れることを選んだ者たちが留まる場所を指している。

しかし、このような意志から導き出されてしまうかもしれない〈哲学の規範的な言葉〉から慎重に距離を取り、むしろ、その「疎外」が前提としている「意志論」＝「疎外論」からあらかじめ排除されてきた者たちの存在を理解し、その人々に、これまでとは違ったやり方で自身を語ってもらうための場所を用意するためにこそ、自分たちの言語活動はおこなわれるべきなのだ――フーコーが語っているのは、そのような決意だと思われる。

## 文字を読めるようになる以前

ここであらためて注意しておきたいのは、この〈耳を傾ける〉という作業は、前章で取り上げた、本居宣長および小林秀雄的な「作品からそれを書いた存在の声を聞く」といった批評の在り方とは全く異なったものであるということだ。

本居および小林秀雄が前提としているのは、世界はこれからもこれまでも「ロゴス」によって充たされており、そして文字（による言葉。あるいは譜面、そしてそれによって再現性を担保される音楽）によって示される世界とは、その引き写しであると同時に現世的感覚性に支配された物質的表象なのであるから、ぼくたちはそれを透かし見るようなやり方でもってその背後にある世界の真実を摑み取らなければならない、という考え方である。

このような世界にあっては、実際の、ぼくとあなたによっておこなわれる「言語活動」は、それが成立するための〈主体〉や〈素材〉や〈場面〉という条件とも、そこから生まれる「指示」性と「自己」性の分裂とも、「リズム的場面」という前言語的存在論とも無縁の、まったくの不動の相でもって取り扱われるべきものとして把握される。秀雄的「言語活動」に入り込むには〈三歳の子供〉であることですでに十分であって、〈外から、これに、何か附け加える事は出来ない〉というのが彼らの主張であるのだ。

ここで忘れられているのは、具体的には、ぼくたちが実際に「文字」を読めるようになるために費やした時間と経験である。この話には次章で戻って来ることにするが、ともあれ、この説は、西欧形而上学がその思考のためのアリバイとして制度化していた「音声中心主義」に基づいていることにおいて、はっきりと〈哲学の規範的な言葉〉でもって語られたものである。逆に言うならば、「三歳の子供」の言語活動を肯定しながら、しかし、それが「社会」を構成する要素の中に入り込むことをあらかじめ退けておくことによって、ぼくたちははじめて法と理性と科学に則った近代的国家を運営することが出来るようになるということであり、この近代性を擁護することにおいて小林秀雄はまったくもって一貫しているのである。

しかし、フーコーが語る〈**言葉を失った者たち、排除された者たち、死に瀕した人たち**〉とは、この「近代性」がその枠外に、自分自身の同一性を確立するために「不要」な要素として追放し、廃棄したまま顧みなかった存在たちのことを示しているのである。ヘーゲルからマルクスへと引き継がれた思想は、この「近代性」を前提にしていることによって、フーコーによると〈明らかに十九世紀的なもの〉なのだ。

吉本隆明は、マルクスによる資本の解析を「言語」に応用することによって、近代的な「音声中心主義」を大きく逸脱した自身の「表出」論を作り上げることに成功した。彼は「書くこと」によって発動する闘争を限りなく明晰に把握しようとすることを通して、世界認識への道順を示そうとする。

しかし、フーコーが述べているのは、そのような「闘争」以前にある、主体となることすら除外されている者たちに〈おびただしい数の体験〉を語らせ、その「声」によって世界を構築し直す方法を探ることなのである——そして実は吉本にとっても、このような〈言葉を失った者たち〉の存在は、これまでの彼の思考にとっての最大の要石のひとつであり、かつて彼はその存在を〈大衆〉

および〈大衆の原像〉という言葉でもって示していた。
　吉本はこのフーコーとの対談によって、自身がこれまで規定してきた〈大衆〉へのあらたなる視座を手に入れたのではないかとぼくは思っている。すでに述べたが、このあたりから吉本は〈現在〉を巡る思想的闘争に入っていったのであった。

## 「話し言葉」を書くという経験

　吉本隆明はその最初期の著述である「転向」を巡る論からすでに「大衆」の存在について重要視する姿勢を見せているが、彼がこの〈大衆〉という言葉に独自の枠組を与えて論じはじめたのは、『自立の思想的拠点』（一九六六）に収録された「日本のナショナリズム」および「情況とはなにか」シリーズあたりからであろう。六〇年代の半ば、ちょうど『言美』リリース前後の時期である。この〈情況〉というのも吉本用語なんだけどそれは一旦置いておいて、彼は自身の〈大衆〉について以下のように述べている。

　大衆は社会の構成を生活の水準によってしかとらえず、けっしてそこを離陸しようとしないという理由で、きわめて強固な巨大な基盤のうえにたっている。それとともに、情況に着目しようとしないために、現況にたいしてはきわめて現象的な存在である。もっとも強固な巨大な生活基盤と、もっとも微小な幻想のなかに存在するという矛盾が大衆のもっている本質的な存

在様式である。（一〇二頁）

ここで出ました〈**幻想**〉！　この言葉はこれまでもっとも議論されてきた吉本的概念のひとつで、そしてたかがマル二つだけの文章なのに吉本用語連発なんでクラッと来てる方もいらっしゃるかもしれませんが、要するに〈大衆〉とは、彼らの生活を支えている社会と密着して暮らし、〈情況〉（＝思考によって現在辿り着ける世界認識……とここでは簡単に言っておきます）みたいな、いわばヘーゲル的に組み上げられた世界には入り込まない人々なのだ、ということである。

〈幻想〉についてはのちほど触れることとして、彼は〈大衆〉の第一の規定として、それは〈**常住的に「話す」から「生活する」**（**行為する**）**という過程にかえるもの**〉とも書いている。「話す」ことによって暮らし、そしてそのような日常から離れることのない人々——つまり、普段の生活においては「書く」ということに携わらない人々が、吉本にとっての〈大衆〉なのである。

〈大衆〉は産まれ、暮らし、産み、育て、成長し、死んでゆく。その生活は「話す」ことの次元においてもっぱら成立しており、もちろん学校教育を受ければ「文字の読み書き」くらいは必要だったら当然出来るけど、それは「そりゃ、そんくらいはやるよ」程度の重要さであって、たとえば「歯を磨く」とか「食器は食べたらシンクに」みたいなルールが貼ってあるリヴィング・ルームのことを想像してみて欲しい——家の中では、口で言えば足りるはずのことを「文字に書いて伝える」のはよっぽどのことであって、繰り返しになるが、ぼくたちが最初に覚え、そして、自分たちの生活をその基底部分で支えているのは、親しい人との「話し言葉」で学んだ事柄なのである。

　そしてぼくたちは成長過程の中で、「書く」という作業を学ぶ過程を通して、「話す」ことによる「生活」とはまた異なった規範でもって成立している関係性がある、ということに気が付かされることになる。しかし、吉本による〈大衆〉とは、どのような教育を受けたとしても、最終的には「話す」というレヴェルの言語活動以外に自身のコトバを見つけられない人たちのことを指すのである。

　彼はこのような〈大衆〉の概念を、自身の国家論＝権力論を確立する過程においてまとめあげた。詳しくはこれも次章に譲るが、シンプルに先に述べておくと、「書く」ことによって発動するヘーゲル的な精神の運動を最大限に体現した装置が「国家」であり、そしてそれは、決してそのような運動に入り込まない〈大衆〉の存在によって逆に規定される、ということである。なんのこっちゃい……と思われるかもしれませんが、つまり、吉本にとって〈大衆〉とは、「国家」という巨大なカテゴリーと対を為すものとして設定されている、ということである。

　吉本のこのような「国家」を巡る思考は、はっきりと一九世紀的な知の枠組みに規定されたものであり、六〇年代半ばの「国家論」において吉本は、いわば、自身の論のためにおそらく、フーコーの言う〈言葉を失った者たち、排除された者たち、死に瀕した人たち〉が**世界の中に居るということを必要としていた**のであった。

　吉本は、ぼくたちがまず参加することになる、「書かない」人々の生活環境の代表である「家庭」に対して、生涯どこかユートピア的な色合いを含めながら語り続けた。これはおそらく彼の思想の根幹に据え付けられた抜き差しがたい要素であり、しかし、彼はフーコーとの対話から、そして、世界の中に一回切りしかあらわれない「映像」として彼のコトバの周囲を満たしはじめた「書かない」人々の存在から、自身の〈大衆〉論を捉えなおす道筋へと入り込んだのである。

すでに述べたように、ここから彼の一連の「イメージ」論が生み出されることになるわけだが、この作業は完成を見ないまま中途で止められてしまったようにぼくは思う。この中断の先には、おそらく、いまだに、ぼくたちが引き受けるべき思想的課題が手つかずのかたちで残されているはずだ。たとえば、ミシェル・フーコーについて言うならば、彼のエドワール・マネについての未刊行講演録『マネの絵画』は、彼が逝去してから約二〇年の時間をおいた後に、初めてリリースされている。

蓮實重彦は前述した『ゴ・マ・フ』の中で、このフーコーの絵画論と「ゴダールが語るマネ」とを比較しながら、ゴダールとマネとフーコーの存在を接続することを試みている。

蓮實氏によると、フーコーによるマネの絵画の分析は、それが講義の文字起こしから作られていることを差し引いたとしても、たとえば、彼が『言葉と物』の冒頭でベラスケスの『侍女たち』から「古典主義時代の表象空間」の存在を引き出したようには、マネのイメージに働いている「表象の関係」の在り方を語ることに成功していない。

蓮實氏は『言葉と物』における二〇世紀文化の、いや、一九世紀の文化すらの不在について指摘しながら、以下のように述べる。

フーコーは、マネにかぎらず、「われわれにとってまだ同時代であるもの」としての一九世紀についてはほとんど何ひとつ語ってはいないのであり、それは、彼の提起する「考古学」の限界だとはいわぬまでも、それがあらかじめかかえこんでいる論理的な不可能性にほかならない。彼は、エドワール・マネとともに、「われわれにとってまだ同時代であるもの」という現実の中に位置しており、ほとんど自分自身でありながら同時にほとんど自分自身ではないマネを語ることで、いかなるフィクションも始動させえなかったのである。（一〇七〜一〇八頁）

ベラスケスと異なり、マネは「われわれにとってまだ同時代」に属する画家なのであり、たとえばその画面に登場する女たちは、フーコー自身が『言葉と物』の終わりに置いた、「波打ちぎわの砂の表情のように消滅するであろう」人間たちに近しいイメージなのである……エドワール・マネの絵画に対して、つまり、ゴダールが言う「思考するフォルム」に対して、それが語りはじめるための適切な場所を切り開き、彼／彼女らの声に「耳を傾ける」ことは、フーコーにとってもまだまだ困難な作業だったのだろう。フーコーはこの「マネ論」を宙に吊ったまま、一九八四年に五〇代の若さで逝去した。

## 「思考するフォルム」が解放するもの

中絶されたフーコーの「映像」論に対して、蓮實氏はジェラール・フロマンジェを媒介にしながら、ゴダールによるマネへの言及、及び、フーコーの言葉を読む「声」のモンタージュの存在を指摘することによって、ゴダール／フーコーという同世代人を〈その美しい孤独〉から〈救おう〉とする。

これが『ゴ・マ・フ』のあらすじ（！）であるが、あらためて、ゴダールがマネの絵画の中に認めたのは、その「フォルム」――二〇世紀の絵画が自身の主題としてあらたに持つことになるであろう「マチエール」ではなく、そこに描かれた「フォルム」の側面であった。

ゴダールが『（複数の）映画史』において映し出しているのは、これは蓮實氏も指摘しているが、マネのオリジナルのタブローではなく、そもそも「画集に収められた印刷物」としてのマネ作品なのである。カメラに写されることでオリジナルから切り取られ、複製され、縮小あるいは拡大され、異なった文脈に配置しなおされ、言葉を付けられ、商品化されたイメージとしての「マネ」について、ゴダールはそこから「シネマトグラフ」が、「言葉へと通じてゆく形式」が、「思考する形式」がはじまったのだ、と述べているのだ。

コピーされ得るものとしての、そして同時に「思考」を持ったものとしてのフォルムの創造に成功したマネ……『パッション』（一九八二）において、歴史的な活人画をあらためて「シネマトグラフ」化してみせたゴダールは、このような「複製」されるものとしてのフィルム／フォルムにこそ、自分たちの文化に相応しい「驚くべき力」が備わっているのだと確信しているのである。

無名の人々に語るためのフォルムを与えたそのイメージたちは、映画において、そこからさらに「運動」することへと、また他のイメージと混交し、混血し、響き合うことへと変生してゆくことになるだろう。ぼくたちは「シネマトグラフ」に映されることにおいて、すべてがちょっとずつ似通わざるを得ない、特権的なイメージとその経験など存在しない、文脈を見失った写真的映像の世界に入り込む。ここに生まれるコトバを「聞く」ための方法と感性を磨くことが、おそらく、まず、マネの時代から無声映画の成立のあいだに試みられ、そしてそれは「トーキー」によってまた異なったなにかへと向けて整流を施され――このようなイメージとコトバとのあいだに導入された関係の変化の先にぼくたちのSNSも存在しているのである。

ロラン・バルトが「温室の写真」の前で立ち止まり、決して「書くこと」をしなかったであろう母のイメージとともに逝去したのが一九八〇年である。ぼくたちの前にあらわれた〈**言葉を失った者たち、排除された者たち、死に瀕した人たち**〉の声を聞き取るためのプロジェクトは、まったくもって現在形で進行中のものなのだ。

ところで、無声映画の全盛期に起こった最大の政治的事件は、第一次世界大戦、およびその戦争を「帝国主義戦争を内乱へ」というかたちで転覆することに成功したロシア革命である。ゴダール風に唐突に断言するならば、この革命は、「思考するフォルム」によって解放された「驚くべき力」によって導かれたものである。つまり、二〇世紀初頭にあって、**ぼくたちは無声映画を見ることによって、暴動および革命を遂行する主体へと変化することが出来た**のである。

映像と言葉と音響によって「主体」および「国家」のイメージは制作される。吉本の〈大衆〉論を引き継ぎながら、もう少しこのあたりを考えてみたい。

# 第19章　「書かない」ことの領域／「対幻想」とプロレタリア文化

先述したように、吉本隆明にはいくつかの「ナショナリズム」論がある。一九二四年生まれの彼はバリバリの戦中派で、国のために死ぬことを当然と思っていた皇国少年の一人であった。彼の戦後過程を戦前に彼が受けた教育ときちんと接続させて考えることは重要だと思う（ちなみに学齢が一緒ぐらいの人としては、三島由紀夫、瀬川昌久、吉行淳之介らがいる）。彼がその生活の前提としていた、ニッポンの戦争を可能にした「戦前のフツー」とは、どんなものだったのか（これは他人事ではなく、そのまま現在のぼくたちの問題である）。吉本が設定した〈大衆〉と〈国家〉との関係も、戦争をあいだに挟んで継続している「日本のナショナリズム」を分析するための装置として、まずは思考されたものなのであった。

吉本にとっての〈大衆〉とは、前章においてすでに記したことだが、そのままのかたちでは歴史の中に登場しない、つまり、ヘーゲル的な意味で「書く」ことをおこなわない、もっぱら会話的な言語活動でもって日常生活を営んでいる人々のことを示している。〈歴史の動因でありながら、歴史の記述のなかにはけっして登場することのない貌（かお）が無数にある〉とも吉本は書いていた。このような「貌」が「思考するフォルム」として「書き言葉」と結ばれはじめた瞬間についてゴダールは語っていたわけだが、吉本によると、このような〈大衆〉を支えているのは〈幻想〉としての〈家〉または〈家族〉である。

この章における〈 〉付きの言葉はすべて「吉本用語」として読んでいただきたいのだが、吉本隆明によると、ぼくたちはいくつかの〈幻想〉のレヴェルにおいて生きており、たとえば一般的に言われる「個人」とは、吉本にあっては、これまで論じてきた「言語活動」における〈自己表出〉的表現を可能とする〈個人幻想〉の領域に存在するものである。そしてまた逆に、〈指示表出〉性に一〇〇パーセント振り切った社会的な「言語活動」を理念的に想定したところに、〈国家〉に代表される〈共同幻想〉の領域が生まれる。吉本の論の特徴はこのように、言語論がそのまま社会学的な論述へと接続されているところにあり、そして、表裏一体である〈共同幻想〉と〈個人幻想〉とはまた別に、彼は「特異な水準」にある〈幻想〉として〈対幻想（ついげんそう）〉という領域を設定する。吉本は個人、および国家や社会といった制度と異なった〈位相〉に、子供を産み育てる一対の男女による〈対幻想〉を置く。ここに彼の「幻想論」の最大の特徴があって、そしてコレがまたもっとも大きな批判（クリティック）の対象となるところでもあるのだが、このような〈対幻想〉における言語活動の基盤にあるのが「話すこと」なのである。

### 共同体は「声」によって成立した

「話すこと」のその最初にある行為は、当然だが、近しい人たちとの会話である。幼児は、なにはともあれ周りに居る人とのやりとりを通してコトバを獲得してゆく。「会話」という言語活動は幼児にとって、時枝的に言うならば、そのはじまりにおいてはそれを成り立たせる条件（主体と素材と場面）が渾然一体となったものとしてあらわれるだろう。『言美』において吉本隆明が示した、言語における二つの傾きである「自己表出」性と「指示表出」性も、その異なりがまったく自覚されないまま、幼児はその初源の会話のプロセスにおいて、必ずしも「声」だけでおこなわれるものではない、「リズム的場面」に充たされた時間の中で表現していることだろう。

そのような段階で話し手と聞き手が試みているのは、言語が言語として理解されるためにまず必要とされる、つまり、会話のための〈場面〉が成立するための前提となる「リズムの共有」を、発話者どうしが繰り返し、声と身体を使って立ち上げようとする行為である。

単なる泣き声や笑い声だった口からの音声が、生物学的リズムから独立したかたちでコントロール出来るものとなり、行為の対象としてそこに意志を宿らせる段階へと辿り着き、息が分節化され、調音され、音律化と音韻化が施されて、目の前に見えているモノにその「声」が働きかけることが理解され、そして、いま自分に聞こえている他者の発声は自身のそれと同じものなのだ（！）という認識を得て、子どもは声による外界への働きかけ／働きかけられの体系の中に入り込む。

このようにしてぼくたちは、マルクスが『経済学・哲学草稿』（一九三二）で設定した「全世界を彼の非有機的肉体とするという普遍性」への道筋を、まず声と言葉を使ってゲットする。「個」であると同時に「類」でもあることを自覚するぼくたちの経験は「会話」とともにはじまる——そしてこの経験はその後、家族・親族・居住地域の住人たちとのやりとりのなかで育まれ、ぼくたちの「声」はまず、彼らとともに食べて、寝て、遊び、働く、といった基本的な「生活」を営むための社会的有用性に奉仕するかたちで組み上げられてゆく。

吉本における〈大衆〉とは、このような、家族を中心とした生活を成立させるためにもっぱらコトバを使う人たち、と考えてよいと思う。このような言語活動は人間が人間として社会活動をはじめたその当初から存在していおり、いや、話は逆で、言語活動の実現によってはじめて人間は人間という「類」になったのであり、「会話」によるコトバの組み上げ＝文化は、国家および社会の歴史よりもさらに古く根源的なものなのだ。

逆にいうならば、文字だけがあって話すことがない社会や国家は、これから先も存在することはないだろう。歴史上で確認されている最古の文字の使用の痕跡は、約七千年から五千年前のものだという。現在に続く類としてのヒトの誕生は四〇万年前あたりだそうだから、そしてそこから生物としてのぼくたちの身体構造は基本的に進化しているわけではないということだから、つまり、ぼくたちの脳や身体には「コトバ」を「文字」として専門的に処理する器官は存在していないのである。

会話と異なり、文字を書いているときに使われている脳のモジュールは人それぞれによってかなり異なっているという説を読んだことがある。聴覚などとは異なって、「脳のこの部分が刺激されているからこの人はいま本を読んでいる状態です」みたいには特定出来ないらしい。読むこともそうだが、字を書くという行為は視覚・聴覚・口唇部・腕・指先、および書字のためのメディアを複雑に連携させながらおこなわれる運動であって、それはほぼ全身の神経回路を接続させることを必要とする。学校の机に向かって「あいうえお」の書き取りをしている子供たちは、一見同じ作業をしているように見えるけれど、実はそれぞれがまったく違った知覚の回路をコラージュ的に接続させながら、それまで近しい人との「会話」として経験してきたコトバの世界から「文字」へと入り込むためのルートを探っているのである。それはまさしく社会的な必要から、まったく見知らぬ、目の前にも存在しない「過去の他人」が作り上げたものとのやりとりを介して後付けで習得される「文化」なのだ。

この「文化」を習得するためには、かなりの時間が必要とされる。文科省のホーム・ページに規定時間表があったので数えてみると、小学生は六年間で総計約一五〇〇回もの授業を受けることが定められていた。これは小学校の教科の中でダントツの数（ちなみに音楽は三五〇回前後）である。

これだけの時間を使ってぼくたちは「読み書き」することを教えられ、そして、それがまがりなりにも出来るようになったあとは、「文字」とは子供の頃に誰かに「教えられた」ものであるということ自体を忘却され、それは最初から自然に読んで書けたものだとして、習った過程自体を具体的には思い出せなくなってしまう——家族との会話から離れ、幼児期に一五〇〇回も繰り返された「文字を読み書きできるように特訓する」という経験を抑圧し、変形し、忘却することで、ぼくたちは現在、文字を読んで、書いているのである。

## 読み書きとは現在形の時間を離れること

家族とのやりとりで覚えた「声」と「言葉」を、「学校」に代表されるような公の場において、自分自身とは無関係な書字システムの習得を通して「書ける」ものにするために学習する――コレはおそらく幼児にとって苦痛に充ちた経験であるだろう。このような経験を通して、とりあえずというかたちではあるが、ぼくたちは「書く」ことによって支えられる文化の中に入り込む。

ところで、吉本隆明の言語論の特質は、この「書く」という行為を支えている「文字」について、その起源に「共同体における指示性を振り切った自己表出力の登場」を設定しているところである。すでに、たとえば『歌というフィクション』などにおいて詳述したので短めに繰り返すが、まず、現実的な指示対象を持たないまま繰り返される「音声」があり、その対象不在の「音声」が指し示すものとして現実外の存在が呼び寄せられ、祖先や精霊や神とはそのようにして登場するものであり（逆ではない）、現実に足場がないからこそ繰り返すことの出来るその表現から「祭式」が生まれ、「祭式」を成立させる要素の一つである「声」を次の祭式者に引き継がせる目的から「文字」が生まれる……。大雑把にこのようにまとめられる吉本による「文字」の起源論は、まさしく菅谷規矩雄が述べる「発生の本質が現存をつらぬく」想像力に充たされた興味深いものだが、たとえば「闇」という文字には、長いながい歳月をかけて引き継がれてきた過去の祭式の現場にあった夜や社（やしろ）や沈黙や生贄が溶け込んでおり、ぼくたちは文字を習得するという経験を通して、このような「祭式」の存在に再びタッチしているのである。

文字を読み書き出来るようになるとは、「自己表出」と「指示表出」の隙間に自身を落とし込みながら、現在形の時間から少し離れて、約五千年前から繰り返されて来た**このような「祭式」の継続・更新に参加することに他ならない。**ニッポンにおいてこれは、他国からもたらされた「文字」＝「祭式」を自分たちなりに変形させることからはじめられ、また、西欧における「音声中心主義」は、文字の中に刻まれた過去をフィクショナブルな「声」によって覆い隠すことで、「祭式」の存在自体を忘却あるいは抽象化するための制度として機能している……ニッポンにあっては、もともと輸入されたものである「祭式」の真正性に関するアレコレが、現在でもぼくたちの「ナショナリズム」の形成に大きな影響を与えているのではないかとぼくは思う。

それはともかく、吉本的な〈大衆〉とは、自分たちの生活に関わる最低限のレヴェルでしかこのような「書き言葉」による「祭式」と関わろうとしない人々のことである。

吉本隆明とともに『試行』の同人だった谷川雁(たにがわがん)は、一九五〇年代、九州の労働者たちと議論を交わす旅を重ねながら、地方に根付いた生活を営んでいる彼らの「沈黙」について、『原点が存在する』（一九五八）所収の「工作者の死体に萌えるもの」という論考において、次のように書いていた。

むっつりと黙りこんでいる労働者農民もいまや集会や文書をすべて敵と考えてはいない。けれども彼はいぜんとして唇を開かない。彼はひっそりと聞き、かつ読んでいる。土着の、無学の、窮迫した彼の洞窟には食べちらした骨や貝が少しずつたまっている。だが彼は何も表現しない。表現の方へ歩みよっている形跡はない。まず書くことで充分だ、として出発したどのような運動も遂に彼には無縁であったようだ。それはもっと別な層――知識や生活水準のかすかな高さ、都市や植民地における経験など、なにがしか自己疎外の契機をぬきにしては存在しない者たちを呼びさましたにすぎなかった。[…]けれども発言する者と沈黙する者の間にはあきらかな対立がある。単に書くことでは救われない人々、書くことと変革の重量がひとしい人々、だから書こうとすればたちまち傷つく人々がいるのだ。

（五八頁）

谷川雁は「まず書くことで充分だ」という認識がどれだけ傲慢なものであったかをここで自省している。「書く」ということは、当時の労働者・農民にとっては、幼年期に会得した会話的なコトバを離れ、つまり、父と母から引き継いだ生活を一旦カッコに入れ、自分たちの共同体の上に覆いかぶさっている〈もっと別な層〉の制度の中に入り込もうとすることに他ならない。しかし、そこに広がっている文化とは、おそらく、まったくもって彼らとは無関係な、彼らの存在自体を否定するようなやりかたで続いてきた〈祭式〉によって支配された文化だったのである。

ここから話を、中南米の識字教育におけるいくつかの試み、たとえばパウロ・フレイレの仕事やアウグスト・ボアールの民衆演劇に接続させてゆきたい気持ちもある、が、ここでは覚え書きだけで先に進もう。フレイレの研究者である教育学者の里見実が『ラテンアメリカの新しい伝統』（一九九〇）で語っているように、文字を獲得するという作業は、演劇や討論といった〈現実をちょっと持ち上げてみるための、テコであり、道具〉であるような「場」と同時に普及させてゆくことが大切なのだとここでは確認だけしておこう。ある場所に集まって、みんなで話しながら、映像および文字を見ること。この運動の中に、もう一度「シネマトグラフ」という装置を置いて考えてみることは出来ないだろうか。

## 書かないことは何を意味するのか

谷川雁は労働者たちに「書く」ための場所を与えようと試み、吉本隆明は「書かない」人たちを設定することで自身の言語論を権力論に直結させようとした。二人の背後には『精神現象学』でヘーゲルが描いてみせた、およそ三千年にわたって脈々と組み上げられてきた「書くこと」による精神の発展史があり、つまり、ヘーゲルの「意志論」を引き継いでいることにおいて彼らは、マルクスと同じように、一九世紀的哲学の正統後継者である。

そしてヘーゲルからマルクスへと流れてゆくこのような思想をローカライズし、自国であるロシア帝国の現状に適用することを通して、〈常住的に話すから生活するという過程にかえる人々〉、〈書こうとすればたちまち傷つく人々〉を主体とした政権を樹立することに成功したのが、ウラジミール・レーニンとレフ・トロツキーであった。

彼らは自らの党を指導し、「労働者階級」を中心とした「ソヴィエト」を世界ではじめて国家権力の座に就かせた。これまでの論を踏まえて語るならば、レーニンとトロツキーは歴史上はじめて、

「書かない人々」として生活してきた階級を「精神」の舞台へと登場させたのである。

　レーニン&トロツキーは、吉本的に言うならば、〈個人幻想〉および〈共同幻想〉の領域を十二分に理解している「知識人」である。そして、しかし、彼らが権力を引き渡したかった人々は、言うなれば〈対幻想〉から離脱しない、「話すこと」に自身の文化的基盤をおいて暮らす〈大衆〉たちであった。このような政権において、その「文化」とは具体的にはどのようなものであるべきなのか？それは「書く」ことを通して、〈対幻想〉の中に居る人たちをその外へと連れ出すようにして実現されるべきものなのか？　一九世紀的に考えるならば、そのような作業を強行することをもってしか「歴史」は進行しないだろう。だが、しかし、ここでわれわれは、もしかすると、「話すこと」を元手にしたまったくあたらしい文化＝権力の実現へと踏み込むそのスタートに立っているのかもしれない……このような直感はレーニンとトロツキーをほとんど震撼させたであろう、と、吉本隆明は述べている。

> ロシア政治革命が、一応成立した時期に、レーニンとトロツキーをもっともおびやかした問題は、大衆（プロレタリア）が自らきずく文化が、資本制にいたるまでの人類の全体の文化を大衆が摂取し完全に吸収したうえでなければ、けっして成立しないものだという認識であった。この茫漠として、いつ達成されるかわからないような課題に直面したときのレーニンとトロツキーの焦慮は、その言説のいたるところでばらまかれている。［…］かれらを真におびやかし戦慄

> させたのは、もともと政治体制の幻想的な革命である政治革命が社会革命を意味するものでないことを、理論的には熟知しながらも、現実にその問題に直面したときの断層のすさまじさであった。かれらが権力を奪取したとき、じつは歴史の吹きっさらしのなかに裸のまま孤立していることを、革命とはそういうものであることをはじめて実感として体験したといっていい。
>
> （一〇四頁）

レーニンが死去した一九二四年、トロツキーは革命前後に書いた芸術論をまとめた『文学と革命』を刊行し、そこで彼は、ロシアにおけるプロレタリア独裁はきわめて短期に終わるはずのものであり、その時間は何らかの「文化」を生み出すための役には立たず、つまり、〈プロレタリア文化はいま存在しないだけでなく、将来も存在しないだろう〉という見通しを立てている。キッパリしていて良いですね！　必要なのは「プロレタリア文化」ではなく、人種も民族も階級も国境も越えた「人類文化」へと続くその道筋を作ることなのだ。そして、そのために必要な作業は、もしかすると「字を書くこと」によって刻まれて来たこれまでのすべての歴史と文化から**完全に手を切る**ということなのかもしれないのである。

このことを次のように言い換えるならば、トロツキーらが感じた戦慄を少しは追体験出来るかもしれない。つまり、**もっぱら口約束だけで議論を進行させ、契約を結び、鉄道と水道を整備し、都市を、そして、国家を運営することは可能か？**……最終的にはそのような問いにまで辿り着くだろう「プロレタリア文化」を巡るテーゼについて、日本を代表する変態的トロツキストである平岡正明は、「**プロレタリア独裁期にふさわしい文化は焚書坑儒である**」と表現している。なんと乱暴な！

平岡は、全共闘運動についての自身の意見をまとめながら、たとえば『ボディ＆ソウル』（一九八一）においてこんな論調で「プロレタリア文化論」を展開している。

> たしかに現状態の人民には国家を運営することはできない。それこそえらいことになる。しかし、革命に勝利したか勝利しつつある人民は、現在とはちがうのであり、このくらいのことはできるまでに革命の火で自分を鍛えている。統計屋は言うだろう。そんなことをしたら生産力は低下し、生活水準は落ち、人民の物質的消費生活の面が現在より悪くなる、と。これに対しては、そのとおりだと答えるよりない。反革命、抵抗するブルジョワジー、帝国主義干渉軍、そして人民がまだ不慣れだということから、一時、飯の量も減るだろうし、生活の享楽的側面は減少あるいはゼロになる。しかしそれは我慢するのだ。それが我慢できるだけ革命は苦労のしがいのあるものであって、それが革命の精神であり、革命の根性である。
> おまえは夢を語り、しかも単純な夢を語るといわれても平っちゃらだ。尻をつねられたくらいで、この夢を捨てるわけにはいかない。
> あとは革命の具体性が決めるのである。
> （一二九頁）

うーん、野蛮ですねェ。オソロシイですねェ。だがしかし、ぼくたちの世界史はこれまでに、確かに一度はこのような文化のとば口にまでは辿り着いていたのである。

レーニンの死後、トロツキーはソ連から追放され、一九四〇年にメキシコで暗殺された。その名と業績は一九五〇年代まで封印され、彼らの路線を完全に放棄した「ソヴィエト社会主義連邦共和国」は、その後、スターリニズムの徹底によって、まさしく「書くこと」に支配された官僚的権力の一大温床と化すことになる。しかしこれはまた別の話だ。

ぼくたちがここで考えたいのは、ひとつは、吉本隆明や谷川雁が考えていた〈大衆〉というカテゴリーを、現在SNSにアクセスし、情報をチェックし、映像を投稿し、なんらかの「書き言葉」をそこで発信している人たちに適用してみるということである。この作業は必然的に、彼らが考えていた「書かない」人々としての〈大衆〉という概念を、二〇世紀から二一世紀へと渡ってゆくぼくたちの時代において捉え直すことに結ばれるだろう。

そしてもうひとつは、ゴダールの言う「思考するフォルム」は現在、あるとするならば、どこに、どのようなかたちで存在しているのか、という問いである。ぼくたちのスマートフォンは、映画始原の時代におけるエディソン式閲覧スタイルが回帰したものである。このことはすでに、レンタルヴィデオ時代に山田宏一によって指摘されていたことであるが（『エジソン的回帰』（一九九七））、トーキーの登場からおよそ一〇〇年、ぼくたちのイメージと音響と「言葉」による表出のスタイルは、液晶モニターの上でどのように切り結ばれているのか。そしてその切り結びから生まれる力は、現在、どのような「思考」に向かって働いているのか。

この本のタイトルにもなっている「ツイッター」の日本語版がはじまったのは二〇〇八年の四月——英語ヴァージョン以外では初のサービスだったとのことだ。周知の通り、このサービスは買収と社名変更を経てすでに存在しない。跡地で継続されているサービスがこれから先どのような状態になってゆくのかについても不明のままである。サービスの目的と質が変わり、ユーザーがどんどん他のSNSに流出し過疎化が進み、もしかするとわずかホンの一〇年のちにはもう、「あーそういうの昔あったねー」でこの話は終わるものとなっているかもしれない。もう誰も無声映画がどのように見られていたのかを具体的には覚えていないように、その時の映像と音響はまたまったく異なったアンサンブルでもってぼくたちの「表出」を支えるものとなっているかもしれない。しかしそれでもやはり「発生の本質」は現存をつらぬいているだろう。以下、吉本に、あるいはゴダールに倣って、まるで古代の歌謡を眺めるようなやり方でもって、現在目の前で瞬いているイメージの厚みの中にしばらく潜り込んでみることにしたい。

# 第20章　熟議と書くこと、民主主義と話すこと

二〇二三年の春現在、この原稿を書いているPCのインターネット・ブラウザ（普通にgoogle chromeである）を立ち上げて、「お気に入り」表示のアイコンから「Twitter」を選んでクリックしてみる。ツイッターのアプリが起動して、「いまどうしてる?」と書かれた書き込み欄の下に、フォローしているミュージシャン（四人）の書き込んだものと、彼らがリツイートした投稿と、彼らと関係のありそうなアカウントからの投稿と、「宝くじ公式アカウント @takarakuji_qoo」といった、「#」がいくつも貼り付けられた広告らしき情報が、クリック一発で読める状態になってスクロールを待っている。

その右側には「トレンドトピック」が並んでおり、一番上に出ていたのが「Twitter 消滅」という文字だったので思わず笑ってしまったが、その下には「おすすめユーザー」として、ぼくのアカウントをフォローしてくれている友人たちのアイコンと名前が並んでいる。

ページ上部に「キーワード検索」の窓がある。「大谷能生」と打ち込んでみる。表示された「最新」のものを見ると、その一番上には「批評ｂｏｔ @Kritik_bot」というロボット?が投稿した、い

つかどこかで書いたであろうぼくの言葉を（勝手に）引用したものが並んでいる。タイムライン上には広告の投稿を挟みながら、今度登壇する三鷹ＳＣＯＯＬでの告知情報などが掲載されている。

このイベントの告知を、あらためて自分のアカウントから投稿してみる。

４／25「音楽というフィクション、批評というフィクション」＠三鷹ＳＣＯＯＬ ｏｐｅｎ 19：00 ｓｔａｒｔ 19：30 出演：大谷能生、佐々木敦 料金：予約１５００円 当日２０００円

と書いて、「ツイートする」というボタンを押して投稿する。「投稿する」といま何度も書いているが、多くの人にとってすでに「投稿」という言葉自体が縁遠いものなんだろうな……ぼくの世代では、何かを書いて投稿するということは、と書き進めてゆくうちに、もうすでにツイッターの画面には、先ほどの投稿に「いいね」で反応した人の「通知」が表れており、いまこれを書いているその瞬間に「scool」から「リツイート」されたという表示が入った。

このまま見ていても面白そうなのだが、一旦、夕飯を食べるためにＰＣの前から離れてみることにする。最初に書きましたが、ケータイ不携帯なので、このＰＣから離れると自動的にネットからの情報もぼくには入って来なくなるのである。

ビールを飲みながらチキンカレーを作って食べて、猫様（三匹）たちにもご飯をあげて、読書して眠って起きてお茶を入れて、いま再び仕事部屋に戻ったところだ。ツイッターに再びアクセスして

みよう。

オープンした画面は基本、変わってないようだが、「通知」のアイコンに「8」という文字がある。開いてみると、「sho1roさんと他18人があなたのツイートをいいねしました」、「Jun Okuboさんと他9人があなたのツイートをリツイートしました」等の「通知」が並んでいる。なるほど。こうしたかたちで、自分が発信した情報が誰かに読まれ、それが転送され、拡散されてゆくプロセスを（擬似的に）体験できるようなシステムがSNSの特徴の一つなのであろう。

この本のための資料として、ここしばらくSNSについて分析した書籍を読んでいるのだが、バージニア大学メディア研究教授であるシヴァ・ヴァイディアナサンの『アンチソーシャルメディア』（二〇一七）に、自身のフェイスブックについて書かれた以下の様な一節があった。

私のニュースフィードに流れてくるマテリアルの質をじっくり検証したら、かなり多岐にわたっているだろう。政治的なものもあれば単なる広告もある。部下や元同僚、仕事関係者の投稿が多いので、職業的だともいえなくもない。

なかでもいちばんのお気に入りは、姪っ子たちをはじめ私が心から愛する人々の投稿だ。愛犬と娘の写真のような投稿のいくつかは私の琴線に触れたが、全米ライフル協会の動画は私を怒らせ、ヤンキースのジャージを着た3歳児の写真は私を笑顔にさせた。深く考えさせられる投稿はなかったが、どの投稿もなんらかの感情を引き起こした。

そして、投稿には必ずといっていいほどたくさんのコメントがつく。フェイスブックはそのコメントのほんの一部を、私のトップページに表示する。[…]

ニュースフィードの投稿をひとつもクリックしなければ（よくあることだ）、流れる画像を見るだけで終わる。しかし大抵、そうはならない。画像はなんらかの感情を引き起こし、その感情がさらにコメントや反応を呼ぶ。おまけに、その投稿をシェアする行動を引き起こし、「友達」グループへとそれが広がっていく。

さらに、画像のスクロールは、壁に囲まれたフェイスブックの庭を出た、外界のコンテンツとの深い交流を阻む。フェイスブックは、コンテンツの元ページではなくフェイスブック内でコメントをするようにうながす。ニュースフィードはもっと多くの――そしておそらくもっと重要な――感情を揺さぶる刺激がもう少し下にありますよ、と約束する。

加えて、リンク先をクリックすることは代償をともなうことを耳元でささやいてくるのだ。リンク先に飛んでしまえば、フェイスブックを中断するわけだから喜びが得られなくなる。ニュースフィードに戻るころには、新たな投稿がどんどん表示され、そのまま見ていれば見られていたであろう、かわいい子犬の写真や衝撃的な事件の記事、家庭の最新情報を見逃してしまうかもしれないのだ。

（八一～八三頁）

長くなりました。ツイッターとフェイスブックは異なった性質を備えたＳＮＳである。と、いうことを前提にしながら整理してみると、「壁に囲まれたフェイスブックの庭」という表現からもうかがえるように、著者はこの一文で「フェイスブック」を「その外側にある情報を遮断し、その内部だけで情報をやりとりさせる傾向を強く持ったメディア」として描こうとしているように思える。まとめてみると、

①それは「私」ときわめて親しい人からほぼ無関係な人まで、雑多な個人・法人が投稿した画像・情報の集合体である。

②その情報はそれを見た人に「なんらかの感情」を引き起こす。ユーザーはそれに対し「コメント」「反応」「シェア」といった行動でアプローチする（または、しない）。この反応は「友達」グループへと広がり、共有される。

③投稿の表示とそれに対する反応の連鎖は、その外側にある「リンク先」の「コンテンツの元ページ」との「深い交流を阻む」。その閲覧の中断は、「感情を揺さぶる刺激」によって「喜びが得られなくなる」ということを「耳元でささやいてくる」。

――フェイスブックだけではなく、このような「延々とページを見てしまう」というSNSの中毒性に関する指摘は多い。フェイスブックやツイッター、または検索エンジンであるグーグルは、ユーザーが登録しているデータや検索内容、閲覧ページの傾向、アップした情報やその行動記録を分析して、そのユーザーと「関連性の高い」コンテンツを配信するアルゴリズムを備えている。

SNSは、ネット上に膨大に集められた情報のフィルタリングをおこない、各ユーザーに適した

情報のバブルを作り出してアクセスする人を包み込む——そしてユーザーは往々にして、アルゴリズムが提供してくれる情報が自分用に調整されたものであることについてを意識することはない……今ではほぼ当然のものとして多くの人に受け入れられているこのようなSNSの傾向について、イーライ・パリサーが著書『フィルターバブル』において注意を促したのは二〇一一年のことだという。すでに一〇年以上も前のことだ。かのビル・ゲイツも「メール・ニュース・サービス」の普及によってこのような「情報のカスタマイズ」は実現されると予言しており、そして、現在、こうしたカスタムされた「記事配信」は、特別な契約を抜きにして、SNSというコミュニケーション・ツール上ですでに実行されている——しかもそれは、それが「カスタマイズ」された情報だと気が付かないほどきわめて自然なかたちで、ユーザーの生活に入り込んでいるのである。

### フィルターが前提となった情報

自分が見たい情報ばかりに取り囲まれる「フィルターバブル」。そのような閉ざされた環境の中で特定の情報の存在感が拡大してゆく事態を指した「エコーチェンバー」と「サイバーカスケード」。こうした情報環境において陥りやすい、自らの考えを承認・証明してくれるアカウント以外からの情報を拒絶する「確証バイアス」。フィルター外の情報に対して耳を閉ざすために投げ付ける「フェイクニュース」と言う断言……インターネットとSNSによる情報環境の変化をテーマにした著作の多くが、このような用語でもってSNS上の「情報」との付き合い方に対して注意を呼びかけている。

SNSでやりとりされる情報は、それが善意からのものであれ、マーケティング戦略から生まれたものであれ、いずれにせよ、そのアプリケーションのアルゴリズムによって取捨選択された、それぞれのユーザーに「個別化」された情報である。わたしたちはそのことをよく理解し、互いが持っている情報の異なりを前提として、ソーシャルメディアをあらたな「公共」として受け止め、そこに相応しい熟議の仕方を身に付けなくてはならない。——と、まあ、こうした話は、いまでは誰もが理解しているような、ほとんど常識的な案件であるだろう。

オバマ政権下で情報・規制問題局（OIRA）長官を務めたキャス・サンスティーンは、『#リパブリック』（二〇一七）などの著作において、アメリカ建国時の憲法理念を読者に思い起こさせるという手続きを踏みながら、「熟議的民主主義モデル」の価値を擁護している。政権の実務に携わる彼にとって、SNSの特徴を分析し、その適切な使用により「うまく機能している民主主義体制」を維持することは喫緊の課題であっただろう。

合衆国憲法は君主制の伝統を断固拒絶すると表明しており、憲法の起草者は（「貴族の称号」を憲法で明確に禁じ）主権を君主から「われら人民」へと意識的に移したのである。この決定はゴードン・ウッドの啓蒙的な一節である「アメリカ独立革命の急進主義」に相当する。同時に建国者らは国民の激情や偏見を非常におそれて、政府が国民の願望をそのまま法律に盛り込むことを望まなかった。［…］

建国期において、代表制および抑制と均衡のシステムは国民と法のあいだに一種のフィルターを作成することを意図していて、フィルターを通して現れてくるものが熟慮されており、なおかつ十分な情報にもとづくことを保障しようとした。同時に、建国者らは「市民の美徳」という概念を重視し、政治の参加者に、狭義の自己利益以外の何かに献身する市民としてふるまうことを要求した。

（六二～六四頁）

もう一つ、続きの部分も引いておきます。

最近の評論家の多くは、世界史上はじめて、直接民主制のようなものが実現可能になったと述べている。今では、市民は毎週でも毎日でも、政府になにをしてもらいたいかを訴えるようになった。たしかに、一部のウェブサイトは市民がまさにその通りの行動をとれるように作られている。[…]しかし憲法の理念の点から見ると、ツイッターやフェイスブック、あるいはそれらに代わると思われるものを介しての直接民主制は賞賛できるような代物ではないだろう。むしろ、それは建国時の大志をいびつに歪めたものとなるだろう。最初に意図していた熟議を促すという目標を徐々にそこなうだろう。アメリカの制度が直接民主制であったことはかつて一度もなく、優良な民主主義体制は、個人の意見の断片を適当に寄せ集めるだけではなく、情報と塾考にもとづく決定を保障しようとする。

（六五～六六頁）

連続長文引用失礼。ここでサンスティーンが述べているのは、「表現の自由」とは、アメリカ合衆国にあっては、それがネット上のものであれ、マスコミにおけるものであれ、それはそもそも「熟議」によって「優良な民主主義体制」を実現するために選択された権利であって、それは最初から何かしらのフィルターを前提にして構成されるものなのだ、ということである。

## SNSでの熟議は可能か

サンスティーン、および、多くの「優良な共和制民主主義」の価値を信奉する論者たちにとって「表現の自由」とは、「**熟議**」——つまり、人々が「熟考」しながら「議論」するために必要となる権利であり、そして、そのために、その「権利」は最初からフィルター装置コミで発案されたものであって、「熟議」という目的を抜きにした「表現の自由」の擁護は、たとえそれがSNS上のものであっても難しいものだと把握されているようだ。

逆に言うならば、SNSがそのアルゴリズムによってかけているフィルターは、ユーザーに「熟議」を生み出す方向で設計されるならば、それは（合衆国の理念的には）正当なものである、と言うことである。しかし、SNSのフィルターは現在のところ、「フィルターバブル」「エコーチェンバー」「確証バイアス」などの効果によって、「熟議」ではなく「コミュニケーションの分極化と断片化」を推し進める方向で働いているように見える——サンスティーンらによると、「まともに機能する民主主義国の前提」を支える「表現の自由システム」のカギは「**偶然の出会い**」と「**共有された経験**」の両輪であって、しかし、SNSによってぼくたちの言語活動に加えられる「フィルター」は、そのどちらをも大きく、しかもその大きさに気が付かせないようなやり方で損なわせる機能を持っているである。

しかし、ここでふたたび確認しておきたいのだが、ぼくたちの「言語活動」が成立するためには、それが「熟議」にもとづいたものであれ、または過大にフィルタリングされた超個人的なものであれ、どちらにしても、それを運営するための〈主体〉と〈素材〉と〈場面〉が揃っていることが必要である。ぼくたちがおこなう言語活動の基盤となっている「会話」という行為には、話す〈主体〉と聞く〈主体〉がその役割を刻々と入れ替えながら、現在取り扱っている〈素材〉についての意見をまとめてゆく〈場面〉の展開が含まれている。サンスティーンが述べる「熟議」とは、おそらくこのようなかたちで繰り広げられてゆく言語活動を、まず、指しているのだろうと思う。

そして、しかし、すでに書いたことの何度目かの繰り返しになるが、SNS上でおこなわれるものであれ、書面によるものであれ、文字による「読み書き」による言語活動は、複数の主体によって同時におこなうことが出来ない、自分一人で自身の上に〈場面〉を広げてゆくことでしか成立しない、根本的に孤独な行為なのである。**つまり、読み書きとは根源的には「共有されない経験」なのだ。**

アメリカ合衆国がはじまった時代の、つまり、ぼくたちの世界の近代のはじまりにおける「ことば」についての議論を、ヘーゲルの『精神現象学』から再び引用しよう。

ことばは他にたいして存在する自己意識であり、自己意識が自己意識として直接に目の前にあり、そのようなものとして広く受けいれられるすがたがことばである。ことばは自分から切り離された自己であり、純粋な「自我＝自我」として対象化されつつ、この対象化のなかで個としての自己を守りつづけるものである。と同時に、直接に他の人びとと合流し、他の人びとの自己意識ともなる。ことばにおいて自己はおのれを聴取するとともに、他の人びとに聴取されるのであって、聴取とはまさしく存在が自己になることである。

（四四一頁）

この中での〈**と同時に**〉というところがポイントで、ここでヘーゲルが述べているのは、「書くこと」によって自身に向かって「自己表出」性＝自己意識を高められた「ことば」の存在と、それが実際に、あるいは個人の内面で「他の人びと」に「聴取」されることによって生まれる「指示表出」性の存在がこの両面性を持ったコトバの機能によって、ぼくたちの「精神」は育まれるということである。

民主主義の精神にとっては、言葉は「書く」ことと同時に「話す」＝「聞く」ものであるということが不可欠なのだ。「書く」という作業は、繰り返すが「話す」こととは異なった言語活動である。「書く」ことを「話す」ことと同義か、またはその「写し」であるとみなすことによって、ぼくたちの言葉＝精神は〈直接に他の人びとと合流し、他の人びとの自己意識ともなる〉ような領域を生み出してきた。このような場所を支えてきたのが、西欧形而上学における「音声中心主義」であることは明らかだろう。

「書く」ことよって「熟議」を成り立たせるためには、文字をそれが書かれたメディアから切り離し、それを読む人々のそれぞれの内面で同じように、いわば透明に鳴り響かせるための制度が必要となるのである。また、逆に「話す」ことによっておこなわれた議論は、そこにあっただろうデコボコした〈場面〉を常に、恒常的に、均質化された「書く」ことの空間へと送り込むための装置の働きに従って、ぼくたちは「ひとつの理性」＝「透明な声」を持った存在として生成されてゆく（もしかすると、「無意識」とはこのような「話すこと」を「書くこと」へと送り出すパワーによって充たされているものなのかもしれない）。そして、SNSにおいては、現在、フィルターによる情報の偏りよりもむしろ、このような「透明な声」というフィクションを巡る力の配分／再配分こそが、ぼくたちの言語活動を活性化させる大きな要因となっているのだとぼくは思う。

「書く」ことと「話す」ことが軋みの音をあげながら交錯するツイッターにおいて、そのコンフリクトが生み出す力を自身の商業的・政治的威力のために最大限に活用することに成功したのが、他ならぬ、第四五代アメリカ合衆国大統領ドナルド・トランプなのであった。

# 第21章　ドナルド・トランプと「祭式」への参加者たち

第四五代アメリカ合衆国大統領ドナルド・トランプの選挙活動の成功は、SNS上で展開される彼のパフォーマンス抜きでは有り得なかった、というのが大方の（まあ、すべての）識者の意見である。すでに過去に属する事柄だが、彼のフェイスブック及びツイッターのアカウントは「暴力の賛美」を禁じる規約に違反したとして凍結されている。二〇二一年一月六日、ジョー・バイデンの大統領選挙戦勝利認定審議中の連邦議会議事堂を市民が襲撃した事件を彼が肯定し、また、その後も扇動するような様子を見せたから、というのがサービス側の判断であるらしい。

どちらも無期限／永久凍結という厳しい処分であって、八八〇〇万人超という膨大なフォロワー／視聴者を持ったメディア@realdonaldtrumpにおいて彼がこれまでどんなパフォーマンスを繰り広げてきたのかは公式には見ることが出来ない状態のまま時代は次の大統領選挙へと向かっている（……と書いた直後に、イーロン・マスクによってこの凍結は解除された。いやはや！　時代の流れはこんな「書き文字」では乗り切れないほどの大濁流ですね）。

トランプはすでに独自のSNSを立ち上げ、また、元大統領として初めて被告人として法廷に立ち、これまでの彼のＳＮＳへの投稿はアメリカ国立公文書館によって収集・保存され、近いうちに公文書としてアクセスが可能な場所に置かれることになるとのことである。

連邦議会襲撃事件は、六〇年アンポでも実現できなかった「一般市民による国家重要機関への突入」ということで、ウヨサヨの別は抜きに極めてメモリアルな出来事だと思うのだが、このような市民の激しい感情と行動を呼び覚ましたトランプの言説について、「どんな感情をもつことでも、感情をもつことは、つねに、絶対的に、ただしい。」「あらゆる感情が正当である。われわれは感情をこころの毒液にひたしながらこっそり飼い育てねばならない。感情だけはやつらに渡すな。」という、あまりにも有名な平岡正明テーゼを思い出しながら考えてみておいても損はないと思う。

ツイッターでのやり取りから生まれる「感情」も、それは、「つねに、絶対的に、ただしい」。しかし、おそらく、問題となるのは、それらを「こっそり飼い育てねばならない」「われわれ」と、それを渡してはならない「やつら」とは、現在いったい、どのような存在を指し、それはどのような関係にあるのか、ということについてである。

## ドナルド・トランプという祭司

いまさらながら、グーグルを使って、試しに「ドナルド・トランプ」と検索してみる。

このＰＣで、インターネット上で、この単語をグーグルに入力するのは初めてのことだ。すると〇・三七秒の検索時間で約二六〇〇万件のヒットが表示された（二〇二三年四月におこなった検索である。現在はどうですか?)。

多いですね! トップに来ているのはウィキペディアの記事のページである。グーグルの検索アルゴリズムがどのようなものかこちらはまったくの素人なので想像するしかないが、これが日本語のグーグル検索で一番読まれている情報なのだ、ということであろう。

クリックして読んでみる。現在の記述は、〈ドナルド・ジョン・トランプ(英語:Donald John Trump、1946年6月14日-)は、アメリカ合衆国の政治家・実業家。第45代アメリカ合衆国大統領(在任:2017年1月20日-2021年1月20日)。不動産業の富豪として著名になり、リアリティ番組の司会などタレント業も行ったのち、2016年の大統領選に共和党から出馬して当選し、合衆国大統領を一期務めた。〉……ところどころ単語にはリンクが貼られて、別の情報に飛ぶことが出来るようになっている。その下に「来歴」、「大統領就任前の経歴」、「大統領退任後」、「メディアへの露出」などなどかなり突っ込んだ記事が並び、脚注、参考文献、関連項目、外部リンクまで含めるとクラクラ来るぐらいの、さすが話題の前・大統領というヴォリュームである。

内容に関してはいまさら引用することもないですよね。グーグルにはウィキペディア以外にもとにかく膨大なページが表示されており、あらためていろいろと辿ってみると、読売新聞オンラインの記事(二〇二〇年一〇月二八日 一五時更新)として「トランプのツイッターの利用の仕方」に関する分析があった。

史上初めてSNSをフル活用するアメリカのトランプ大統領。初当選した前回の大統領選からツイッターを駆使し独自のメディア戦略を取っている。就任後、トランプ氏の公式アカウントの投稿はさらに過激化し、自身の意に沿わないメディアや団体を感情的に攻撃したり、真偽のあいまいな情報を拡散したりと、物議を醸すツイートは後を絶たない。読売新聞はトランプ氏が就任した2017年1月20日朝から2020年9月30日夜までのツイッターのデータ2万3110件（リツイートを含む）を取得し、内容を分析した。つぶやく頻度や多用する言葉、二転三転する対応などを詳細に調べ、トランプ氏がツイッターをどう使ってきたのかを見てみよう。（読売新聞　丸山公太）

トランプは大統領に就任した二〇一七年一月二〇日の演説後、二二分間のあいだに連続で一〇のツイートをおこない、「2017年1月20日は人々が再びこの国の支配者に戻った日として記憶されるだろう」などと投稿している、とのことである。

リンクを辿ってトランプ・アカウント・ツイッターの跡地に行くと、彼の投稿に対するフォロワーの（あるいは、単にそれを目にした人の）コメントはまだ表示されていて、たとえば、二〇一八年二月二七日に彼がツイートした「魔女狩りだ！（WITCH HUNT!）」という言葉に対して、支持者側・非支持者側両面からおこなわれた膨大な数の返信を読むことが出来る。シリアスな反応から彼を揶揄するGIF、コラージュ、絵文字のみのもの、「#LOCKHIMUP」その他のハッシュタグ、また、途中から書き込んだ人どうしの返信合戦までバンバンはじまって、四〇〇本ぐらい読んだところで力尽きて、書き込みの全体像を把握することは諦めた。さすが最大八八〇〇万フォロワーのアカウント！　もの凄い数の「表出」がここにはある。

## 「読み手」を欠いたまま遂行される「言語活動」

読者にこれだけの量の反応を呼び覚まさせたのは、彼のツイートの内容が扇動的であったこともちろんだが、ツイッターというサービスに備えられた「返信」および「リツイート」という機能の働きに拠るところが大きいと思われる。

日比嘉高は、津田大介との共著『「ポスト真実」の時代』(二〇一七)において、ソーシャルメディアの特徴の一つとして、その「参加者同士の相互関係性」の複雑さを指摘している。

ソーシャルメディアは、情報の作成者と享受者の区別が入りくんでいるところに特徴がある。フェイスブックを例にとろう。フェイスブックでは、利用者自身によるオリジナルな記事が投稿されることもあれば、単に新聞記事へのリンクをコメントなしでシェアするだけのこともある。またニュースや他の投稿者の記事をシェアする際、利用者自身のコメントや気分をつけ加えて投稿されることも多い。そしてそうした投稿には、その読者である他の利用者からのコメントが付けられたり、「いいね」「ひどいね」などの感情を表す反応が付けられたりする。反応が大きければ、それだけその記事は拡散しやすくなる仕組みにもなっている。ソーシャルメディアのコンテンツは、オリジナルの情報と、利用者たちが相互的に関わりながら生成するコメントや感情の記号などとが複合的に結ばれあって形成されるのである。情報の制作者と享受者の区別が入りくんでいるというのは、こうした意味である。

（二七〜二八頁）

ある人が書いた情報――トランプの発した「魔女狩りだ！」という言葉に対し、それを読んだ〈享受者〉がそこに書き込みをおこない、それを読んだ人がさらにその言葉に対してコメントし、さらに……というかたちで、ソーシャルメディア上の情報は〈複合的に結ばれあって形成される〉。ＳＮＳでは新聞や雑誌、ＴＶといった二〇世紀型のマス・メディアに存在していた発信者と受信者のヒエラルキー的区分が前提とされておらず、そこで情報はトップダウン式ではなく双方向性的なかたちでやりとりされるのだ。

自分の発した情報が、そこに追加・上書きされた知らない誰かの、自分が書いたものではない内容とコミで周囲に受け止められ、流通してゆくことになるという状況――ＳＮＳでやりとりされるコトバが引き起こすトラブルの原因の一つはここにあるだろう。

しかし、あらためて考えてみれば、こうした「情報の作成者と享受者の区別が入りくんでいる」のは、会話の場面においてはきわめて普通の状態である。むしろそれは当然のものであって、会話の話し手は、聞き手の言葉に寄り添うようにして自身の発話の内容や口調を調整する。聞き手は会話のその時々に合いの手を入れ、意見があればその話題を引き取り自分が知っているエピソードをそこに付け加え、複数人での会話はそのように、〈情報の作成者と享受者の区別〉を入り組ませながら進められてゆく。SNSは新聞などの他のマス・メディアと異なり、このような「会話」に代表される「情報の双方向性」を色濃くたたえたメディアなのである。

ドナルド・トランプの「魔女狩りだ！」という言葉は、それがもし自身の補佐官との会話で発せられたものだった場合、それは言語活動を成り立たせる〈主体〉と〈素材〉と〈場面〉を完璧に備えたものであっただろう。この表現はその場合、トランプの伝えたいことを聞き手に届けるために十分に正確なコトバである（だろう）。

あらためて、問題となるは、このような「言葉」が「文字」として書かれ、それが「情報の双方向性」を強く備えたSNSのようなメディアで発表された時に引き起こされる事態についてである。トランプは「魔女狩りだ！」とツイッター上に書いたのであって、誰かに向かってそれを言ったわけではない。この言葉を「読む」ためには、彼が書いた「魔女狩りだ！」という文字の上に、その言葉を書くことでトランプが折り重ねた〈主体〉と〈素材〉と〈場面〉を読み取り、その「表出」の過程をその最後の場面から最初に遡るようなカタチで再現することが必要となるのである。

これは困難な作業だろうか？　トランプのこの一言からまず読み取れるのは、彼自身は自分で自分の文字が他者によって読まれてゆくための〈場面〉を押し広げてゆくつもりはまったくなさそうだなあ、ということである。

ここには書く主体と読む主体の交換への意志は存在しておらず、つまりまさしく彼は独り言をつぶやいているのであって、これは会話の状態であればそのヘンさが露骨にあらわれる行為であるが、しかし文章はそもそも具体的な「読み手」を欠いたまま遂行される「言語活動」なのである。だからこそ、それを読んでもらうためにはさまざまな配慮や形式が必要となるのだが、そして、このようなトランプの「言語活動」は、それが壁に書かれたものであったとすればそれはまさしく「便所の落書き」としてスルーされるようなものであろうが、しかし、SNSはその「情報主体の双方向性」によって、このような言葉の周囲にあらたな情報を次々と呼び込み、他のコトバをそこに無作為に接続することによって、「独り言」であるにも関わらずヨソから見ればあたかも「会話」がおこなわれているかのような言語的場面を作り出すことが可能なのである。

## 書き言葉が生み出す「場面」の力学

SNSがその〈発信と受信の区別がむつかしい〉インターフェースによってリリースしたのは、このような「文字」によって会話的な場面を生み出すことの力であった。たとえば、ドナルド・トランプが「Make America Great Again!」とツイッターに書き込んだとする。ここからその読み手が積極的な言語経験を得るためには、トランプがここで文字によって主催しようとしている〈場面〉を想像し、そこに入り込むことで聞き手としてそれを共有するか、または、そこに何らかのコメントを書き込むことでその「表出」を自分なりに異なった〈場面〉へと連れ出し、なんらかのあらたな文脈を作り出そうとするか、そのどちらかである。いずれにせよ読み手はここで、「書き言葉」による「会話の擬態作業」をトランプという〈主体〉と一緒におこなうことになる。

こうした場所でやりとりされる言葉による経験は、大きく分けて二つの混乱を（ヘーゲル的な意味での）「精神」にもたらす。一つは、書いた本人は「会話」だと思っているのに、もっぱらそれを「文章」として読まれるという経験。もう一つはその逆に、「文章」として書いたはずのものがいつの間にか「会話」的な〈主体〉の変遷の現場に連れ出されてしまっているという経験である。

ふたたび繰り返しになるが、ぼくたちの言語活動の基盤となっているのは、親しい人たちとの会話である。それは互いが互いの「リズム的場面」をフォローし合いながら営まれる、もっぱら社会的な、文化的な、家庭的な有用性に傾けられた、つまり、きわめて小規模かつ可塑的かつ親和的なコトバのやりとりである。

そこではたとえば「電車」の一言でこれから向かう駅と移動方法が明確に伝えられ、「母」という言葉は紛れもなく「母」である。コトバの「指示表出」性と「自己表出」性がいまだ未分化な世界がここにはある。

そしてぼくたちは、このような場所から「言葉を書く」という作業を身に付けることによって離脱する。「書く」こととは、それがどんなに小さな行為であったとしても、自身を書いた自分とそれを読む自分とに引き裂く「疎外された労働」の産物である。そこで「はは」はすでに自分の「はは」ではなく、伝統的な取り決めによって指定された文化的体系の一部分に属する「はは」である。はじめて文字を習うぼくたちは、その文字とぼくたちの声が、そしてそれまでに経験してきた家族的な世界とがどのように結びつくのか、大いなる疑問を抱えながら、自身の身体に元々は備わっていない読む＝書くという回路を、きわめて個人的な配線を引きながらインストールしてゆかなくてはならない。これは下手におこなえばそれまでの世界との接触経験を損なってしまうほどに全身的な経験であるはずだが、その作業をどうにかマスターし、文字を読み、書くことを覚えたぼくたちは、それを習い覚えたその過程自体を抑圧し、内面化し、忘れることによってはじめて「自然」に文字を読む＝書く文化へと入り込むことになるのである（ところで、初等国語教育における一五〇〇時間のカリキュラムのうち、あらためて「話す」ことの習得に特化された授業は何時間ほどあるのだろうか。「書く」ことと同時に、自身の「話し言葉」を、家庭ではない場所で受け入れられるようなカタチに整えながら互いにやり取りするための規範は、ニッポンの教育においてはどのように教えられているのだろうか？　これはいわゆる「ディベート」ともまったく違う経験になると思うのだけれど、それともぼくたちの「国語」はこの部分に関してはまったくノータッチなのだろうか？　もし、ぼくたちの文化に「演説」というものが欠けているとするならば、端的に、このような「話す」ことの範例を共有・練習・実践する時間の不足が原因なのではないだろうか）。

ヘーゲル的な近代国家の基盤にはこのような「文字の読み書き」の制度があり、また、ここに生まれる権力を分析するために吉本隆明は、そのような「精神」を支える「物質」的な存在として、「書く」ことに入り込むことのない〈大衆〉という存在を措定したのだった。

しかし、そして、ヘーゲル的な近代国家が現実において運営されてゆくその過程から、まずは「ブルジョワジー」の一群が「歴史」的な舞台にその姿を登場させ、その表象はマネの筆によって無名的な都市民へと拡張される。この本ではちらりと触れることしか出来なかったが、このような存在を描こうとした先駆者は、シャルル・ボードレールと同年生まれのギュスターヴ・フローベールだったかもしれない。彼らが生み出したイメージは〈シネマトグラフ〉を舞台にさらに全面的に展開されてゆくことになるだろう。これまで「精神」に独占されてきた「言葉」は、無声映画のスクリーンの上で〈言葉を失った者たち、排除された者たち、死に瀕した人たち〉と接続され、ここからがおそらく、ぼくたちが現在自身のモニター上で繰り広げている「映像」と「言葉」による劇のスタートなのである。

「録音された声」と「音楽」によるこの劇の「オペラ化」を経由して、ぼくたちは二一世紀の現在、「書くこと」と「話すこと」がきわめて近接しているスマートフォン上のSNSを使って、また再び「言語活動の力」を巡る闘争の現場に立っている。SNS上では、その入力の容易さと、発信の双方向性と、常時接続による過剰なまでの文脈の増加によって、「書くこと」はかぎりなく「話すこと」へと近づけられている。ここでぼくたちは、まるで誰かに話しかけるように何かを書く。しかし、やはり「書くこと」は「話すこと」とは異なり、それがどんなに小さな一文であったとしても、「いまは夜である」という命題に代表されるように、書く／読むという主体の切り離れから生まれる「疎外」の経験を稼働させてしまうものなのだ。

SNSに投稿することによって、ぼくたちは「話すこと」によって生み出される親密な言語活動と、「書くこと」に備わっている祭式性、疎外性、歴史性とのあいだで引き裂かれることになる。この引き裂かれにはぼくたちを、いまだ声と文字とが不分明だった時代、つまり、ぼくたちが字を書き習い覚えたその最初期の段階へと立ち返らせる力が備わっているのではないかとぼくは思う。ぼくたちは、おそらく、「文字」を使って「会話」をおこなうことによって、幼児期に経験した「文字を覚えるまでの過程」への退行を経験しているのである。ツイッター上の言述とは、一度は習い、そして抑圧し忘却した、ぼくたちの幼児期から青少年期へと向かう「近代化」への学習経験が「書き言葉」として回帰したものなのである。

「書く」ために排除し、忘却してきた幼児期の言語が、最大八八〇〇万もの人々が読むことが出来るような場所に次々とリリースされてゆくこと。このような場所では、「熟議」をおこなうために提出された文章も、精神の高みへと向かって組み立てられてゆく命題も、それはつねに「会話」的な有用性に傾けられたコトバによって横滑りさせられ、「リズム的場面」の段階にまで引き下ろされて、親しい人の口と口とのあいだで交わされる符号に充ちた言語活動に変換されてしまう。ある書き込みに「wwwwwwwww」というコメントを付けることは、あるいは「イイね！」というボタンを押すことは、サムズ・アップによって「文章」を「会話」にするための〈場面〉に組み込もうとする行為なのである。

これまで「書く」という行為から切り離されてきた人々は、「退行」しながら「疎外」されるというこのような二重の経験を重ねながら、あらためて、「読み書き」の文化=歴史の中に自身の姿を発見し始めている。このような「退行」と「疎外」によってリリースされる感情と力が、トランプを大統領にまで押し上げた最大の起爆剤であった……とはさすがに言い過ぎだろうか？　しかし、書かれた文字の中には「祭式」が溶け込まされており、「文字」の運営に参加することは、これまで近代的精神によって独占されてきたそのような「祭式」の主催者側に立つということであって、これは「会話」から離れないまま暮らしていた〈大衆〉にとっては、まったく未知の喜びであったに違いない。

トランプがＳＮＳ上で繰り広げる「祭式」の中には、「書くこと」を覚えるために廃棄された幼年期と、「書くこと」によって生まれる「絶対知」への運動が**同時に**含まれているのである。ＳＮＳ上で繰り広げられている「書き言葉」の饗宴は、各人が各人なりに好き勝手にこのような「祭式」を立ち上げ、文字の読み書きに宿っている根源的な力をリリースすることの興奮から過熱化しているのだとぼくは思う。大統領選の、そして議事堂を襲撃した人たちの熱狂は、書くことによってリリースされた孤独な興奮を、ふたたび実際の集団の中へと、「**共有された経験**」**を得ること**へと向かって差し戻そうとする欲望から生まれたものなのではなかっただろうか。

このような「書くこと」および「読むこと」による孤独な興奮は、まったくもって秩序壊乱的な感情である。ヘーゲル的な世界においては、むしろこのような孤独を引き受けることが「公（おおやけ）」という概念の支柱とされていたはずである。しかしぼくたちは現在、書くことによって子供時代に引き戻され、ぼくたちが社会の一員として成人するために抑圧し、廃棄し、切り捨ててきた自身の幼児期とともに、まったくの「私（わたくし）」のまま、インターネットという書字の公道の中に姿をあらわすことが可能となっている。これまでの歴史過程からは無視されてきた〈放尿の働き〉としてのお喋りに「文字として展開される精神の劇」を接続させたものが「ツイート」であって、ここに呼び込まれて来る書き手のほとんどは、おそらく、「私がだまっているからといって／何も考えていないと思ったら／それは大間違いよ」と、無声映画の誕生の時代から沈黙を続けていた〈書こうとすればたちまち傷つく人々〉なのであった。

さて、しかし、現在のSNSにおけるメインのコンテンツは、「映像」の投稿と閲覧であって、言語はそこでは、映像という非言語的な表象を修飾し、言語化し、コードに巻き込み、ぼくたちの「有用性」に取り込むための装置として、もっぱら使われているように思う。逆に言うならば、どれだけ大容量のデータがやりとり出来るようになっても、映像はそれが「言語活動」化されるためには「言葉」を必要とする、ということであるが、ロラン・バルトが慄いた〈始原的レアリスム〉が引き起こす〈エクスタシー〉は、または、ゴダールが述べた「思考するフォルム」に備わっている〈驚くべき力〉は、現在、どのような状態で、SNS上にアップされているのだろうか。

# 第22章　〈喩〉と録音物、「ツイッター」と詩と批評

現在のSNSにおける「表出」を支えている条件について、これまでのメディア環境と比較しながら考えてみると、およそ以下のような特徴が取り出せるのではないかと思う。

①機材の個人使用化・高性能化（による視聴の私有化。エディソン的映像への回帰）
②音響と映像の同期化（による表現の変化）
③文字情報の入出力の簡便化（による書き文字の会話化）
④常時接続化（による情報のフルタイム・トレード化）
⑤大容量通信化（によるマス・メディア的プログラムの一般化）

だいたいこれくらいだろうか。メディア史的に捉えるならば、二〇世紀いっぱいをかけて映像・音響作品のそのどちらも、視聴覚のスタイルは「大勢で一緒に」から「一人で自由に」をスタンダードにする方向へと進んで来たように思われる。

「文字」による表出は、印刷文化がスタートしてから率先してこの変化を体現して来た。つまり映像と音響の「個人ユース化」はその「文学」＝「黙読」的経験へのシフトだと考えることも出来るわけだが、スマートフォン上で扱われる映像と音響のそのほとんどには、現在、ものすごい数の「文字」が弾幕のように重ねられ、ぼくたちは「映像」をそれが伝達しようとする「意味」へとひたすら還元しながら、次々とリンクされてゆく情報を指先でくるくる捲ってゆくという行為を日々、一般的なものとして経験している。

「映像」には〈場面〉がない、とぼくはこれまでに何度か書いてきた。これはもちろん時枝誠記の「言語過程説」を引き受けての話であり、視覚像はそのままでは「言語活動」を構成することは出来ず、それは「話すこと／聞くこと」「書くこと／読むこと」の中に混ぜ込まれることによってはじめて人間的な有用性を得る＝〈場面〉あるいは〈素材〉としての力を発揮出来るものになる、ということである。

写真的映像は、ある日ある場所に存在した現実の切れっ端に過ぎず、たとえば、この女性の映像が誰かの「母」であるのか「娘」であるのか、きわめて貴重なものなのかどこにでもあるものなのか、先ほど撮られたものなのかそれとも半世紀前のものなのか云々についての情報を、映像それ自体から導き出すのは――それが「それを使用する」ためのコードに則って撮影されたものでない限り――きわめてむつかしい。

そして、このような「映像」でもって「自分を見る」という行為は、おそらく、現在におけるもっともメジャーな「疎外」経験のひとつであるだろう。もはや「書くこと」をおこなうまでもなく彼や彼女は自分を写真に撮り、それをすぐさま自分のモニターで眺めるという経験を通して、それが自分であるにもかかわらず、すでに自分から切り離された自身の一部と対面することになる——つまり、昼の光の下で「いまは夜である」という気の抜けた命題を読み直すことにも似た、自分が自分の生み出した矛盾とともに日々暮らしているという経験を、彼ら彼女らは撮影という行為の中できわめてダイレクトなかたちで受け止めることになるのである。

ネットにアップされた映像は、すぐさま他の映像たちへとリンクされ、世界を満たしている膨大な映像群の一部へと編入され、そのようにして、世界にただひとつしかない「個」としての「自分」は、社会の中に映像として拡散された、いわば「類」としての自分の「指示表出」を見出してゆく——映像は「それについて語る」という行為を通すことではじめて人間的なものとなるわけだが、SNS上の映像はそれが他の映像と無制限に接続されることによって、また、そこに「お喋り」としての「書き言葉」という特殊な言語活動が重ねられることによって、〈それはかつてあった〉だけのものを次々と「指示表出」的な文脈の一部として変換してゆくことが可能なのである。現在、スマホから目が話せない人たちが取り組んでいるのは、この矛盾が生み出す力をどうにかこうにか修正し、切り下げ、または拡大し、そのような行為によって日々自分が感じている「精神の運動」を納得するためのありとあらゆる手続きである。

SNSは映像を共有化すること＝それをコード化し、互いに語り合うことへのぼくたちの欲望を強くドライヴさせてくれた。ぼくたちはモニター上で映像を眺めながら、そこに「wwww」などの文字を重ねてゆくことによって、あるいは単に「いいね！」やリツイートのボタンを押すことによってそれを社会的な活動の場所の中に引き出し、それについて「語る」という行為が可能な資材へと変成させてゆく。SNSという市場においては、それまではまったく孤独に、あるいは親しい人たちとアルバムを囲むというかたちで眺めるしかなかった「個としての映像」=「自分たちの現実の切れっ端」が、誰もがそれを眺めたい、語りたいと思う優良株券となるかもしれないのである。「語る」「接続する」という「労働」による「映像の証券化」がSNSの魅力のひとつなのではないかとぼくは思う。

この特質はスマートフォン・メディアの「常時接続」状態によって加速される。この株式市場は二四時間体制であり、そしてこのネットワークは参加するための資格も元手も必要ない完全なる自由競争の状態にあり、だからこそYouTubeその他における投稿には、どんな閲覧者にもアピールするようなコトバがあらかじめ大量に付け加えられることにもなるわけだが、このような実に資本主義的な状況にくたびれた人たちには、「友達」限定でやりとりが出来る（あるいは、参加者の目的に合わせてデザインされている）箱庭的SNSも大量に用意されている。

そもそも最初から参加者のすべてにある程度の〈場面〉が共有されてあるフェイスブックでは、映像はコトバ抜きでも十分に、単にそれを提示する／見るという行為の媒介として機能させることが出来る。二〇二三年の現在、YouTubeとInstargramとTikTokはそもそも最初から、フェイスブックもそのメインとなる情報は動画も含めた広義の「映像」であり、LINEその他のメッセンジャー・アプリに関しても、そこでやりとりされる情報は現在、文章よりも感情や返信表現を担うスタンプ的記号がすでにメインであるだろう。この場所で重要視されるのは、互いが「コミュニケーションしている」ことを担保するための「リズム的場面」を成立させることである。つまりもうどちらも「言語による表現」なんてメンドくさいことがはじまる以前の、「誰かと親しくしている」ことだけを確認するためのやりとりへ舵を切りつつあるのだ。ここで育(はぐく)まれているのは、もしかすると、吉本的な「対幻想」の領域に生まれる経験なのかもしれない。

## アスキーアートという試み

ここまで書いてきて、いま「2ちゃんねる」（現在の名称は「5ちゃんねる」だそうですが）という掲示板のことを思い出している。一九九九年開設で、スマホ以前のインターネット世界において異彩を放っていた巨大「BBS」＝「bulletin board system」であり、このサービスはもはや絶滅寸前であるのかもしれないが、「2ちゃんねる」は匿名で好きなことが書き放題、しかもクローズドではなく誰でも参加でき、情報の発信者と受信者の区分が不明……ということをあからさまに打ち出した初めてのメディアであって、そして、ここでの情報はまだ文字オンリーでやりとりされるものであった。

二〇世紀型のマス・メディアがまだ盤石だった二〇〇〇年代前半、ここに溢れる言説はかなりアンダーグラウンドな、マトモな人間だったら相手にしないようなコトバばかりが並んであったように見えていたと思う。それこそ、書き言葉でもって〈主体〉と〈素材〉と〈場面〉を揃えることのむつかしさの見本市みたいな場所であったわけだが、ここで発達したのが文字と記号でもって「絵」の表現をおこなう、いわゆる「アスキーアート」である。もっとも有名なイメージは、版権会社が商標登録しようとして失敗した「のまネコ」＝「モナー」というキャラだと思うが、ツイッターなどでも現在普通に使われている「顔文字」から、数十行にわたる創意工夫を凝らした似顔絵などまで、「2ちゃんねる」のユーザーは「文字」だけのやりとりの場になんとかして「映像」――というよりも、「発話」される以前の、それだけで感情を表すことの出来るマンガ的な「記号」を持ち込もうと情熱を傾けたのであった。

文字だけしか使うことが出来ないという条件によって逆説的にリリースされた、きわめてリズム的場面の方角に傾けられた「記号」的表現でもって「共有体験」を成立させようとする作業が「アスキーアート」である。本来は単線的に読まれるべき「文字」を駆使して、「面」で表現される「映像」を実現しようという試み……。このような実験がおこなわれていたBBSというシステムは、ネット人口が増加した二〇一〇年代の終わりあたりから目立つようになった「広告」目的の書き込みによって、一般的には、まったくの機能不全に陥ることになる。言葉を前言語的場面に引き降ろすことへの情熱とはまったく逆の、ひたすら機能性へと傾けられた「広告」的言葉たちの繁茂は、「ツイッター」から「X」へと名称が変わった一企業において、現在、空き地を買い占めてビルを建て「ジェントリフィケーション」という名のサービスを推し進めるようなやり方でもって、「疎外」とはまた別の経験をぼくたちの思考に与え始めているように思われる。

もはや過去の話になってしまったかもしれないが、もしツイッターにおいて「美」というものがあったとするのなら、それは、書くことと話すことのあわいに生まれる、まだ何処へ向かうのか理解不能な極小の表出たちを、決して単純にこれまでの「指示表出」性の体系には従わせないぞ、という意志に宿るものであっただろう。

### SNSの言語表現には何が可能なのか

書くという行為は、吉本隆明的な存在にとっては、「自己表出」と「指示表出」の間に生まれる矛盾に繰り返し直面することを通して、自己と世界とを同時に組み替えてゆく「疎外された労働」の代表である。

ふたたびの言及になるが、自身の上に自身の〈場面〉を折り重ねてゆく「言語活動」が「書くこと」であり、他者との交通を一旦遮断するこのようなコトバの使い方によってぼくたちは、自身を取り巻いている現実的条件から離れ、熟議と共通体験からなる（キャス・サンスティーンらが述べる）民主主義的活動を成立させることが出来るようになるのである。

逆に言えば、「会話」的言語活動とは、現在の現実的条件に密着した、自身を取り巻く環境がたっぷりと反映された実感と信頼に充ちたものであり、ぼくたちはSNS上で「書く」ことと「話す」ことを交錯させることによって、「書くことによる経験」と「話すことによる現実」とを混在させるような状態へと入り込む。これまで「書く」ことがなかった人たちはここで「疎外」を経験し、また、これまでもっぱら「書く」ことによって「近代」的精神を稼働させる作業を当然としてきた人たちは、自分の言葉が「映像」や「リズム的場面」の中でもみくちゃにされるという経験を得るだろう。

SNSに投稿された言葉は、それを読んでいる状況において常に、その投稿の外側で繰り広げられているコトバやイメージに接続され、侵食され、修飾させられながらその意味を横滑りさせられてゆく。そこで言葉は、どこかの誰かによって即座に首肯かれ、あるいは否定され、訂正され、社会的な有用性の下でしか機能しない状態へと常に回収されてしまう――このような状況は「会話」においては当然のものだが、どこからともなくつねにヒタヒタと言葉が配給されてくるこの場所において「他者との断絶」（および、声の自己への現前化）を徹底することは困難である。

このような場所にあって、ぼくたちは、いま書き綴られてゆく目の前の言葉をその内側だけで構成・展開させてゆくことを諦め、そこに接続される「映像」および他者の「言葉」を受け入れて、二四時間その価値と意味とが変化してゆくだろう「現在」の中に止まり続けるしかない。

また、これらの「言葉」は、私有化されたモニターに映し出されることによって、読者に「自分だけがこれを見ている／読んでいる」という感覚を強く与える。イヤフォンで聴くラジオの声がきわめてパーソナルな経験をリスナーに与えるように、目の前のマイ・ギアに点滅する「文字」は、公衆ではなくワタシ一人だけに届けられる「声」だと受け止められやすい傾向が備わっている。書き手の〈場面〉は、このような場所において読み手の〈場面〉と盛大に共振、あるいはスリップを起こす。書かれたものなのにもかかわらず、「言った」「言わない」「そう聞こえた」「それは誤解だ」云々といった「失敗した言語活動」をめぐるやりとりがはじまるのもこのような場所においてなのである。

言葉によって世界を押し固め、または押し広げ、自分の中に自分で矛盾を生み出すことを通して、「現在」と十分に対峙出来るような言語表現を生み出すこと。「詩」を書くことによって成されるだろうこのような試みは、たとえば、現在、SNS上においてはどのように可能だろうか。

吉本隆明は『ハイ・イメージ論』を書き継いでいた一九八六年、あらためてミシェル・フーコーの権力論を取り上げ、現在の社会における「国家権力」の分散化と、その中における「個人の意志決定能力」についてを論じている。

先進資本主義の諸社会では、やっと権力の表出力が、衣裳を脱ぎすてて、むき出しに本質をさらすようになった。社会体のなかの個々人は、じぶんたちの皮膚にひしひしと、権力の抑圧力や管理力を感ずるまでに切迫してきた、というように。その理由はいままで述べてきた。権力のベクトルが、国家という第一義的な幻想（体）の噴出のエネルギイ源を失って、社会体の内部の現実的な諸差異を表出源とせざるを得なくなったのだ。そこでは権力のベクトルは散乱し、分断された微局所の総和を、いちばん重要とするしかなくなった。そのかわり、リアルにむき出しに、諸個人の皮膚感覚に感知されるまでになった。たとえば悪の象徴のようにみなされている国家の社会管理力、会社や工場の現場、学校制度の登り難さ、病気管理力としての病院の

> 息苦しさと過密度、医薬物の作用、副作用の体系。また善の象徴とみられる抑圧力も、まったく同じだ。［…］
>
> 国家権力と市民社会との対立がいちばん重要だった資本主義の興隆期には、小さな権力が集まって大きな権力へ、また大きな国家の権力が分枝して、たくさんのおなじベクトルの小さな権力として局所に作用するというのが、権力の基本的な表出形式であった。**だが現在の高度資本主義諸国では、小さな一見すると何でもないような表出形式をもった権力問題ほど、より本質的な、より究極に近い権力の表出形式であるという逆説的な図式が成立している。**
>
> （「権力について」『吉本隆明全集20』五六二〜五六三頁）

強調は原文ママである。ぼくたちが眺めている液晶上の映像と書き込みは〈一見すると何でもないような表出形式〉であるが、それは〈より究極に近い権力の表出形式である〉……写真的映像の大衆化に面した吉本は、沈黙したままこちらを眺めている映像たちが、そこに〈場面〉を付与する言葉とともに着々と繁茂してゆく状況にすでに気が付いていた。文字による世界の仕様はかぎりなく「話す」ことに近付けられ、それはすでに〈喩〉としての〈像〉を作り上げる力を失って、「書き言葉」とはもはや、「映像」と「映像」との糊代（のりしろ）に塗られた賦活材に過ぎない……このような「文字」の存在の仕方にこそ現在の「権力」の在り方が反映されていると吉本は考え、ここから彼のイメージ論と、その反歌である『記号の森の伝説歌』が生まれたことに関してはすでに触れた。

書くということは文字に溶け込まされた「祭式」の伝統を引き継ぐという作業である。過去の「祭式」の力の名残によって〈喩〉は生み出される。しかし、テーブルの上のコーヒーにカメラを向け、その映像を撮り、その映像をSNS上に投稿し、コメントを加えて多くの人と共有する、という〈表出形式〉は、どのような〈喩〉によって描かれるべきものなのか。「書く」ことによる疎外の経験を最大限に利用し、書かれたものによって展開される「自己表出」性を最大限にまで高めることによって構成される〈喩〉としての世界は、いま目の前に存在している「映像」から目を逸らし、自分の内側でおこなわれている「言語活動」の〈場面〉にひきこもることによって初めて、作り上げることが出来るものなのだ。

## SNS時代の「喩」

文章を書きはじめた最初から、ぼくはこのような〈喩〉を作るための「言語活動」への疑問があったように思う。

たとえば、いま目の前で回転しているレコードに針を落として、溝をトレースしてゆくその姿を眺め、そこに刻まれている音がアンプリファイされて二つのスピーカーを揺らし、それを聴いて、やがて針が送り溝に入って、ぼくは手を伸ばしてターンテーブルを止めて、針を上げる……このような経験から得られる〈表現の厚みをくぐっているあいだ〉の〈遅延〉があるとするならばそれは、すでに、どのようにしても〈喩〉や〈像〉を呼び込むことが出来ないようなもののようにぼくには思えたのだった。

ライブによる演奏は、それについて書かれない限り、あるいは語り継がれない限り（ヘーゲル的な）歴史としては記録されない。もう終わってしまった事柄こそ言葉の語るべき対象であって、言語による「表出」は、もうすでに目の前にないモノや経験を巡って初めて十分に起動される。人は言葉を書いたり読んだりしているとき、その言葉が指し示す対象を実際はすでに失っているのである。こうして世界は書き言葉の中で〈像〉や〈喩〉として再生されるが、レコードに録音された声や音楽は、**それがコトバとして書かれているときも、読み終わったあとも、ずっと変わらずに何度でもぼくたちに同じ経験を与えてくれる装置なのである。**ここには、もしかすると、「まなざす」ことから「きく」ことへと認識の中心をシフトさせてゆくためのきっかけが存在しているかもしれない。このような予感とともに、こうした装置に対するための言葉とは、どのような「表出」のスタイルでもって書かれるべきなのか……決して終わってはくれないものを、そこにあるだろう未知の力とともに再生するためには、読み書きという行為をどのような場所に連れ出すべきなのか。ぼくはかつて、自身の言語活動（エクリチュール）をはじめるにあたって、「複製技術を前提にした音楽制作に対応した音楽批評を確立する」と宣言した。これは、レコードされた声および音楽を正確に聴くことこそ、現在における〈より本質的な、より究極に近い権力の表出形式〉を明らかにするための第一歩である、という意味であったはずだ。

ぼくたちは現在、自らを含む世界のイメージを「写真」に撮り、それをＳＮＳ上にアップすることを通して、日々繰り返し「自分が作ったものが自分とは疎遠な対象になる」という「疎外」の経験を積み重ねている。「書く」ことを抜きにしても容易に経験することが出来るようになったこの「疎外」が、もっぱら「話すこと」によって日々の生活を営んでいる「大衆」を、「歴史」の内側へと折りたたんでゆくための最大の動因となっているようにぼくには思われる。

そして、おそらく、このような「書く」ことの外側にある「疎外」の経験は、まず真っ先に「録音された音楽を聴く」ことを通して、ぼくたちの娯楽の領域に侵入してきたのではないかと思う。個々人の声質や訛り、感情の高ぶりや機敏がそのまま定着された「録音物」は、「話すこと」＝「対幻想」の領域で運営されるコトバの力をもっとも色濃く湛えた「言語活動」の記録でもあるのだ。「書く」ことでは消えてしまうこのような「声」と「リズム」を直接勾配させることによって、二〇世紀は無数の「ポピュラー・ミュージック」を生み出してきた。その最大の実験場となったのが、建国当時から王も貴族もいない、根無し草的な諸民族の寄り集まり国家であるアメリカ合衆国であった。

リュミエール兄弟は自分たちの風俗をスクリーン上に「表出」する対象として選んだ。マネと同じように、彼らの周りにはすでに描くべき「生活」があり「個人」があった。映画はそのようにして始まったのだったが、しかし、アメリカにおいて――「自分たちとは何か？」とまだ問い続けている最中のアメリカにおいて、映画とは風俗ではなく「ドラマ」を再現するための格好なメディアとして発展してゆくことになる。彼らがスクリーンの上に見たかったのは「思考するフォルム」＝「内面を持った個人」ではなく「英雄」であり「スタア」であり、そしてそのスタアたちが繰り広げる巨大な劇に相応しい「音楽」である。

無声映画は、「声」よりもむしろ「音楽」を導入することにより、その〈驚くべき力〉を削り取られることになった。聴覚上で独立した意味体系を構成する「音楽」は、目の前で起こっていることを容易にドラマに巻き込み、起承転結を与え、つまり、それを「リズム的場面」に連れ出しながら体験することを容易にする。「無声映画」は映像と音楽を同期させることによって「歌劇を自身の内側に取り込み、見事ブルジョワ芸術への扉を開くことに成功したのだった。音楽とともに「イメージ」はその「思考」のためのフォルムから離れた。では、録音された「音楽」は、それまでの「楽譜として書かれた音楽」から、録音されることでどのように切り離れたのか。ここにはおそらく、無声映画によって生まれた「思考するフォルム」と似たものが存在し、その「フォルム」はまだその力をあいまいにされたまま、ぼくたちの目の前で回転し続けているのである。

レコードによって生まれたのは、歴史的に**一回切りしか存在しない「声」を反復させる**という、西欧形而上学では捉えられない表象である。一度しか聴くことの出来ないものの記号が「録音された音」であり、この音はどのようにしても「内面の声」には回収することの出来ない、まったくもっての他者の現前である。世界には、すでに録音的写実主義（レコーデッド・レアリスム）とでもいうべき「表出」が存在している。そこに「思考するフォルム」＝ぼくたちの現在の姿を聴き取ることが出来るかどうかは、その聴き手次第であるだろう。

坂本龍一と吉本隆明との対談をまとめた『音楽機械論』（一九八六）において、シンセサイザーとミキサーを操作しながら、二人は以下のように述べていた。

坂本――つまり、こういう機械とか、ノウハウというのは、根拠はないと思うんです。だから、自然に聞こえさせるためには、自然に振る舞うというか、人工的に自然を演出しているわけだし、同じ機械で、非自然的に聞こえさせることもできるわけでしょう。それは、ほとんどスイッチ一つなんです。

吉本――なるほどね。なんとなく、人間の場合には、言葉もそうだし、音もそうだし、言葉と音が合わさったしゃべり、音声の言葉もそうだけども、ある言葉の次に、どういう言葉がくるかということは、習慣の場合も、文法的な規範が決まっている、それに、ひとりでに従うという場合もね、それから、無意識にそう言っちゃうという場合と、それから、詩を作るというような場合に、一生懸命考えて、最初の言葉がフワッと出てくるかということも、さまざまあると思うんですけど、よくよく考えると、どうしても、一つの言葉の次に、次の言葉とか、一つの音声の次に、次の音声というのが来る中間と言いますか、間というものは、高速度写真みたいなので、もしそれを撮ったとしたらば、〝否定〟のような気がするんです。否定の意識というのが、中間に入って、次の音声とか、次の言葉っていうのが、たぶん出てくるような気がするんですよ。［…］

つまり、否定機械なような気がするんですよね、人間の言葉とか、音声とか、音声と言葉が

一緒になったものとかというのは。（三七〜三八頁）

続けて吉本は〈なんかこういう場合には、どうなんですかね、別に否定なんかないんでしょうかね〉と尋ね、坂本氏はそれをもっぱら「音のＯＮ／ＯＦＦ」の問題として答えている。しかし、ここで吉本が聞きたかったのは、おそらく、ヘーゲル的な「否定の否定」によって生まれる自意識の弁証法が、いま目の前で作られてゆく音楽（この時の作品はサンプリングを多用した、舞踏のための『Esperanto』（一九八五））にどのように働いているのか、ということだったのだと思う。

そのような「否定機械」的制度が機能不全を起こすような「外」としての音楽がぼくたちの手元にはすでにあり、そしてそれは決して〈喩〉や〈像〉に変換することを通してではなく、レコードされた、繰り返される一回性の出来事それ自体に〈ありとあらゆる体験を語らせ〉ることによってこそ、「批評」というものを「書く」意味が生まれる――というところから、ぼくは自身の「書くこと」をはじめたのだった。

## 書き言葉が広がり続ける

ぼくたちの目の前には具体的なレコードがありＣＤがあり、それは言葉を書いたあとでも、それを書いている途中でも、言葉による「喩」の中に溶け込んで消えることはない存在である。それはそもそもが木っ端クズのような工業製品であり、バーゲン・セールで買える消費物であり、つまり、ぼくたちの生と同じほどの価値を持つ商品である。エドワール・マネのイメージそして無声映画のイメージがそれに相応しい言葉と思考を呼び寄せたように、これらの音楽自体が呼び寄せている言葉を探すこと。

九〇年代後半からぼくたちが聴いていた「レコードされた音楽」には、アジェの写真と同じように、その背後に「表現」を探すことが無意味であるような「表出」が数多く存在していた。このような表出は、会話による言語活動とも、書くことによる「疎外」とも、西欧的な「内面の声」とも、また、写真が湛えている切断力とも、さらには近代的な「思考するフォルム」とも異なった経験をぼくたちに与えてくれる。現在、インターネット上で展開されているSNSの画面には、いま書いたこれらの、おそらくそれぞれに異なった経験へと伸びてゆくだろう〈表出形式〉が、互いにその領土の縁を滲ませながら混在しているのである。

SNSにアクセスし、そこに表示されているものを眺め、書き込み、連絡し、そのような経験から得られる〈表現の厚みをくぐっているあいだ〉の〈遅延〉を感じ取り、「書く」ことと「話す」ことがかぎりなく近接しているこの表出から、具体的にまだ歴史の中に姿をあらわしていない存在を〈**海の方から、山の方からやって来た**〉ものとしてではなく）ぼくたちの世界の主体として把握すること。「書くこと」によって歴史の中に場所を占めることの現在形とは、そのような作業になるのではないかとぼくは思う。

この画面の上では、書かれたものも「映像」として、それが書かれるために必要であった線としての時間を剝奪され、デジタルにコピーされて、無言のままの写真的映像に固められて拡散される。書き言葉はここでは写真として、読むものではなく見るものとして扱われる可能性の下に吊り出される。

先日、逝去した友人の生前の写真をメールに添付して送ってもらった。クリックして開いて眺めながら、そこに映されている故人との想い出と、そしてその映像が、アプリケーションによって変換されたデジタル・データの固まりであることについてを考えている。

液晶に映し出されているのは〈それはかつてあった〉ことをぼくに強く印象付けてくれる映像だが、それは同時に、電源が落ちれば目の前から消えてしまう、都市のインフラとメディアの動向によって左右される過渡期的な映像でもある。デジタル・データとは数式であり、数式には歴史性はなく、演算処理と出力装置との兼ね合いによって、それは音にも映像にも文字列にも変換されて「表出」される。このような状態にある〈それはかつてあった〉は、たとえば、仏壇に飾ることはできるだろうか？　石に名を刻んで飾ることの代わりとして「写真的映像」が使用可能であるとするならば、モニター上でゆらめいているこのような「かつてあった」は、現在のぼくたちの状況を最大限に反映させた遺影であり得るだろう。このような遺影に取り囲まれている不安から、人はSNS上で饒舌になるのかもしれない。自分たちはもはやデータとしてしか追悼され得ないということを理解しているからこそ、「ぼくたちはメディアとアプリによって常時接続的に変奏されてゆく「表出」の饗宴にひたすら目を凝らしてしまうのかもしれない。変換されるデータとしての〈それはかつてあった〉とともに生きること。これは悲しいけれども、悲しすぎない世界の在り方として、これからもっと十分に実現されるべき生なのではないかとぼくは思う。このような「部屋」は、おそらく「明るい」のである。

「書く」ことは、それはSNS上であれどこであれ、自身を「指示表出」と「自己表出」に引き裂くことであり、またその作業を通して、書かれた対象を強引に「祭式」に巻き込んでゆく作業である。このようにしてぼくたちは現在、SNS上に文字を書きながら、あるいは、「映像」として表象されながら、互いが互いを「歴史」の主体へと生成させてゆく途上にある。この生成力はおそらく、きわめて大きい。この力にあわせてぼくたちは自身の規範をアップグレードしてゆく必要があるのだが、過去と現在と未来が矛盾の中で渦を巻いているこのような「書くこと」と「話すこと」の編成を変化させることは、もっぱら「書き言葉」でもって生産力の寡占をおこなってきた人たちにとってては、かなりオソロシイ出来事なのではないかと思われる。

しかし、ツイッターにつぶやかれるすべての言葉には、ぼくたちのテクノロジーを最大限に反映させたパワーがあり、そこでリリースされる「書き言葉」の矛盾を、これまでの「詩」や「小説」などのそれと同時に経験しながら、また、親しい人との「会話」によってその「表出」を相対化しながら、書くことによる「精神の劇」を毎日、気軽に体験出来るようになったことは、シンプルにとても良いことだと思う。

## 書くことのままならなさとおぼつかなさ

時折、自分の出番が終わったあと、ライブハウスのフロアで、最後列のＰＡブース近くの壁にもたれて、客とステージ上の演奏を同時に見ながら、いまここにいる人たち全員が参加出来る「言語活動」こそが、おそらく、ツイッターへの書き込みだったのだな、と思うことがある。話すことを書くことへと傾け、書くことを話すことへと引き下ろしながら、抑圧していた幼児期の経験とともに、社会における「指示性」の網の目の中に入ってゆくこと。

たとえば、これまでの社会を運営してきた「書くことの出来る人々」という存在が、彼／彼女がそのような状態になるまでのプロセス（弁証法的過程！）の一切を一旦、忘却の淵に沈めてからでなければ成立しないものだったとするならば、おそらく「ツイッター」には、乳幼児期から前青年期までの、まだ「書く人」＝「大人」に達しない状態のぼくたちの姿が、その曖昧な社会性とともに映し出されているはずである。そこには「書く人」として暮らすぼくたちが切り落としてきた世界のルールが温存されてあり、つまり、現在の社会を支えている体制とは異なったシステムへの予兆が含まれている。もし社会が「書くこと」以降の文化だけで出来ているとするならば、自分たちが子供の頃に覚えたルールや感情でもってそこに適応することはむつかしく、そうやってぼくたちは、いつのまにか、自分の「趣味」と「社会」を分離させながら暮らすことを当然としてゆくのだろう。資本主義のシステムが強力なのは、それがまったくもって「書くこと」＝「大人としての能力」を全面展開させることで成立するものだからであって、自身が「書く」ことへと向かったプロセスを忘却したままでは、このシステムの終焉を想像することが困難であるのも当然ではないかとぼくは思う。ぼくたちは自身の幼年期を何度でも「書く」ことによって思い出さなくてはならないし、そこで反復される疎外と退行の経験を抱えながら、現在、あらためて、社会的存在として暮らしてゆく必要があるのだとぼくは考える。

ぼくたちの社会はすでにそのような「幼年期」抜きでは成立しない状態にあり、具体的には、たとえばコンビニその他に行けば、現在のニッポン社会の埒外＝ぼくたちの歴史に属さない場所から来たと思われている多くの人々がそこでレジを打っている。彼ら彼女らはもちろん〈書こうとすればたちまち傷つく人々〉である。そして、ぼく自身の生の中にもこのような「大人」的カテゴリーから弾き飛ばされたままの人々が生きており、そこには〈哲学の規範的な言葉〉では語られることのなかった声がある。これまでの「祭式」のパワーをデタラメに引き継ぎながら、書かない領域にあった〈大衆〉のコトバが浮かび上がっては消える、そのようなモニターとしてツイッターを眺めること。

ある日のぼくが、祖父の書斎の、小さな文机のまえに正座をして、習字の筆の持ち方を教えられている。まず驚いたのは、はじめて見る半紙の薄さと文鎮の重さだったはずだが、後ろから手を摑んで墨汁に筆を浸させる祖父の力には心底怯えた。二人羽織の要領で墨を含ませた筆を強引に引き回し、半紙の上をぼたぼたと動いた筆によって、あ、という文字が大きく書かれた。「あ」と祖父は言ったと思うが、それは覚えていない。こちらはそのとき、思いもよらなかった祖父の腕力に恐怖し、また目の前に、自分の手によってはじめて「声」が「線の運動」となって刻まれたことに驚愕していた。あー、でも、あのねー、でも、またあしたー、でも、それまで声というものは直接一挙に、その意味とともに自分と周囲に与えられるはずのものだった。耳と直接結び付いている音と唇。また逆に、線と色彩は時間や動きとは無関係なもののはずだった。丸を描いて点をふたつ打って線を引けばそれは顔である。その絵は出来てしまえばもう動くことはない。

しかし、この「あ」は何か？　この線のなかには時間がある。細かく分節され、おそらく、ぼくや祖父やみんなの声を捕捉し刻み込む運動と時間が、この紙の上には存在している。一文字だけでもはっきりと感じられた、その異様な時間と空間が、ぼくにとっての最古の「文字」の思い出だ。

後年、意匠として刺青などに使っている漢字の文字が、一応形はあっているのに何か変な感じがするものがあるのは、そこに「書き順」という概念が存在しないからだ、ということに気が付いた。たとえば日本語ネイティヴではない人たちはそれを「絵」として把握しており、つまり、そこにはひと綴りの運動としての線の運びが存在していないのである。時間を備えた「線」としての「文字」の世界。自分が持った筆の動きが、自分の「声」を「線の運動」として刻んだその瞬間、ぼくははっきりと、これまでとは別の世界が周囲に開け、そして、実は、周りの人々はこれまで自分が知らなかったこの「文字」の力に浸されて生きているということに気が付いたのだった（しかし、実を言うと、この経験以前から、マルをふたつうまく並べて書くと、そこに時間が生まれる！　ということをぼくは発見しており、叔母のベッドルームで一人で興奮して飛び跳ねていたことを覚えている。その頃のぼくの家にはバネの効いたベッドは叔母の部屋にしかなかった。その横の壁にはもしかしてまだ鉛筆で「8」と読めるぼくの字が残っているかもしれない）。

これはまさしく「詩」によって得られる経験であったと思う。自分が書いたものであり、しかし、もうすでに自分のものではない、打ち捨てられた排泄物としての、糞尿としての「コトバ」。このようなコトバとともに生きること――ＳＮＳの普及によって明らかになったことは、必ずしも「話す」ことだけでは浮き上がってこない、このような「書く」ことによって生まれる、自分が自分から追い出した経験と向き合うことで生まれる力であり、そこで生まれる恐怖や苛立ちや怯え、興奮や悦びといった、つまり、言葉が生み出す感情の広がりそのものである。話すことと書くこととのあわいにあって、そこでは見ることと聞くことの近代もあらたに組み直されてゆくはずである。ぼくたちの手の中にはいまだにラスコーの洞窟があり、山の彼方で焚かれる篝火があり、打ち砕かれたベルリンの壁の破片が薄く青く発光している。

スマートフォンを所持していない人間のＳＮＳ論として、やはりきわめて凡庸な結論に辿り着いてしまったようだ。これらの言葉が誰かの手の中で、あるいは唇の上でふたたび孤独につぶやかれることを期待してここで論を終えようと思う。ありがとうございました。

## おわりに

手短に謝辞だけで。『出版人・広告人』編集長、今井照容氏。フィルムアート社編集部、沼倉康介氏。美学校講座運営に関わってくれた諸氏。タイトルを面白がってくれた友人たち。あと、ぼくの幼年期を形作ってくれた一九七〇～八〇年代の、青森県八戸市小中野の大谷家の環境と記憶に。ありがとう。

大谷能生

# 参考文献

相田みつを『生きかた日めくり相田みつを』文響社、二〇二三
東浩紀『存在論的、郵便的――ジャック・デリダについて』新潮社、一九九八
東浩紀『郵便的不安たちβ』河出書房新社、二〇一一
阿部良雄『絵画が偉大であった時代』小沢書店、一九八〇
阿部良雄『群衆の中の芸術家――ボードレールと十九世紀フランス絵画』中公文庫、一九九一（初版　一九七五）
綾目広治『小林秀雄――思想史のなかの批評』アーツアンドクラフツ、二〇二一
石川啄木『啄木・ロ－マ字日記』岩波文庫、一九七七
石川美子『ロラン・バルト――言語を愛し恐れつづけた批評家』中公新書、二〇一五
大谷能生『平岡正明論』P－VINE、二〇一八
大谷能生『歌というフィクション』月曜社、二〇二三
菅谷規矩雄『詩的リズム――音数律に関するノート』大和書房、一九七五
菅谷規矩雄『近代詩十章』大和書房、一九八二
小林秀雄『小林秀雄全作品14／無常という事』新潮社、二〇〇三
小林秀雄『小林秀雄全集　第1巻／様々なる意匠・ランボオ』新潮社、二〇〇二
小林秀雄『小林秀雄全集　第7巻／歴史と文学・無常といふ事』新潮社、二〇〇一
小林秀雄『小林秀雄全集　第10巻／ゴッホの手紙』新潮社、二〇〇二
小林秀雄『小林秀雄初期文芸論集』岩波文庫、一九八〇
小林秀雄『本居宣長（上・下）』新潮文庫、一九九三
小林秀雄、江藤淳『全対話』中公文庫、二〇一九
子安宣邦『江戸思想史講義』岩波書店、一九九八
坂本龍一、吉本隆明『音楽機械論――Electronic Dionysos』トレヴィル、一九八五
里見実『ラテンアメリカの新しい伝統――「場の文化」のために』晶文社、一九九〇
関川夏央／谷口ジロー『かの蒼空に・坊っちゃんの時代第三部』双葉社、一九九二
高山宏『近代文化史入門――超英文学講義』講談社学術文庫、二〇〇七（初版　二〇〇〇）
高山宏『殺す・集める・読む――推理小説特殊講義』東京創元社、二〇〇二
高山宏『アリス狩り』青土社、一九八一
谷川雁『原点が存在する』月曜社、二〇二二（初版　弘文堂、一九五八）
坪内逍遥『小説神髄』岩波文庫、二〇一〇
時枝誠記『国語学原論（上・下）』岩波文庫、二〇〇七（初版　一九四一）
夏目漱石『文学論（上・下）』岩波文庫、二〇〇七
夏目漱石『文鳥・夢十夜』新潮文庫、二〇〇二
橋爪大三郎『小林秀雄の悲哀』講談社、二〇一九
橋本治『デビッド100コラム』河出文庫、一九九一（初版　冬樹社、一九八五）
橋本治『ロバート本』河出文庫、一九九一（初版　作品社、一九八六）
橋本治『ぼくたちの近代史』河出文庫、一九九二（初版　主婦の友社、一九八八）
橋本治『完本チャンバラ時代劇講座』徳間書店、一九八六
橋本治『小林秀雄の恵み』新潮社、二〇〇七

蓮實重彦『反＝日本語論』ちくま学芸文庫、二〇〇九（初版　一九七七）
蓮實重彦『増補新版　ゴダール　マネ　フーコー――思考と感性とをめぐる断片的な考察』青土社、二〇一九
日比嘉高、津田大介『「ポスト真実」の時代――「信じたいウソ」が「事実」に勝る世界をどう生き抜くか』祥伝社、二〇一七
前田愛『近代日本の文学空間――歴史・ことば・状況』新曜社、一九八三
正岡子規『俳諧大要』岩波文庫、一九八三
本居宣長『古事記伝』岩波文庫、一九四〇
本居宣長『排蘆小船・石上私淑言――宣長「物のあはれ」歌論』（子安宣邦校注）岩波文庫、二〇〇三
本居宣長『うひ山ぶみ』（白石良夫全訳注）講談社学術文庫、二〇〇九
山田宏一『エジソン的回帰』青土社、一九九七
山田風太郎『明治十手架』ちくま文庫、一九九七
吉増剛造『詩とは何か』講談社現代新書、二〇二一
吉本隆明『カール・マルクス』光文社文庫、二〇〇六（初版　深夜叢書社、一九九五）
吉本隆明『定本　言語にとって美とはなにか』角川選書、一九九一（初版　勁草書房、一九六五）
吉本隆明『共同幻想論』河出書房新社、一九六八
吉本隆明『初期歌謡論』河出書房新社、一九七七
吉本隆明『自立の思想的拠点』徳間書店、一九六六
吉本隆明『大衆としての現在――極言私語』北宋社、一九八四
吉本隆明『マス・イメージ論』福武書店、一九八四
吉本隆明『ハイ・イメージ論1』福武書店、一九八九
吉本隆明『ハイ・イメージ論2』福武書店、一九九〇
吉本隆明『ハイ・イメージ論3』福武書店、一九九四
吉本隆明『記号の森の伝説歌』角川書店、一九八六
吉本隆明『我が「転向」』文藝春秋、一九九五
吉本隆明『世界認識の方法』中央公論社、一九八〇
『現代詩手帖臨時増刊　吉本隆明と〈現在〉』青土社、一九八六
『古事記』岩波書店、一九六三
アウグスト・ボアール『被抑圧者の演劇』（里見実訳）晶文社、一九八四
イーライ・パリサー『フィルターバブル――インターネットが隠していること』（井口耕二訳）ハヤカワ文庫、二〇一六
カール・マルクス『経済学・哲学草稿』（長谷川宏訳）光文社古典新訳文庫、二〇一〇
キャス　サンスティーン『#リパブリック――インターネットは民主主義になにをもたらすのか』（伊藤尚美訳）勁草書房、二〇一八
ギュスターヴ・フローベール『ボヴァリー夫人』（生島遼一訳）新潮文庫、一九九七
クリストファー・スモール『ミュージッキング』（野澤豊一、西島千尋訳）水声社、二〇一一
コナン・ドイル『シャーロック・ホームズの冒険』（日暮雅通訳）光文社文庫、二〇〇六
シヴァ・ヴァイディアナサン『アンチソーシャルメディア――Facebookはいかにして「人をつなぐ」メディアから「分断する」メディアになったか』（松本裕訳）ディスカヴァー・トゥエンティワン、二〇二〇
ジャック・デリダ『声と現象』（林好雄訳）ちくま学芸文庫、二〇〇五
シャルル・ボードレール『悪の華 ボードレール全詩集1』（阿部良雄訳）ちくま文庫、一九九八
ジャン＝リュック ゴダール『ゴダール／映画史1』（奥村昭夫訳）筑摩書房、一九八二

ジュディス・バトラー『アセンブリ――行為遂行性・複数性・政治』（佐藤嘉幸、清水知子訳）青土社、二〇一八
ジル・ドゥルーズ『シネマ1＊運動イメージ』（財津理、齋藤範訳）法政大学出版局、二〇〇八
ジル・ドゥルーズ『シネマ2＊時間イメージ』（宇野邦一、石原陽一郎、江澤健一郎、大原理志、岡村民夫訳）法政大学出版局、二〇〇六
ソール・クリプキ『ウィトゲンシュタインのパラドックス――規則・私的言語・他人の心』（黒崎宏訳）産業図書、一九八三
ノーマン・マルコムほか『回想のヴィトゲンシュタイン』（藤本隆志訳）法政大学出版局、一九七四
パウロ・フレイレ『伝達か対話か――関係変革の教育学』（里見実訳）亜紀書房、一九八二
ハンス・ツィスラー『カフカ、映画へ行く』（瀬川裕司訳）みすず書房、一九九八
ブラム・ストーカー『吸血鬼ドラキュラ』（平井呈一訳）創元推理文庫、一九七一
フランツ・カフカ『観察　カフカ自撰小品集1』（吉田仙太郎訳）高科書店、一九九二
フランツ・カフカ『世界の文学セレクション36／28　カフカ』（辻ひかる訳）中央公論社、一九九三
ペーター＝アンドレ・アルト『カフカと映画』（瀬川裕司訳）白水社、二〇一三
マイケル・ノース『一九二二年を読む――モダンの現場に戻って』（中村亨訳）水声社、二〇二一
マルクス、エンゲルス『共産党宣言』（森田成也訳）光文社古典新訳文庫、二〇二〇
ミシェル・フーコー『言葉と物』（渡辺一民、佐々木明訳）新潮社、一九七四
ミシェル・フーコー『マネの絵画』（阿部崇訳）筑摩書房、二〇〇六
レフ・トロツキー『文学と革命（上・下）』（桑野隆訳）岩波文庫、一九九三
ルイス・キャロル『不思議の国のアリス』（高山宏訳）亜紀書房、二〇一五
ロラン・バルト『喪の日記』（石川美子訳）みすず書房、二〇〇九
ロラン・バルト『彼自身によるロラン・バルト』（佐藤信夫訳）みすず書房、一九九七
ロラン・バルト『明るい部屋――写真についての覚書』（花輪光訳）みすず書房、一九九七
ロラン・バルト『記号学の冒険』（花輪光訳）みすず書房、一九八八
ロラン・バルト『映像の修辞学』（蓮實重彦、杉本紀子訳）ちくま学芸文庫、二〇〇五
ロラン・バルト『表徴の帝国』（宗左近訳）ちくま学芸文庫、一九九六
ロラン・バルト『零度のエクリチュール』（石川美子訳）みすず書房、二〇〇八
G・W・F・ヘーゲル『精神現象学』（長谷川宏訳）作品社、一九九八
G・W・F・ヘーゲル『論理の学・II　本質論』（山口祐弘訳）作品社、二〇一三
J・L・オースティン『言語と行為』（飯野勝己訳）講談社学術文庫、二〇一九
L・ヴィトゲンシュタイン『論理哲学論考』（丘沢静也訳）光文社古典新訳文庫、二〇一四

**大谷能生（おおたに・よしお）**

音楽と批評の活動。サックス／CDJ／PCなどを組み合わせた演奏で多くのバンドやセッション、録音に参加。演劇・ダンス作品など舞台芸術にも深く関わる。主な著作に『憂鬱と官能を教えた学校』（菊地成孔との共著。河出書房新社、2004）『貧しい音楽』（月曜社、2007）『日本ジャズの誕生』（瀬川昌久との共著。青土社、2008）『ジャズと自由は手をとって（地獄へ）行く』（本の雑誌社、2013）『平岡正明論』（Pヴァイン、2018）『平成日本の音楽の教科書』（新曜社、2019）『ニッポンの音楽批評150年100冊』（栗原裕一郎との共著。立東舎、2021）『歌というフィクション』（月曜社、2023）など。

# 〈ツイッター〉にとって美とはなにか

## SNS以後に「書く」ということ

2023年11月20日　初版発行

著者
大谷能生

編集
沼倉康介（フィルムアート社）

ブックデザイン
三牧広宜（三角舎）

発行者
上原哲郎

発行所
株式会社フィルムアート社
〒150-0022
東京都渋谷区恵比寿南1-20-6　第21荒井ビル
tel 03-5725-2001　fax 03-5725-2626
http://www.filmart.co.jp/

印刷・製本
シナノ印刷株式会社


Printed in Japan
ISBN978-4-8459-2310-6　C0010